OS SEIS GROUS

Os Seis Grous

ELIZABETH LIM

TRADUÇÃO
Raquel Nakasone

PLATAFORMA 21

TÍTULO ORIGINAL *Six Crimson Cranes*

Plataforma21 é o selo jovem da VR Editora

DIREÇÃO EDITORIAL Marco Garcia
EDIÇÃO Thaíse Costa Macêdo
PREPARAÇÃO Juliana Bormio de Sousa
REVISÃO Ana Luiza Candido e João Rodrigues
DIAGRAMAÇÃO Gabrielly Alice da Silva e Pamella Destefi
DESIGN DE CAPA Alison Impey
LETTERING DA CAPA ORIGINAL Alix Northrup
ARTE DE CAPA © 2021 by Tran Nguyen
ADAPTAÇÃO DE CAPA Gabrielly Alice da Silva
MAPA © 2021 by Virginia Allyn

Dados Internacionais de Catalogação na Publicação (CIP)
(Câmara Brasileira do Livro, SP, Brasil)

Lim, Elizabeth
Os seis grous / Elizabeth Lim ; tradução Raquel Nakasone.
– Cotia, SP : Plataforma21, 2022.

Título original: Six crimson cranes
ISBN 978-65-88343-18-0

1. Ficção norte-americana I. Nakasone, Raquel. II. Título.

21-95565 CDD-813

Índices para catálogo sistemático:
1. Ficção: Literatura norte-americana 813
Maria Alice Ferreira – Bibliotecária – CRB-8/7964

VR EDITORA S.A.
Via das Magnólias, 327 – Sala 01 | Jardim Colibri
CEP 06713-270 | Cotia | SP
Tel.| Fax: (+55 11) 4702-9148
plataforma21.com.br | plataforma21@vreditoras.com.br

Para Charlotte e Olivia, por serem minha maior aventura.
Vocês são minha alegria, meus milagres e meus amores.

Vilarejo Tianyi
Estalagem do Pardal
Castelo Bushian
Estreito do Mar do Norte
Mar Ocidental
Iro
Montanha do Coelho
Rio Baiyun
Floresta Zhensa
Montanhas Sagradas da Perseverança
Gindara
Floresta Cailan
Palácio Imperial
Vilarejo Yaman
Reino de Kiata
Oceano Cuiyan
A'landi
Lago Paduan
Ilhas Esquecidas de Lapzur

AN
Mar de Taijin
Monte
Rayuna
Ai'long
Reino dos
Dragões
Palácio do
Rei dos Dragões
Ilhas Tambu
Sundau

CAPÍTULO UM

O fundo do lago tinha gosto de lama, sal e arrependimento. A água era tão espessa que era uma agonia manter os olhos abertos, mas graças aos grandes deuses eu consegui. Senão, teria perdido o dragão.

Ele era menor do que pensei. Tinha a dimensão de uma canoa, olhos de rubis cintilantes e escamas verdes feito a mais pura jade. Não parecia nem um pouco com as bestas do tamanho de um vilarejo que as lendas descreviam, grandes o suficiente para engolir navios de guerra inteiros.

Ele veio nadando até que seus olhos vermelhos e redondos estavam tão perto que refletiam os meus.

Ele estava observando meu afogamento.

Ajude-me, implorei. Eu estava sem ar. Meu mundo provavelmente colapsaria em menos de um segundo.

O dragão me olhou, erguendo uma sobrancelha emplumada. Por um instante, ousei pensar que ele ia me ajudar. Mas seu rabo se enrolou no meu pescoço e extraiu meu último suspiro.

E tudo virou escuridão.

Pensando melhor, acho que eu não devia ter falado para minhas criadas que ia pular no Lago Sagrado. Só falei porque o calor estava insuportável de manhã. Os crisântemos tinham murchado e os milhafres que voavam acima dos citrus estavam sedentos demais para cantar. Aliás, dar um mergulho no lago me parecia uma alternativa perfeitamente razoável a comparecer à minha cerimônia de noivado – ou, como gostava de chamar, o triste fim do meu futuro.

Infelizmente, minhas criadas acreditaram em mim e contaram para papai na velocidade do fogo demoníaco. Em questão de minutos, ele mandou um dos meus irmãos – junto de um séquito de guardas de rostos austeros – me buscar.

Então ali estava eu, sendo arrastada pelas catacumbas de corredores do palácio no dia mais quente do ano. Para o triste fim do meu futuro.

Enquanto seguia meu irmão por mais um corredor ensolarado, fiquei mexendo na minha manga, fingindo esconder um bocejo enquanto tentava espiar lá dentro.

– Pare de bocejar – Hasho censurou.

Baixei o braço e bocejei de novo.

– Se eu soltar todos os bocejos agora, não vou precisar bocejar na frente do papai.

– Shiori...

– Queria ver você ficar acordado até de madrugada pra ter seu cabelo escovado mil vezes – retorqui. – Queria ver você caminhar com uma tonelada de seda. – Levantei os braços, mas minhas mangas eram tão pesadas que eu mal consegui mantê-los erguidos. – Olhe só todas essas camadas. Eu poderia equipar um navio com velas suficientes pra cruzar o mar!

A sombra de um sorriso se formou nos lábios de Hasho.

– Os deuses estão ouvindo, querida irmã. Se continuar reclamando assim, seu noivo vai ganhar uma verruga na cara cada vez que você os desonrar.

Meu noivo. Qualquer menção a ele entrava por um ouvido e saía pelo outro, e minha mente vagava para ideias mais agradáveis: como convencer o *chef* do palácio a me passar sua receita de pasta de feijão-vermelho ou, melhor ainda, como partir em um navio e atravessar o Mar de Taijin.

Sendo a única filha do imperador, nunca pude ir a lugar algum, quem dirá cruzar os limites de Gindara, a capital. Em um ano, estarei velha demais para uma aventura como essa. E estarei casada.

A humilhação me fez suspirar alto.

– Então estou ferrada. Ele vai ser horroroso.

Meu irmão soltou uma risadinha e me deu um empurrão.

– Vamos, chega de reclamar. Estamos quase lá.

Revirei os olhos. Hasho falava como se tivesse setenta anos, e não dezessete. Dos meus seis irmãos, ele era o meu favorito – era o único com uma sagacidade tão rápida quanto a minha. Mas, desde que ele começou a levar a sério essa história de ser príncipe e desperdiçar aquela cabecinha em partidas de xadrez em vez de travessuras, eu não podia mais lhe contar certas coisas.

Tipo o que eu estava carregando dentro da minha manga.

Senti uma comichão subindo pelo braço e cocei o cotovelo.

Fechei a abertura da manga só para garantir. Se Hasho soubesse o que eu estava escondendo debaixo das dobras, ele nunca mais pararia de me encher o saco.

Ele e meu pai.

– Shiori – Hasho sussurrou. – Qual é o problema com o seu vestido?

– Achei que tinha sujado a seda – menti, esfregando um ponto da manga. – Está tão quente hoje. – Disfarcei olhando para as montanhas e para o lago. – Você não preferia estar dando um mergulho em vez de indo a uma cerimônia chata?

Hasho me olhou desconfiado.

– Shiori, não mude de assunto.

Abaixei a cabeça, me esforçando para parecer arrependida e arrumando a manga discretamente.

– Você está certo, irmão. Está na hora de crescer. Obrigada por... por...

Senti outra cócega no braço e bati palmas para abafar o som. Meu segredo estava ficando inquieto, fazendo o tecido das minhas vestes se mexer.

– Por me levar para conhecer meu noivo – terminei depressa.

Acelerei o passo rumo à sala de audiências, mas Hasho pegou minha manga, ergueu-a e sacudiu com força.

Dali saiu uma ave de papel tão pequena – e rápida – quanto uma libélula. De longe, parecia um pardal, com um pontinho vermelho-escuro na cabeça. Ela voou do meu braço para a cabeça do meu irmão, batendo descontroladamente as asas delgadas enquanto pairava na frente de seu rosto.

Hasho estava de boca aberta e olhos arregalados de surpresa.

– Kiki! – sussurrei com urgência, abrindo a manga. – Volte aqui!

Kiki não me obedeceu. Ela se empoleirou no nariz de Hasho e o acariciou com uma asa, demonstrando afeto. Meus ombros relaxaram; os animais sempre gostavam dele, e eu tinha certeza de que ela o conquistaria também, assim como tinha me conquistado.

Então meu irmão abanou a mão para tentar pegá-la.

– Não a machuque! – gritei.

Kiki voou para cima, evitando por pouco suas garras. Ela se lançou contra as venezianas de madeira das janelas, procurando uma abertura, e disparou pelo corredor.

Saí correndo atrás dela, mas Hasho me agarrou e me segurou firme, até que minhas sapatilhas derraparam contra a madeira sussurrante.

– Deixe pra lá – ele falou no meu ouvido. – Conversamos sobre isso mais tarde.

Os guardas escancararam as portas, e um dos ministros do meu pai anunciou:

– Princesa Shiori'anma, a caçula e única filha do imperador Hanriyu e da falecida imperatriz...

Lá dentro, meu pai e sua consorte, minha madrasta, estavam sentados na frente da câmara cavernosa. O ar zumbia impaciência, os cortesãos dobravam e desdobravam seus lenços molhados, enxugando as têmporas suadas. Vi as costas do lorde Bushian e de seu filho – meu noivo –, ajoelhados diante do imperador. Somente minha madrasta me notou ali parada na entrada. Ela inclinou a cabeça, fixando seus olhos claros nos meus.

Um calafrio desceu pela minha espinha. De repente, tive medo de que, se eu levasse adiante essa cerimônia, eu me tornaria como ela: fria, triste e solitária. Ou, pior ainda, se eu não encontrasse Kiki, alguém a encontraria, e meu segredo chegaria aos ouvidos do meu pai...

Meu segredo: eu fiz uma ave de papel ganhar vida com magia.

Magia proibida.

Afastei-me das portas e passei por Hasho, que estava assustado demais para me impedir.

– Princesa Shiori! – os guardas gritaram. – Princesa!

Arranquei minha veste cerimonial e saí correndo atrás de Kiki. Só os bordados pesavam tanto quanto a armadura de um sentinela, e libertar meus braços e ombros de seu peso foi como ganhar asas. O traje formou uma piscina de seda no meio do corredor, e pulei uma janela que dava para o jardim.

O clarão do sol foi intenso, e tive que apertar os olhos para não perder Kiki de vista. Ela estava voejando pelas cerejeiras e pelos citrus, expulsando os pássaros dos galhos com seu voo frenético.

Eu pretendia manter Kiki no meu quarto, guardada em um porta-joias, mas ela ficou batendo as asas e lutando contra sua prisão tão vigorosamente que temi que um criado a encontrasse enquanto eu estivesse no noivado.

É melhor levá-la comigo, pensei.

– Promete se comportar? – pedi.

Kiki agitou a cabeça, o que entendi como um sim.

Errei.

Que os demônios me levassem, eu era a maior imbecil de Kiata! Mas eu não me culparia por ter compaixão, mesmo que por uma ave de papel.

Kiki era a *minha* ave de papel. Meus irmãos estavam crescendo, sempre ocupados com obrigações principescas, e eu me sentia sozinha. Kiki me ouvia, guardava meus segredos e também me fazia rir. A cada dia, ela ficava mais viva. Era minha amiga.

Eu tinha que pegá-la de volta.

Ela pousou no meio do Lago Sagrado, flutuando em suas águas paradas com uma calma inabalável – como se não tivesse acabado de transformar minha manhã inteira em um caos.

Quando a alcancei, estava ofegante. Mesmo sem o manto, meu vestido era tão pesado que eu mal consegui recuperar o fôlego.

– Kiki! – Joguei uma pedrinha na água para chamar sua atenção, mas ela só se afastou. – Não é hora de brincar.

O que eu deveria fazer? Se descobrissem que eu tinha habilidades mágicas, mesmo que ínfimas, seria expulsa de Kiata para sempre – um destino muito pior que ter de me casar com um lorde desconhecido de terceira classe.

Tirei as sapatilhas depressa, sem nem me incomodar em tirar as vestes.

E pulei no lago.

Para uma garota que era obrigada a ficar em casa praticando caligrafia e cítara, até que eu era uma boa nadadora – graças aos meus irmãos. Quando éramos crianças, costumávamos escapar para este mesmo lago para nos refrescar nas noites de verão. Eu conhecia bem essas águas.

Avancei em direção a Kiki, sentindo o sol em minhas costas, mas ela estava afundando. As dobras do meu vestido se enrolaram em mim com força, e minhas saias agarravam-se às minhas pernas toda vez que eu as mexia. Comecei a ficar cansada, e o céu desapareceu quando o lago me puxou para baixo.

Estava me afogando, lutando para subir para a superfície. Quanto mais eu me esforçava, mais rápido eu afundava. As mechas do meu longo cabelo preto flutuavam ao meu redor feito uma tempestade. O pavor contorcia minhas entranhas, minha garganta queimava e minha pulsação batia loucamente em meus ouvidos.

Soltei a faixa dourada sobre minhas vestes e puxei minhas saias, mas seu peso me fez submergir mais ainda, até que o sol não era nada mais que uma pérola tênue de luz brilhando acima.

Finalmente, consegui arrancar as saias e me impulsionei para cima, mas eu estava muito fundo. Não tinha como alcançar a superfície antes de ficar sem fôlego.

Eu ia morrer.

Bati a perna com fúria, lutando para respirar, mas foi em vão. Tentei não entrar em pânico, isso só me faria afundar mais rápido.

O Senhor Sharima'em, deus da morte, estava vindo me buscar. Ele anestesiou a dor que queimava meus músculos e o desconforto que inchava minha garganta. Meu sangue começou a esfriar, minhas pálpebras se fecharam...

Foi quando vi o dragão.

No início pensei que era uma cobra. Ninguém via dragão nenhum havia séculos, e, de longe, ele parecia um daqueles bichos da minha madrasta. Pelo menos até eu ver suas garras.

Ele veio na minha direção e ficou tão próximo que eu poderia tocar seus bigodes, longos e finos feito fios de prata.

Sua pata estava estendida e, acima de sua palma, presa entre duas garras, estava Kiki.

Por um instante, voltei à vida. Bati minhas pernas, tentando subir. Só que eu não tinha mais forças. Estava sem fôlego. Meu mundo estava encolhendo, e todas as cores estavam indo embora.

Com um brilho malicioso nos olhos, o dragão fechou a mão. Sua cauda veio por trás e se fechou em meu pescoço.

E meu coração deu uma batida final.

CAPÍTULO DOIS

– Uma... uma cobra – ouvi Hasho gaguejando. Ele não era muito bom em mentir. – Ela viu uma cobra.

– E resolveu sair correndo até o lago? Não faz sentido.

– Bem... – Hasho hesitou. – Você sabe que ela odeia cobras. Ela pensou que seria atacada.

Minha cabeça latejava feito uma trovoada, mas entreabri um olho para dar uma espiada nos meus dois irmãos mais velhos, Andahai e Benkai, ao lado da minha cama. Hasho estava um pouco afastado, mordendo o lábio.

Fechei o olho. Talvez se eles pensassem que eu ainda estava dormindo, iriam embora.

Mas Hasho percebeu, o maldito.

– Olhem, ela está se mexendo.

– Shiori – Andahai disse com firmeza. Seu rosto comprido pairava sobre o meu. Ele sacudiu meus ombros. – A gente sabe que você está acordada. Shiori!

Tossi. Meu corpo se contorcia de dor.

– Chega, Andahai – Benkai disse. – Chega!

Meus pulmões ainda queimavam, ávidos por ar, e minha boca tinha gosto de terra e sal. Engoli a água que Hasho me ofereceu e abri um sorriso forçado para os meus irmãos.

Eles não sorriram de volta.

– Você perdeu sua cerimônia de noivado – Andahai censurou. – Te encontramos na margem do lago, meio afogada.

Só meu irmão mais velho mesmo para me repreender por quase morrer.

Quase morrer, repeti para mim mesma, levando os dedos até o pescoço. O dragão tinha tentado me enforcar com seu rabo. Mas eu não estava com hematomas nem curativos. Será que ele tinha me salvado? A última coisa de que me lembrava era de ver dois olhos vermelhos e um sorriso torto. Não me lembro de ter subido até a superfície, e não teria como ter feito isso sozinha...

Senti asas roçando no meu dedão e de repente notei minha outra mão, escondida debaixo dos cobertores.

Kiki. Graças às Cortes Eternas! Ela estava ensopada, assim como eu. Mas estava viva.

– O que aconteceu, Shiori? – Andahai pressionou.

– Deixe-a em paz – Benkai disse. Ele se agachou ao lado da cama, dando tapinhas nas minhas costas enquanto eu bebia. Sempre gentil e paciente, ele seria meu favorito se eu não o visse tão pouco. Nosso pai o estava treinando para ser o comandante do exército de Kiata, e Andahai, para ser o herdeiro do trono.

– Você nos deixou preocupados, irmã. Vamos, conte ao velho Benben aqui do que se lembra.

Inclinei a cabeça para trás, apoiando-a na cabeceira de jacarandá. Hasho já tinha falado que eu fugira porque vi uma cobra. Será que eu devia endossar uma mentira tão atroz?

Não, Andahai e Benkai só vão fazer mais perguntas se eu mentir, refleti rapidamente. *Mas também não posso contar a verdade... eles não podem saber de Kiki.*

A resposta era simples: uma mentira não funcionaria, mas uma distração, sim.

– Um dragão me salvou – falei.

Os cantos dos lábios de Andahai se curvaram em uma carranca.

– Dragão? Sério?

– Ele era pequeno – continuei –, mas acho que é porque era jovem. Ele tinha olhos espertos. Mais afiados que os de Hasho.

Sorri, brincalhona, querendo melhorar o humor deles, mas suas carrancas só se aprofundaram.

– Não tenho tempo para historinhas, Shiori – Andahai disse, seco. Ele era o menos criativo dos meus irmãos. Cruzou os braços, e suas mangas estavam tão duras quanto seu cabelo encerado. – De todos os dias que você podia ter escolhido pra sair correndo pro lago… tinha que escolher justo o dia do seu noivado com o filho do lorde Bushian?!

Tinha me esquecido completamente da cerimônia. A culpa invadiu meu peito e meu sorriso logo esmoreceu. *Papai deve estar furioso comigo.*

– Papai está vindo te ver – Andahai continuou. – E eu não contaria com o fato de você ser a favorita dele pra sair dessa.

– Pare de ser tão severo com ela – Benkai falou. Então baixou a voz: – Até onde sabemos, ela pode ter sofrido um ataque.

Agora era minha vez de franzir as sobrancelhas.

– Um ataque?

– Ficamos sabendo de algumas rebeliões – explicou meu irmão. – Muitos senhores se opõem a seu casamento com o filho do lorde Bushian. Eles acham que a família vai ficar poderosa demais.

– Não sofri ataque nenhum – garanti a eles. – Eu vi um dragão e ele me salvou.

O rosto de Andahai ficou vermelho de exasperação.

– Chega de mentiras, Shiori. Por sua causa, lorde Bushian e seu filho foram embora de Gindara absolutamente envergonhados.

Só que, desta vez, eu não estava mentindo.

– É verdade – insisti. – Eu vi um dragão.

– É isso que vai contar ao papai?

– Contar o quê? – uma voz surgiu, ressoando pelo quarto.

Não tinha ouvido as portas se abrindo, mas elas rangeram quando meu pai e minha madrasta entraram em meus aposentos. Meus irmãos fizeram uma grande reverência, e eu baixei a cabeça até quase tocar meus joelhos.

Andahai foi o primeiro a se levantar.

– Pai, Shiori está...

Meu pai o silenciou com um gesto. Nunca o vi tão bravo. Normalmente, eu só precisava abrir um sorriso para derreter a severidade de seu olhar. Mas não hoje.

– Sua enfermeira nos informou que você não está ferida – ele disse. – O que é um alívio. Mas o que você fez hoje é absolutamente imperdoável.

Sua voz, tremendo de fúria e decepção, era tão baixa que a estrutura de madeira da minha cama zumbiu. Mantive a cabeça baixa e falei:

– Desculpe. Eu não queria...

– Você vai preparar um pedido de desculpas adequado para o lorde Bushian e seu filho – ele me interrompeu. – Sua madrasta propôs que você borde uma tapeçaria para amenizar a vergonha que você fez a família dele passar.

Levantei a cabeça.

– Mas, pai! Isso pode levar semanas.

– Você precisa ir a algum lugar?

– E minhas aulas? – perguntei, desesperada. – Minhas obrigações, as orações da tarde no templo...

Meu pai continuou impassível.

– Você nunca se importou com suas obrigações. Elas serão suspensas até que você termine a tapeçaria. Você vai começar imediatamente, sob a supervisão de sua madrasta, e não poderá sair do palácio até que ela esteja completa.

– Mas... – Vi Hasho balançando a cabeça. Hesitei, sabendo que ele estava certo. Eu não deveria discutir nem protestar... Mas as palavras escaparam da minha boca imprudentemente: – Mas o Festival de Verão é em duas semanas...

Um dos meus irmãos me cutucou nas costas. Desta vez, o aviso funcionou. Fechei a boca.

Por um instante, os olhos de papai suavizaram. Mas, quando ele tornou a falar, sua voz era dura:

– O Festival de Verão acontece todos os anos, Shiori. Vai ser bom você aprender que há consequências para o seu comportamento.

– Sim, papai – sussurrei, sentindo meu peito apertar.

O Festival de Verão podia acontecer todos os anos, mas este seria o último com meus irmãos antes que eu fizesse dezessete anos e me casasse – não, antes que eu fosse *descartada* para viver com meu futuro marido.

E eu tinha estragado tudo.

Papai observava meu silêncio, esperando que eu implorasse por clemência, inventasse desculpas e me esforçasse para fazê-lo mudar de ideia. Mas as asas agitadas de Kiki sob a minha mão me obrigavam a ficar quieta. Eu sabia quais seriam as consequências que teria que enfrentar se ela fosse descoberta – e elas seriam muito piores do que perder o festival.

– Fui mole demais com você, Shiori – meu pai disse, baixinho. – Por ser a caçula, te dei liberdades demais e deixei que você corresse livre com seus irmãos. Mas você não é mais uma criança. Você é a princesa de Kiata, a *única* princesa do reino. É hora de se comportar feito uma dama digna de seu título. Sua madrasta concordou em ajudar.

O pavor coagulou em meu estômago enquanto eu dirigia o olhar para minha madrasta, que não tinha se movido um centímetro, parada na frente das janelas. Eu tinha esquecido que ela estava ali. O que me pareceu impossível, depois que a vi.

Sua beleza era extraordinária – o tipo de beleza que os poetas imortalizavam e transformavam em lendas. Minha mãe era conhecida como a mulher mais bonita de Kiata, e pelos retratos que vi, a alcunha não era um exagero. Minha madrasta, no entanto, provavelmente era a mulher mais bonita do mundo.

Ela tinha impressionantes olhos de opala, uma boca que lembrava um botão de rosa e um cabelo cor de ébano tão brilhante que até parecia um lençol de cetim comprido em suas costas. Mas o que a tornava verdadeiramente inesquecível era a cicatriz diagonal cruzando seu rosto. Em outra pessoa, seria bem assustador, e qualquer um tentaria escondê-la. Menos minha madrasta. De alguma forma, a cicatriz contribuía para seu encanto. Ela não passava nem pó no rosto, como era a moda, tampouco cera no cabelo para fazê-lo brilhar. Embora suas criadas reclamassem de que ela nunca usava cosméticos, ninguém poderia discordar de que sua beleza natural era radiante.

Pelas suas costas, todos a chamavam de Raikama. *A Rainha Sem Nome*. Ela já teve um nome, em sua cidade natal, ao sul de Kiata, mas somente meu pai e alguns de seus oficiais mais leais sabiam. Ela nunca falava sobre isso nem sobre a vida que levava antes de se tornar a consorte do imperador.

Evitei seu olhar e encarei minhas mãos.

– Me desculpe por ter te envergonhado, pai. E a senhora também, madrasta. Não era minha intenção.

Ele tocou meu ombro.

– Não quero que você volte naquele lago. O médico disse que você quase se afogou. No que estava pensando, saindo do palácio daquele jeito?

– Eu... – Minha boca ficou seca. Kiki se mexeu debaixo da minha palma, como se me aconselhasse a não dizer a verdade. – Sim, eu... pensei ter visto uma co...

– Ela disse que viu um dragão lá dentro – Andahai falou em um tom que deixava claro que ele não acreditava em mim.

– Não dentro do palácio – gritei. – No Lago Sagrado.

Minha madrasta, imóvel e silenciosa até então, de repente ficou rígida.

– Você viu um dragão?

Pisquei, chocada com sua curiosidade.

– Eu... sim, eu vi.

– Como ele era?

Algo em seus olhos claros e pétreos fazia com que eu, uma mentirosa natural, tivesse dificuldade em mentir.

– Pequeno – comecei –, com escamas esmeralda e olhos de sol escaldante. – As próximas palavras foram proferidas a muito custo: – Tenho certeza de que foi só imaginação minha.

Raikama relaxou os ombros de leve, então uma calma cuidadosa se espalhou por seu rosto, como uma máscara que ela tinha retirado inadvertidamente por um instante.

Ela me ofereceu um sorriso cerrado.

– Seu pai está certo, Shiori. Vai te fazer bem passar mais tempo em casa, e não confundir fantasia com realidade.

– Sim, madrasta – murmurei.

A resposta agradou meu pai. Ele sussurrou algo para ela e saiu. Ela ficou.

Ela era a única pessoa que eu não conseguia ler. Pontos dourados circundavam seus olhos, que me enredaram com sua frieza. Eu não sabia se as profundezas desse olhar continham alguma história desconhecida.

Quando meus irmãos me provocavam dizendo que eu tinha medo dela, eu dizia que era por conta de seus olhos de cobra. Mas, no fundo, sentia que era mais que isso.

Apesar de nunca ter dito nem demonstrado, era certo que Raikama me detestava.

Eu não sabia por quê. Costumava pensar que era porque eu lembrava minha mãe – a luz que fazia sua lanterna brilhar, papai costumava dizer, a imperatriz de seu coração. Quando ela morreu, ele mandou construir um templo em seu nome, e ele ia lá todas as manhãs para rezar. Fazia sentido que minha madrasta se ressentisse de mim por fazer meu pai se lembrar dela, uma rival fora de alcance.

Ainda assim, esse não me parecia o motivo de sua hostilidade. Ela nunca reclamou das homenagens que meu pai prestava à minha mãe e nunca pediu para ser chamada de imperatriz, em vez de consorte. Ela parecia preferir ser deixada em paz, e às vezes eu me perguntava se ela gostaria de ser chamada de Rainha Sem Nome em vez de Sua Esplendorosa, sua forma oficial de tratamento, um reconhecimento de sua beleza e seu título.

– O que você tem debaixo da mão? – minha madrasta perguntou. Minha ave tinha se esgueirado para a ponta da cama, e só agora eu percebia que eu devia estar ridícula ainda tentando escondê-la.

– Nada – disse, apressada.

– Então coloque as mãos no colo, em uma postura digna da princesa de Kiata.

Ela ficou esperando e não me restou nada além de obedecê-la.

Fique quieta, Kiki. Por favor.

Enquanto eu erguia a mão, Raikama tirou Kiki de baixo do meu cobertor. Para meu alívio, Kiki não se moveu. Qualquer um pensaria que era só um pedaço de papel.

– O que é isso?

– Não é nada. Só uma ave de papel... – respondi rápido. – Por favor, me devolva.

Que erro.

Raikama levantou uma sobrancelha. Agora ela sabia que Kiki era importante para mim.

– Seu pai te adora. Ele mima você. Mas você é uma princesa, não uma aldeã. E já está grandinha para brincar com dobraduras. É hora de aprender o valor de suas responsabilidades, Shiori.

– Sim, madrasta – respondi baixinho. – Não vai acontecer de novo.

Raikama ficou segurando Kiki no alto. A esperança se acendeu em meu peito, e estiquei a mão para resgatá-la. Mas, em vez de me devolver, ela a rasgou em duas. Então a rasgou de novo.

– Não! – gritei, me atirando para Kiki, mas Andahai e Benkai me seguraram no lugar.

Meus irmãos eram fortes. Fiquei parada enquanto um soluço rasgava meu peito. A dor era opressora. Qualquer um que não soubesse o que Kiki significava para mim pensaria que eu estava *exagerando*.

Raikama me observava com uma expressão indecifrável: seus lábios estavam comprimidos; seus olhos, semicerrados feito duas fendas. Sem dizer uma palavra, ela jogou os restos de Kiki no chão e foi embora.

Andahai e Benkai foram atrás, mas Hasho ficou.

Ele aguardou as portas se fecharem e então se sentou ao meu lado na ponta da cama.

– Você pode fazer de novo? – ele perguntou baixinho. – Pode reencantar a ave e fazê-la voltar a voar?

Nunca foi minha intenção fazer Kiki ganhar vida. Eu só estava tentando fazer uma dobradura de pássaro – queria fazer um grou, já que ele está no brasão da minha família – para que os deuses me ouvissem. Todos os kiatanos conheciam a lenda: se você fizesse mil pássaros – de papel, tecido e até madeira –, eles poderiam levar uma mensagem aos céus.

Durante algumas semanas, trabalhei sozinha – não pedi ajuda nem para meu irmão Wandei, o melhor em todos os tipos de quebra-cabeças e construções –, tentando criar um grou de papel. Kiki foi a primeira ave que consegui fazer, apesar de parecer mais um corvo de pescoço comprido do que um grou. Quando terminei, coloquei-a no colo e pintei um pontinho vermelho em sua cabeça – para que ficasse mais parecida com as gruas bordadas nas minhas vestes – e disse:

– Que desperdício ter asas e não poder voar.

Então suas asas de papel começaram a vibrar. Devagar, a princípio um pouco hesitante, ela se ergueu no ar, com a insegurança de um passarinho aprendendo a voar. Nas semanas seguintes, quando minhas aulas acabavam e meus irmãos estavam ocupados demais para virem me ver, eu a ajudava a praticar, em segredo. Eu a levava ao jardim para que ela pudesse voar entre as árvores podadas e os santuários de pedra e, à noite, lhe contava histórias.

Estava tão feliz em ter uma amiga que não me preocupei com as consequências de ter o dom da magia.

E agora ela não estava mais lá.

– Não – sussurrei, finalmente respondendo à pergunta de Hasho. – Não sei como fazer.

Ele soltou um longo suspiro.

– Então é melhor assim. Você não devia se meter com magia que não pode controlar. Se alguém descobrir, você vai ser expulsa de Kiata para sempre.

Hasho ergueu meu queixo para enxugar minhas lágrimas.

– E se você for mandada para longe, quem vai cuidar de você, irmãzinha? Quem vai guardar seus segredos e inventar desculpas para suas travessuras? Eu que não vou ser. – Ele abriu um sorrisinho triste. – Então se comporte bem. Certo?

– Eu já vou ser mandada pra longe mesmo – respondi, me esquivando dele.

Ajoelhei e peguei os pedaços que minha madrasta tinha jogado no chão. Segurei Kiki perto do meu coração, como se isso pudesse trazê-la de volta à vida.

– Ela era minha amiga.

– Ela era um pedaço de papel.

– Eu ia transformá-la em uma grua de verdade. – Minha voz falhou. Minha garganta inchava enquanto eu olhava para a pilha de pássaros que eu tinha feito. Eram quase duzentos, e nenhum tinha ganhado vida como Kiki.

– Não me diga que você acredita em lendas, Shiori – Hasho disse gentilmente. – Se todo mundo que fizesse mil pássaros de dobradura pudesse fazer um pedido, as pessoas passariam o resto de seus dias fazendo dobraduras de pardais, corujas e gaivotas… desejando montanhas de arroz e ouro e anos de boa colheita.

Não respondi nada. Hasho não entendia. Ele não era mais o mesmo. Nenhum dos meus irmãos era mais o mesmo.

Ele suspirou.

– Vou falar com papai sobre você ir ao Festival de Verão quando ele estiver com um humor mais benevolente. Isso vai te fazer se sentir melhor?

Nada poderia fazer eu me sentir melhor sobre Kiki, mas assenti de leve.

Hasho se ajoelhou ao meu lado e apertou meu ombro.

– Talvez te faça bem passar as próximas semanas com nossa madrasta.

Eu o dispensei. Todos sempre tomavam o partido dela. Até os criados, apesar de chamarem-na de Raikama pelas costas, nunca falavam mal dela. Nem meus irmãos. Ou meu pai. *Especialmente* meu pai.

– Nunca vou perdoá-la por isso. Nunca.

– Shiori… o que aconteceu não é culpa dela.

É culpa sua, quase o ouvi dizendo. Mas Hasho era esperto demais para deixar as palavras saírem de sua boca.

Ele estava certo, só que eu não queria admitir. Algo na expressão que ela fez quando ouviu que eu tinha encontrado um dragão me dava calafrios.

– Não deve ser fácil para ela estar tão longe de sua cidade natal. Ela não tem amigos aqui. Nem família.

– Ela tem o papai.

– Você sabe o que eu quis dizer. – Ele se sentou ao meu lado, de pernas cruzadas. – Faça as pazes com ela, está bem? Pelo menos isso vai facilitar as coisas quando eu for pedir ao papai para te deixar ir ao festival.

Cerrei os dentes.

– Está bem, mas isso não quer dizer que eu vá falar com ela.

– Por que você tem que ser tão petulante? – Hasho censurou. – Ela se importa com você.

Encarei meu irmão, observando suas sobrancelhas franzidas e o repuxão em seu olho esquerdo. Sinais de que estava verdadeiramente exasperado comigo. Então falei baixinho:

– Você não acredita em mim, não é? Sobre o dragão.

Ele esperou tempo demais antes de dizer:

– Claro que acredito.

– Não acredita. Eu tenho dezesseis anos, não sou mais uma criança. Sei o que vi.

– Seja lá o que tenha visto, esqueça – ele pediu. – Esqueça Kiki, esqueça o dragão, esqueça o que quer que tenha feito para que isso acontecesse.

– Eu não *fiz* nada acontecer. Só aconteceu.

– Faça as pazes com a nossa madrasta – Hasho disse mais uma vez. – Ela é nossa mãe.

– Não a minha – respondi com a voz trêmula.

Uma vez, também a imaginei como minha mãe. Anos atrás, fui a primeira a aceitar Raikama quando papai a trouxera para casa, e nessa época, ela gostava de mim. Eu costumava segui-la para qualquer lugar que ela fosse – ela era tão misteriosa que eu queria aprender tudo sobre ela.

– Onde conseguiu essa cicatriz? – certa vez perguntei. – Por que não escolhe um nome?

Ela sorriu, fez carinho na minha cabeça e ajeitou a faixa na minha cintura, prendendo-a em um laço elegante e apertado.

– Todos nós temos nossos segredos. Um dia, Shiori, você também vai ter os seus.

Magia. Magia era o meu segredo.

Qual seria o dela?

CAPÍTULO TRÊS

Eu odiava bordar. Odiava a monotonia, as agulhas, a linha, a costura, tudo. Além disso, eu me furava tanto que as criadas tinham que fazer curativos nos meus dedos o tempo todo, e eles ficaram tão grossos quanto bolinhos fritos. Quase perdi minhas aulas. Quase.

Os dias se arrastavam mais lentos que os caracóis se aglomerando do lado de fora das telas de papel das janelas. Bordei um grou após o outro. Estava passando tanto tempo com eles que começaram a assombrar meus sonhos. Eles bicavam meus pés, com seus olhos negros feito cinzas brilhantes, para de repente se transformarem em dragões de dentes pontiagudos e sorrisos diabólicos.

Eu não conseguia parar de pensar no dragão – e na expressão que vi no rosto de Raikama quando Andahai o mencionou. Era como se ela quisesse que eu tivesse me afogado no lago.

Quem poderia saber o que se passava na cabeça da minha madrasta? Assim como eu, ela não era muito habilidosa no bordado, mas, ao *contrário* de mim, ela podia ficar sentada costurando por horas. Às vezes, eu a pegava olhando para o céu com um olhar distante, e ficava me perguntando no que é que ela estava pensando. *Se* é que ela pensava alguma coisa.

Eu a ignorava o melhor que podia, mas, quando cometia erros na tapeçaria, ela se aproximava para dizer:

– Seus pontos estão irregulares, Shiori. É melhor refazê-los.

Ou:

– Está faltando um olho nesse grou. Lady Bushian vai perceber.

Graças às Cortes Eternas, suas observações nunca exigiam resposta, pelo menos até agora. Hoje ela veio com um estranho pedido:

– Sabe onde está aquela faixa dourada que lorde Yuji lhe deu para que você usasse em sua cerimônia de noivado?

Dei de ombros.

– Deve ter afundado no lago junto comigo.

Minha resposta não a agradou. Ela não fechou a cara nem fez carranca, mas, pela forma como seus ombros se enrijeceram, percebi que essa não era a resposta que ela queria.

– Quando encontrá-la, traga-a para mim.

Concordei. Então ela saiu, e eu logo esqueci da tal faixa.

Na manhã do Festival de Verão, crianças e adultos passeavam ao longo da alameda imperial, segurando pipas de todos os formatos e cores.

Eu queria muito ir. Este era o único dia que Andahai relaxava, que Benkai não estava ocupado treinando para ser comandante, que Reiji e Hasho não estavam estudando com seus professores. Até os gêmeos, Wandei e Yotan – que eram tão diferentes quanto o sol e a lua e estavam sempre discutindo – deixavam suas brigas de lado no dia do festival. Eles sempre chegavam juntos para projetar e construir a pipa mais genial. Nós sete ajudávamos, e quando ela cruzava o céu, todos na corte a admiravam.

Eu também perderia toda aquela comida: biscoitos em formato de coelho recheados de feijão-vermelho doce, espetos de bolo de arroz grudento com pêssegos frescos ou creme de melão, bombons de tigres e ursos. Como era injusto eu ficar dentro de casa bordando com Raikama!

Quando minha barriga não conseguia mais aguentar, eu finalmente tive coragem de perguntar:

– Madrasta, o festival está começando. Posso ir? Por favor?

– Você vai poder sair quando terminar o bordado.

Eu não terminaria em menos de um mês.

– O festival já vai ter acabado.

– Não faça birra, Shiori. É deselegante. – Minha madrasta não se deu ao trabalho de olhar para mim enquanto sua agulha ia e vinha pelo tecido. – Temos um combinado com o seu pai.

Cruzei os braços, indignada. Eu não estava fazendo *birra*.

– Você não quer ir?

Ela se virou e abriu seu baú de costura. Lá dentro havia centenas de meadas, novelos e linhas cuidadosamente enroladas.

Raikama começou a separar o material.

– Nunca gostei dessas coisas. Só vou por obrigação.

Do lado de fora das janelas, tambores rugiam e gargalhadas ressoavam. A fumaça das churrasqueiras subia em espirais, crianças dançavam vestidas de cores alegres e as primeiras pipas da manhã voavam alto contra as nuvens.

Como é que alguém poderia *não* gostar dessas coisas?

Fiquei sentada no meu canto, conformada com o meu destino. Meus irmãos trariam minhas comidas favoritas, eu tinha certeza. Mas eu não teria a chance de conversar com os cozinheiros visitantes nem de vê-los trabalhar. A única receita que sabia fazer bem era a sopa de peixe de mamãe. No entanto, eu queria cozinhar mais – ou ao menos supervisionar a cozinha –, já que ia me mudar para o Norte, que tinha a comida mais sem graça de todas.

Eu estava tão ocupada pensando que queria estar no festival que não ouvi meu pai entrando no quarto. Quando o vi, meu coração deu um solavanco.

– Pai!

– Preciso entrar para convidar minha consorte para ir ao festival comigo – ele disse, fingindo não ter me notado. – Ela está pronta?

Minha madrasta se levantou, segurando o bordado.

– Só um momento. Deixe-me guardar isso.

Ela desapareceu na sala adjacente, e meu pai se virou para mim com uma expressão firme. Fiz a minha melhor cara de arrependida, na esperança de que ele ficasse com pena de mim.

Funcionou. Porém, ele me surpreendeu dizendo:

– Sua madrasta falou que você progrediu bem com a tapeçaria.

– Ela falou?

– Você acha que ela não gosta de você – meu pai disse, observador. Seus olhos, quase idênticos aos meus, sustentaram meu olhar.

Fiquei em silêncio, e ele soltou um suspiro.

– Sua madrasta passou por muitas dificuldades, e falar delas lhe traz sofrimento. Eu ficaria muito feliz se vocês se dessem bem.

– Sim, papai. Vou fazer o meu melhor.

– Que bom – ele respondeu. – Lorde Bushian e seu filho vão voltar no outono, para o casamento de Andahai. Você vai se desculpar com eles, então. Agora vá e aproveite o festival.

Meus olhos se iluminaram.

– Sério?

– Eu esperava que ficar em casa fosse acalmar seu espírito inquieto, mas estou vendo que nada pode te domar. – Ele tocou minha bochecha, contornando a covinha que aparecia sempre que eu estava feliz. – A cada dia que passa, você fica mais parecida com a sua mãe, Shiori.

Eu não concordava. Meu rosto era redondo; meu nariz, afiado demais e meu sorriso, mais travesso que gentil. Eu não era bonita como minha mãe.

Ainda assim, toda vez que meu pai falava dela, seus olhos marejavam e eu ficava querendo ouvir mais. Só que ele raramente se estendia. Com um suspiro baixinho, ele afastou a mão e disse:

– Vá.

Não precisei ouvir de novo. Como um pássaro finalmente liberto de sua gaiola, saí voando para encontrar meus irmãos.

Quando cheguei, o Festival de Verão estava abarrotado com centenas de foliões, mas consegui encontrar meus irmãos com facilidade. Eles estavam no parque, longe dos pavilhões bem cuidados, dos portões vermelhos e das praças de areia branca. Os gêmeos tinham criado uma pipa de tartaruga sensacional este ano, e meus outros irmãos estavam ajudando a dar os retoques finais.

As quatro patas da tartaruga projetavam-se para fora da carcaça, feita com uma colcha de retalhos de lenços e vestes velhos. Contra o azul-claro da tarde, ela daria a impressão de estar nadando nas lagoas azuis do jardim imperial.

Apertei o passo para me juntar a eles. Todos os anos, desde que éramos crianças, nós empinávamos pipa juntos durante o festival. Meus irmãos estavam todos na idade de se casar, Andahai já estava noivo, e logo todos os outros estariam também. Essa era a última vez que faríamos isso juntos.

– Vocês se superaram este ano, irmãos – cumprimentei.

– Shiori! – Wandei me lançou um olhar breve, com uma corda de medição nas mãos, verificando as dimensões finais da pipa. – Você conseguiu. Bem a tempo. Yotan já ia atacar a comida que guardamos pra você.

– Só pra não desperdiçar! – Yotan estava limpando a tinta verde das mãos. – Você me faz parecer um comilão.

– Shiori é a comilona aqui. Só que você é que ficou com a barrigona.

Yotan limpou a garganta.

– Só minhas orelhas são grandes. Iguais às suas. – Ele deu um puxão na orelha de seu gêmeo, que realmente se destacava mais que a dos outros, assim como a dele.

Sufoquei uma risadinha.

– Sobrou alguma coisa boa?

Yotan acenou para uma bandeja de comida que eles tinham pegado nas barracas.

– As melhores já acabaram. – Ele deu uma piscadela e se inclinou, me mostrando o esconderijo dos bolos de arroz sob sua capa. – Shhh, não mostre aos outros. Tive que subornar o vendedor pra conseguir esse último.

Piscando de volta, enfiei um bolo na boca. Meus ombros se derreteram enquanto minha língua saboreava a textura da massa de arroz e o açúcar de confeiteiro se espalhando em meus lábios na doçura exata. Avidamente, peguei outro antes que Yotan escondesse o estoque novamente.

– Deixe um pouco pra gente também! – Reiji reclamou.

– Acabei de chegar – eu disse, pegando outro. – Vocês tiveram o dia todo pra aproveitar a comida.

– Só que a gente ficou trabalhando na pipa – ele respondeu, irritado. Como sempre, as narinas do meu irmão estavam dilatadas de descontentamento. – Além disso, não tem muita coisa pra aproveitar. Nada de bolo de macaco, nada de bolinho de peixe. Nem as esculturas de açúcar chegam aos pés das do ano passado.

– Deixe ela comer – Benkai falou. – Você está sempre reclamando de algo.

Enquanto meus irmãos discutiam e eu comia, minha atenção foi das magnólias para o lago onde quase me afoguei. Onde vi o dragão.

Parte de mim estava se coçando para ir procurá-lo.

– Venha, vamos logo antes que as melhores comidas acabem – Hasho disse.

– Peguem mais peixe grelhado! – Yotan pediu. Meus outros irmãos quiseram ficar para ajudar os gêmeos com a pipa. A competição começaria em meia hora – tempo suficiente para Hasho e eu darmos uma volta.

Crianças mascaradas se espremeram entre nós, dando gritinhos e correndo para as tendas de jogos, ávidas para ganhar bonecas de porcelana e peixes de barbatanas prateadas em potes de vidro. Quando eu tinha a idade delas, também adorava essas brincadeiras. Agora, preferia a comida.

Respirei fundo, sentindo o aroma dos espetos de cavalinha frita e ovos de chá, do camarão empanado, dos brotos de bambu em conserva, do macarrão de vidro com molho de amendoim. Para uma gulosa feito eu, isso era o paraíso.

– Princesa Shiori, é uma honra para a minha humilde barraca ser agraciada com a sua presença – os vendedores diziam um após o outro.

– Não acha que a gente devia voltar? – disse Hasho, depois que eu devorei um prato de macarrão de vidro e vários camarões empanados. – A competição já vai começar.

Papai e Raikama já estavam caminhando para o pátio central, onde a competição de pipas aconteceria. Lorde Yuji acenou para nós enquanto se juntava ao imperador.

– Minha nossa, você está cada dia mais parecida com a sua mãe! – ele me cumprimentou todo simpático. – O jovem Bushi'an Takkan é um homem de sorte.

– Será? – Hasho disse. – Uma coisa é a beleza dela, outra é seu comportamento...

Dei uma cotovelada no meu irmão.

– Fique quieto.

Lorde Yuji deu uma risada gutural. Ele sempre me lembrou uma raposa de ombros afiados, dentes pequenos e sorriso fácil.

– O Norte poderia se beneficiar das famosas traquinagens da princesa Shiori. – Ele entrelaçou as mãos e gesticulou para o meu vestido simples, o oposto de suas vestes opulentas. – Ouvi que você caiu no Lago Sagrado recentemente e perdeu uma fortuna em seda.

– Foi mesmo – disse, mudando o tom. – Receio ter perdido também a faixa que o senhor me deu. Ela devia ser muito valiosa, pelo jeito como minha madrasta ficou aflita.

– Ela ficou? – lorde Yuji disse. – Isso é novidade para mim, mas não se preocupe, Alteza. Faixas podem ser facilmente substituídas, e meus filhos e eu só podemos agradecer aos deuses por você ter sido encontrada e por ter voltado para casa em segurança. – Ele se inclinou. – Mas, que fique aqui entre nós, estou esperando um carregamento de seda dos meus amigos de A'landan em breve. Ouvi dizer que vermelho é sua cor favorita.

– É a cor que os deuses mais notam – respondi descaradamente. – Se eu for mandada para o Norte, vou precisar de toda a atenção que eles puderem me dedicar.

Ele deu risada de novo.

– Que a sorte dos dragões esteja com você, então. Sua faixa será vermelha.

Enquanto ele se afastava, soltei um suspiro. Lorde Yuji era generoso e rico e, mais importante, seu castelo era perto de Gindara. De vez em quando, eu desejava que meu noivo fosse um de seus filhos, em vez do filho do lorde Bushian. Se eu era *obrigada* a me casar, pelo menos queria poder ficar perto de casa – e não ser prometida a um senhor bárbaro de terceira classe.

"Alianças devem ser feitas", meu pai dizia sempre que eu ousava reclamar. "Um dia, você vai entender."

Não, eu nunca entenderia. Mesmo agora, a injustiça disso tudo fazia meu estômago se contorcer. Enfiei o último bolo de arroz na boca.

– Você está comendo tão rápido que vai ter uma indigestão – Hasho falou.

– Se eu não comer rápido, a comida vai acabar – respondi de boca cheia. – Além disso, bordar gasta energia. Pode voltar, sei que você está morrendo de vontade de ver Wandei testar a pipa. Eu ainda estou com fome.

Sem esperar por ele, segui pelos corredores, procurando os bolos de arroz.

Uma nova remessa me aguardava, decorada com esmero em uma tigela de madeira.

– Fiz especialmente para a princesa Shiori – o vendedor disse.

Coloquei-a entre os braços e peguei uma porção de batata-doce também, ajeitando-a debaixo do braço. Já estava no meio do caminho de volta quando avistei um menino com uma máscara de dragão escondido atrás da barraca de peixe grelhado.

Suas vestes pareciam antigas – a faixa era uma geração mais larga – e suas sandálias eram diferentes entre si. Ele era alto demais para ser uma criança, mas corria pelo festival feito uma – ou melhor, feito alguém que não devia estar aqui. A coisa mais estranha em sua aparência era seu cabelo com mechas verdes.

A competição começaria logo e meus irmãos estavam me esperando, mas eu queria dar uma olhada na máscara do garoto.

Era azul, com bigodes prateados e chifres escarlates. Ele era rápido, parecia até um lagarto, e ainda mais guloso do que eu.

Tudo nas barracas era de graça, oferecido pelos vendedores para divulgar seus produtos. No entanto, não era educado pegar mais que um ou dois pratos de uma vez. Este garoto estava pegando pelo menos cinco. Era impressionante que ele conseguisse equilibrar tudo nos braços, mas, se continuasse nesse ritmo, os donos das barracas o proibiriam de voltar. E agora ele estava procurando raiz de lótus frita.

Balancei a cabeça. *Novato.*

– É melhor pular o lótus – eu disse, me aproximando dele. – Todo mundo sabe que é a pior comida do festival.

Pensei que o surpreenderia, mas ele mal piscou. Seus olhos vermelhos brilharam atrás da máscara.

– Então vou ficar com o seu.

Antes que eu respondesse à audácia dele, Hasho reapareceu ao meu lado, finalmente me encontrando.

– Shiori, você vai voltar? Está quase na hora da cerimônia das pi...

O menino de repente deu uma rasteira no meu irmão, fazendo-o tropeçar sem terminar a frase.

Enquanto era lançado para frente, Hasho me agarrou para recuperar o equilíbrio. Nisso, uma manga verde surgiu ao meu lado e agarrou o pacote de batatas-doces debaixo do meu braço.

– Ei! – gritei. – Ladrão! Ladrão...

As palavras mal saíram de meus lábios. Hasho e eu tombamos um sobre o outro, e meus pratos meio comidos se espalharam pela rua.

– Alteza! – as pessoas gritaram. Mãos surgiram nos oferecendo ajuda e uma multidão se juntou para garantir que não estávamos feridos.

Mas nem prestei atenção. Eu estava focada no garoto mascarado.

– Você não vai se safar assim tão facilmente – murmurei, observando as pessoas. Eu o vi caminhando pelas tendas de jogos e desaparecendo entre os arbustos. Ele se movia ainda mais rápido do que Benkai, e seus passos eram tão leves que não deixavam marca na grama macia do verão. Quis ir atrás dele, mas Hasho agarrou meu pulso.

– Shiori, onde você...

– Volto a tempo da competição – disse, esquivando-me dele.

Ignorei os protestos de Hasho e saí correndo atrás do garoto com máscara de dragão.

CAPÍTULO QUATRO

Eu o encontrei sentado em uma pedra, devorando um saco de batatas--doces com mel.

Meu saco de batatas-doces.

O aroma subia pelo ar, aguçando a fome em meu estômago – e a raiva em meus punhos.

Eu pretendia acusá-lo de roubo, proferir cem insultos diferentes e amaldiçoá-lo até o sopé do Monte Nagawi, mas, assim que o vi, outras palavras saíram da minha boca:

– Você não é velho demais pra usar máscara?

Ele não pareceu surpreso por eu tê-lo seguido. Nem bravo. Em vez disso, um sorriso familiar surgiu em sua boca. Eu não sabia onde já tinha visto aquele sorriso.

– O que é isso? – ele falou, apontando para a tigela de madeira debaixo do meu braço.

– Bolo de arroz.

Ele tirou a máscara e esticou o braço.

– Delícia – disse, experimentando o doce.

Se não fosse pelo contorno vermelho-vivo em torno de suas pupilas, ao mesmo tempo familiar e estranho, eu teria arrancado a tigela de suas mãos. Assustada, eu a soltei.

– Não coma tudo...

Tarde demais. Não tinha sobrado uma migalha de batata-doce nem de bolo de arroz. Coloquei as mãos nos quadris e lancei ao garoto minha carranca mais irritada.

– O que foi? – Ele deu de ombros. – Nadar me deixa faminto.

Eu ainda estava encarando-o, observando as grossas faixas verdes de suas têmporas. Nunca tinha visto essa cor em ninguém antes, mesmo nos comerciantes de cabelo claro que vinham do Extremo Oeste. Sua pele não era tão bronzeada, mas tinha um brilho perolado. Não conseguia decidir se ele era esquisito ou bonito. Ou perigoso.

Talvez os três.

– Você é... você é o dragão! Daquele dia no lago.

Ele sorriu.

– Então você tem cérebro. Estava me perguntando se tinha, depois que você caiu no lago.

Respondi seu sorrisinho com uma encarada:

– Eu não caí no lago, eu pulei.

– Tudo por causa daquela ave, eu me lembro. A ave *encantada.*

Lembrar de Kiki estragou meu humor. Limpei as migalhas das mangas e virei as costas para o lago.

– Onde você está indo?

– Pro festival. Meus irmãos estão me esperando.

Em um instante, ele estava ao meu lado, agarrando minha manga, me forçando a me sentar.

– Mas já? – Ele estalou a língua. – Eu encontrei a sua ave e te salvei do afogamento. Não acha que me deve um agradecimento? Fique um pouco. Me distraia.

– Te distrair? – repeti. – Tem um festival inteiro pra isso.

– São só jogos humanos que não me interessam.

– Você não é mais um dragão.

E não era mesmo. Em sua forma atual, era só um garoto, um jovem não muito mais velho que eu. Só que com cabelo verde e olhos de rubi e unhas afiadas.

– Aliás, como assim você é *humano*?

– Todos os dragões são – ele respondeu, alargando o sorriso. – Fazia tempo que eu não praticava me transformar em humano. – Ele soprou a franja. – Sempre achei humanos chatos.

Cruzei os braços.

– Sempre achei que dragões fossem majestosos e enormes. Você é um pouco maior que uma enguia.

– Uma enguia? – ele repetiu. Pensei que fosse ficar bravo, mas ele explodiu em uma gargalhada. – É que eu ainda não desenvolvi minha forma total. Quando isso acontecer, você vai ficar impressionada.

– E quando você vai alcançar sua forma total? – perguntei, incapaz de conter a curiosidade. Tudo o que eu sabia sobre dragões vinha de lendas e histórias, que nunca mencionavam a adolescência dos dragões.

– Logo. Diria que em um ano humano. Dois, no máximo.

– Não é muito mesmo. – Funguei. – Não consigo imaginar você crescendo *tanto* em um ano.

– Ah, é? Vamos apostar então.

Me inclinei para frente. Meus irmãos adoravam fazer apostas, mas nunca me deixavam participar.

– Apostar o quê? Dragões não são conhecidos por manter a palavra.

– A gente *sempre* mantém a palavra – ele retorquiu. – É por isso que quase nunca a oferecemos.

Eu lhe lancei um olhar penetrante.

– O que está propondo?

– Se eu ganhar, você vai me convidar para o seu palácio e cozinhar um banquete em minha homenagem. Espero mil pratos, nada menos que isso, e a presença dos mais importantes senhores e senhoras.

– Eu só sei preparar um prato – confessei.

– Você tem um ano pra aprender mais.

Não prometi nada.

– Se *eu* ganhar, você vai me levar pro *seu* palácio e oferecer um banquete em minha homenagem. Mesmas regras.

Seu sorriso desapareceu, e ele passou a mão pelos compridos cabelos verdes.

– Não sei se meu avô aprovaria isso.

– É a coisa mais justa. Você acha que meu pai iria gostar de que eu levasse um menino dragão para jantar?

– Se ele iria gostar? Ele deveria ficar honrado.

Honrado? Soltei um suspiro pesado.

– Ninguém pode falar do imperador desse jeito.

– Verdade – o dragão disse, encolhendo os ombros. – Humanos reverenciam dragões, mas o contrário não é verdadeiro. Seria como levar um porco pra jantar.

– Um porco! – Fiquei de pé num instante. – Não sou um porco.

Ele deu risada.

– Certo, certo. Acalme-se, Shiori. Estamos de acordo. – Ele puxou meu braço até que eu me sentasse novamente.

– E esta é Kiata, não A'landi. Meu pai *não* reverencia dragões – resmunguei. – Ele despreza magia... – Parei de falar de repente. – Como você sabe meu nome?

– Aquele garoto do festival disse. Antes que eu desse uma rasteira nele.

– Era meu irmão!

– Sim, e ele parecia um estraga-prazeres. Não está feliz por ter vindo atrás de mim?

Olhei para ele.

– Me fale seu nome.

O dragão sorriu, mostrando seus dentes pontudos.

– Sou Seryu, príncipe dos Mares Orientais e neto favorito do Rei Dragão, Nazayun, Soberano dos Quatro Mares e das Águas Celestiais.

Revirei os olhos para sua afetação. Eu também podia jogar esse jogo.

– Shiori'anma – disse altivamente, apesar de ele já saber meu nome. – Primeira filha do imperador Hanriyu, e a princesa mais querida de Kiata, o Reino das Nove Cortes Eternas e das Montanhas Sagradas da Perseverança.

Seryu parecia estar se divertindo.

– Então seu pai detesta magia, é? O que ele vai pensar de *você*?

Fiquei trocando o peso das pernas, desconfortável.

– O que ele vai pensar de mim? Eu... não tenho magia. Não *existe* magia em Kiata.

– A magia é *rara* em Kiata – Seryu corrigiu. – Exceto em deuses e dragões, claro. Ah, as fontes podem ter até secado, mas a magia é um elemento natural do mundo, nem os deuses podem apagar *todos* os traços dela. É por isso que, uma vez a cada lua rara, um kiatano nasce podendo usar o que restou dela. Mesmo que seja uma humana, como você. Não negue. Eu vi aquela sua ave de papel.

Engoli em seco com força.

– Kiki partiu. Minha madrasta... a destruiu.

Seryu gesticulou para o bolso onde eu guardei os restos de Kiki.

– Você pode trazê-la de volta.

Ele falou com tanta naturalidade – da mesma maneira que eu diria a um cozinheiro que seus camarões fritos estavam perfeitos ou que seus inhames estavam bem cozidos – que eu pisquei, abrindo a boca de surpresa.

– Posso? Não. *Não*. – Balancei a cabeça. – Chega de magia.

– Como assim, você não quer se tornar uma feiticeira poderosa? – Ele abaixou a voz. – Ou você tem medo de que seus poderes a corrompam e a transformem em um demônio?

– Não – respondi. Suspirei para continuar: – Sem magia, Kiata está segura. Sem magia, não há demônios.

– Você sabe o que há nas Montanhas Sagradas da Perseverança, não é?

– Claro que sei. – As montanhas ficavam logo atrás do palácio; eu as via todos os dias.

– Milhares e milhares de demônios – Seryu respondeu em um tom conspiratório –, e toda a magia que os seus deuses pediram aos dragões para selar. Seu imperador deveria *reverenciar* os seres que ajudaram a tornar seu reino seguro. Que *mantêm* seu reino seguro.

– Os deuses e sentinelas mantêm Kiata segura – falei. – Os dragões estão ocupados demais fazendo apostas. E acumulando pérolas.

Seryu gargalhou.

– É isso que eles dizem agora? Não tente ensinar história a um dragão, princesa, especialmente histórias mágicas.

– Não tente ensinar uma humana sobre nossos deuses – retorqui. – Aliás, você podia estar aqui? Os deuses prometeram manter a magia no céu, depois que a arrancaram de Kiata. Os dragões não tinham falado que permaneceriam em seus lagos?

– Mares – Seryu corrigiu. – Vivemos no Mar de Taijin, em um reino cintilante de conchas e corais preciosos. Não num lago lamacento. E dragões não estão sujeitos às regras dos deuses. Nunca estivemos.

– Então por que a sua espécie desapareceu por tantos anos?

– Porque seu reino é entediante. O palácio do meu avô te deixaria hipnotizada.

– Duvido – eu disse, seca.

Ele levantou uma sobrancelha grossa.

– A única maneira de descobrir é se você ganhar nossa aposta.

– Se eu ganhasse, você descobriria um jeito de me prender no seu "reino cintilante" por cem anos. Essa reputação de vocês tem um motivo.

Enquanto Seryu sorria sem negar minhas acusações, me virei para ir embora.

– Encontre outra pra apostar com você, porque eu não sou trouxa.

– Mas e sua magia? É um dom raro... ainda mais raro em Kiata. Você deveria aprender a usá-la.

– Pra acabar sendo expulsa pras Montanhas Sagradas? – falei, virando-me para encará-lo. – Que os demônios me levem, eu... preferiria ficar bordando o dia todo! Pare de me seguir.

– Você só está falando da boca pra fora. Se estivesse mesmo voltando pro festival, você estaria correndo. Você quer aprender. – Ele fez uma pausa. – Posso te mostrar como ressuscitar sua amiga Kiki. Não quer?

Minhas defesas derreteram. Eu queria trazer Kiki de volta, e também estava ansiosa para aprender mais sobre magia. Afinal, se ela estivera ausente de Kiata por tantos anos, tinha que ter um motivo para eu ter nascido assim. Não?

Os deuses acabaram com a magia porque ela é perigosa, disse a mim mesma. *Mas os demônios já estão presos nas montanhas, e tudo o que eu quero é aprender a trazer Kiki de volta. Que mal isso faria?*

O futuro piscou diante de mim, e me vi presa no Castelo Bushian, casada com um senhor sem rosto, confinada em um quarto onde eu deveria bordar e bordar até o fim dos meus dias.

Se eu *pudesse* escolher entre isso e os demônios, eu escolheria os demônios.

Além disso, quando é que temos a oportunidade de aprender magia com um dragão? Eu sabia que, se não aproveitasse, me arrependeria para sempre.

Seryu ainda estava esperando, mas, antes que eu respondesse, um monte de pipas subiu voando pelo ar. Eu estava perdendo a cerimônia!

– Pelos demônios de Tambu – praguejei. – Meus irmãos vão ficar furiosos comigo. E meu pai...

– Não há nada que você possa fazer agora – o dragão disse. – E você pode curtir o espetáculo.

Era tentador, mas balancei a cabeça.

– Já me meti em confusão demais. – Me virei para ir embora, mas então hesitei. – Uma aula – pedi. – E só.

O sorriso do dragão se alargou, revelando seus dentes afiados e pontudos. A expressão não era tão feroz quanto a de um lobo, mas foi o suficiente para me lembrar de que ele não era humano, mesmo que se parecesse com um garoto.

– Aqui está uma lição pra você aprender antes de ir... – Seryu pegou a tigela de madeira e a girou em um dedo. – A nogueira tem propriedades mágicas, sabia?

Eu não sabia.

– É um dos poucos traços que seus deuses deixaram para trás – ele disse presunçosamente. – Coloque algo encantado aí dentro, e a nogueira vai esconder o objeto de olhares curiosos. Ela vai até conter a magia.

– E pra que serve isso? A tigela é quase do tamanho da minha cabeça.

– Em se tratando de magia, tamanho não é documento. – Para demonstrar, ele piscou, e um bando de pássaros feitos totalmente de água saiu da tigela e voou sobre o lago. No ponto mais alto, eles estouraram e evaporaram em uma nuvem de névoa. – Pode ser útil pra esconder futuras hordas de grous de papel.

Estava prestes a lhe dizer que não haveria futuros grous de papel, mas Seryu continuou:

– Quando estiver pronta, faça mais uma ave e mande-a através do vento. Vou esperar você aqui neste lago. – Ele virou a tigela de cabeça para baixo no chão, marcando o local do nosso encontro, para que não nos esquecêssemos. – Só mais uma coisa, Shiori...

– O quê?

– Da próxima vez, traga mais bolo de arroz.

A aula logo virou duas, três, cinco. Eu encontrava Seryu toda semana, geralmente de manhã, antes das sessões de bordado com Raikama.

A cada vez, eu trazia diferentes petiscos para compartilharmos, mas ele sempre preferia os bolos de arroz, especialmente os recheados de pêssegos – que também eram os meus favoritos.

Hoje ele me presenteou com um buquê de peônias murchas em agradecimento.

– Está tentando me bajular ou me insultar? – perguntei, seca, recusando o presente. – Você sabe que nós, kiatanos, somos supersticiosos com a morte.

– É uma superstição sem sentido – ele falou. – Vamos usá-las em sua aula. Poucas pessoas podem fazer aves de papel ganharem vida. Suspeito que você tenha um talento para inspiritação.

– Inspiritação?

– Você pode imbuir coisas com pedaços de sua alma. É quase como uma ressurreição, mas não tão poderosa. Você não vai poder trazer cadáveres de volta à vida. Nem fantasmas, por sinal. Mas você provavelmente poderia fazer uma cadeira de madeira dançar ou reviver flores murchas. Se quiser.

Ele empurrou as peônias para mim.

– Vai, tente.

Posso imbuir coisas com pedaços da minha alma, repeti para mim mesma. O que isso significava?

– Vicejem – ordenei às flores. Nada aconteceu. As hastes desmoronaram em minhas palmas, e as pétalas secas caíram no chão.

Seryu mordiscava grama.

– Não ouviu o que eu disse? Inspiritação, Shiori. Não fale com as flores como se você fosse uma coveira. Pense em algo feliz. É tipo brincar de pega-pega com baleias ou ganhar uma discussão com uma tartaruga.

Nós claramente tínhamos ideias diferentes de felicidade. Vasculhei minha memória, me sentindo meio boba. Vislumbrei animais de açúcar e pipas, aves de papel e grous cobertos de neve antes de chegar à minha lembrança favorita: eu cozinhando com mamãe. Eu costumava me sentar no colo dela na cozinha para ficar ouvindo-a cantarolar. Sua garganta zumbia na minha nuca enquanto descascávamos laranjas e amassávamos feijão-vermelho para a sobremesa.

– "Encontre a luz que faz sua lanterna brilhar", ela costumava dizer. – "E segure-se nela, mesmo quando a escuridão a cercar. Nem o vento mais forte vai ser capaz de apagar seu brilho."

– Viceje – pedi novamente.

Devagar, diante dos meus olhos, as peônias murchas cintilaram uma luz pura, meio dourada, meio prateada. Então, folhas brotaram do caule, roliças e verdes. E as flores se abriram, com pétalas brilhantes como um coral.

Minha cabeça latejava feito trovão, e a adrenalina percorria meu corpo como se eu tivesse participado de uma competição de natação no lago – e vencido.

– É meio que uma trapaça usar sua voz, mas se você for pra escola de feiticeiros, eles vão treiná-la a não precisar fazer isso.

– Eu não vou pra escola de feiticeiros – falei, e a amargura em minhas palavras me surpreendeu.

Como eu poderia ir? Passei mais noites do que eu gostaria de admitir me perguntando se meu pai seria capaz de realmente me mandar para o exílio – ou me executar – se descobrisse minhas habilidades.

– Então eu vou te ensinar – Seryu disse. – Posso só ter dezessete anos dragões, mas tenho mais conhecimento que o mais antigo feiticeiro de Lor'yan.

– Até parece.

– Tenho mesmo! – Ele ficou observando meu ceticismo. – Além disso, você não ia querer estudar com um feiticeiro. Eles são fissurados em retirar a emoção da magia, dizendo que a emoção a corrompe. Mas você gostou de sentir isso, de ver as flores ganhando vida, não é?

– Sim. – "Sim" era apenas uma meia-verdade. Meu coração ainda estava pulsando tão rápido em meus ouvidos que eu mal conseguia ouvir minha respiração. – Eu não deveria gostar?

– Depende do que você estiver tentando alcançar. – Seryu olhou para as minhas peônias, com os olhos vermelhos estranhamente pensativos. – A magia tem vários caminhos. O mesmo feitiço lançado com alegria vai ter um resultado completamente diferente de quando lançado com tristeza, raiva ou medo. É algo para se ter cuidado, especialmente com poderes como o seu.

– Poderes como o meu? – dei risada, tentando trazer leveza à seriedade dele. – Tipo fazer flores mortas desabrocharem de novo e trazer aves de papel à vida?

– Isso é só o começo. Sua magia é selvagem, Shiori. Um dia, será perigosa.

– Perigosa... – Fiquei refletindo sobre essa palavra. – Por que, Seryu, você quase soa como se tivesse medo de mim?

– Medo de você? – ele zombou e, com um movimento de braço, convocou uma onda tão alta que fez as árvores ao nosso redor encolherem. Em seguida, a onda quebrou no lago, encharcando minhas vestes.

– Seryu! – gritei.

Ele não pediu desculpas.

– É bom você ter em mente que eu sou um dragão, neto de um deus – ele rosnou antes de pular de volta para a água. – Não tenho medo de nada, muito menos de você.

Não tenho medo de nada. Quantas vezes pronunciei as mesmas palavras? Sempre foi mentira, e eu tinha a sensação de que Seryu também estava mentindo.

CAPÍTULO CINCO

– Onde você estava? – Raikama perguntou, assim que voltei para trabalhar na tapeçaria. – É o terceiro dia de atraso. Isso é incomum até para você, Shiori. Espero que você seja mais diligente com suas obrigações.

– Sim, madrasta – murmurei.

A tapeçaria estava quase completa, e logo seria enviada para o Castelo Bushian. Eu mal podia esperar para terminá-la e ter meus dias de volta novamente.

Só que, quando peguei meu bastidor, descobri que o que eu tinha feito durante a semana fora desfeito. Soltei um suspiro, em choque.

– O que...

– Seus pontos estavam tortos – Raikama disse –, e você perdeu um no nome de Bushi'an Takkan. É melhor refazer tudo do que arriscar ofender a família dele de novo.

Cerrei os dentes, enquanto a raiva fervia dentro de mim.

Acalme-se, lembrei-me, suspirando. *Acalme-se*.

A essa altura, eu teria que terminar minha tapeçaria no Castelo Bushian. Soltei um grunhido. Se ao menos eu pudesse enfeitiçar minha agulha para fazê-la bordar sozinha...

Bem, por que não tentar?

– Acorde – sussurrei para a agulha. – Me ajude a bordar.

Para minha surpresa, a agulha ganhou vida, furando e saindo da seda desajeitadamente. Conforme fui ganhando confiança no encantamento, ela começou a dançar pelo bastidor em uma sinfonia de pontos. Adicionei mais três agulhas para acelerar o trabalho enquanto eu também bordava, de costas para Raikama para que ela não visse.

Trabalhamos a semana toda até que terminamos a tapeçaria – uma cena de grous e flores de ameixa contra a lua cheia. Quando terminamos, juntei as agulhas na palma da minha mão.

– Obrigada – sussurrei. – Vocês cumpriram seu trabalho.

As agulhas caíram inertes, e uma súbita letargia me tomou. Tentei resistir e me levantei triunfante para contar à minha madrasta que tinha terminado.

Raikama ficou avaliando o bordado pelo que pareceu uma eternidade, mas não conseguiu encontrar nenhuma falha.

– Acho que vai servir – ela comentou, levantando uma sobrancelha desconfiada. – Se seu pai aprovar, vou pedir aos ministros que o enviem para o Castelo Bushian.

Quase pulei de alegria. Graças às Cortes Eternas, eu estava livre!

Com gestos grandiosos, guardei as agulhas e as linhas. Queria encontrar meus irmãos para comemorar, mas fazer feitiços era exaustivo – tanto mental quanto fisicamente. Acabei cochilando na cama até que Guiya, uma das minhas criadas, me chamou para jantar.

Ela era jovem; tinha olhos vazios, um rosto sem graça e uma obsessão exasperante em me vestir e cuidar dos mínimos detalhes para que eu ficasse condizente com meu título de princesa – as criadas anteriores desistiam dessa tarefa muito mais rápido. Em seus braços, ela trazia um conjunto de vestes, faixas e mantos feitos sob medida e ricamente adornados, que eu não tinha a menor vontade de usar.

– Suas roupas estão amassadas, Alteza – ela disse. – Você não pode sair do quarto desse jeito.

Eu estava cansada demais para me importar. Ignorei seus apelos e fui jantar, praticamente colapsando em meu lugar ao lado de Hasho e Yotan. Mal consegui terminar o primeiro prato sem cair no sono.

As almofadas debaixo dos meus joelhos eram macias e eu acabei oscilando um pouco, embalada pelo aroma floral do chá recém-feito. Hasho me deu uma cotovelada quando desabei e derrubei meu chá.

– O que está acontecendo com você? – ele sussurrou.

Eu o ignorei, erguendo a manga enquanto os criados limpavam a sujeira.

– Papai – chamei sua atenção. – Me dê licença? Não estou me sentindo bem.

– Você está mais pálida que o normal – ele disse, distraído. Sua cabeça estava em outro lugar; andava tendo algumas reuniões com o conselho, e Andahai e Benkai não me diziam por quê. Ele me dispensou com um aceno. – Pode ir.

Minha madrasta me observava de um jeito estranho.

– Vou acompanhá-la.

Olhei para ela em pânico.

– Não, eu...

– Pelo menos até o corredor – ela insistiu.

Ela só falou quando chegamos ao fim do corredor:

– Estive pensando naquele dragão que você disse ter visto – ela falou baixinho. – Eles são perigosos, são feras nas quais não podemos confiar, Shiori. Se cruzar com um deles, é melhor se manter bem longe. Para o seu próprio bem.

Escondi a surpresa. Será que ela acreditava em mim de verdade?

– Sim, madrasta – menti. E, assim que voltei para os meus aposentos, me joguei na cama.

O que Raikama sabia sobre o que era bom para mim? Por que ela se importava? Pelos deuses, sua missão era semear infelicidade em minha vida.

Enquanto minha cabeça afundava no travesseiro e os espíritos do sono vinham me buscar, fiz uma promessa para mim mesma, meio grogue de sono:

Amanhã finalmente ia perguntar a Seryu como trazer Kiki de volta.

– Por que está tão surpresa que ela acredite em você? – Seryu perguntou, mastigando preguiçosamente em um tronco caído de magnólia. – Dragões são reais, todo mundo sabe disso.

– Nenhum dos meus irmãos acredita em mim, nem mesmo Hasho – insisti. – E não estou *surpresa*... estou *preocupada* que ela vá contar ao meu pai.

– Se ela ainda não contou, não vejo por que contaria agora.

– Você não conhece Raikama. – Enfiei as unhas na terra, certa de que ela estava guardando a informação para usar contra mim mais tarde. Da mesma forma que ela tinha feito ao não aprovar o casamento com o filho do lorde Yuji, insistindo em me sacrificar aos bárbaros do terrível Norte.

– Talvez ela esteja seguindo você – Seryu disse maldosamente. Seu cabelo estava verde, e ele tinha chifres que eu não tinha reparado.

– Me seguindo?

Ele rolou para o lado, olhando para algo rastejando sobre a tigela que marcava nosso ponto de encontro. Então, com uma garra, ele pegou uma cobra-d'água e a segurou perto do meu rosto.

– Aqui está uma de suas espiãs.

Gritei e fiquei de pé em um instante.

– Pelos deuses, Seryu. Sai daqui com isso!

– Relaxa, ela é inofensiva. É só uma cobra-d'água. – Ele enrolou a cobra em volta da cabeça, e ela se acomodou sobre seus chifres. – Está vendo?

Eu não quis me aproximar dele.

– Estava brincando quando falei que ela era uma espiã – Seryu falou. Ele soltou um sibilo, e a cobra lançou a língua para fora de uma vez, como se estivesse respondendo. – Ela só estava curiosa para ver um dragão no lago.

– Você pode falar com ela?

– Sim, claro que sim. Dragões e cobras são parentes, afinal de contas, e todas as espécies são sensíveis à magia.

Eu não sabia disso.

– Não gosto de cobras. Elas me trazem memórias ruins.

– Da sua madrasta?

– Ela tem centenas no jardim – respondi. – Uma vez, meu irmão me desafiou a roubar uma, mas ela me pegou. – Minha voz ficou esganiçada com a lembrança.

"Cobras a lembram de casa", meu pai costumava dizer aos ministros, que franziam as sobrancelhas para os estranhos bichos de estimação. "Honrem os desejos dela como vocês honram os meus."

Era o que ele costumava dizer para nós também, e nós o obedecíamos. Pelo menos até Reiji me desafiar a roubar uma.

– É você que morre de medo de cobras, não eu – falei. – Além disso, eu prometi que não entraria no jardim sem ela.

– Você tem medo de não ser mais a favorita, se ela te pegar?

– Não tenho medo de nada.

Era verdade. Raikama gostava de mim. Ela não se importaria se eu pegasse uma cobra emprestada.

Na tarde seguinte, fui ao jardim dela, me movendo sorrateiramente para não assustar as cobras. Mas os olhos delas – amarelos e imensos, que não piscavam – me deixavam nervosa. Eu tinha dado apenas vinte passos quando uma pequena víbora verde envolveu meu calcanhar.

– Vá embora – sussurrei, tentando chutá-la para longe.

Mas então outras se juntaram a ela, e logo uma dúzia de cobras me cercavam. Não, devia ser umas cem. Elas sibilavam e mostravam as presas. Então uma cobra branca pendurada numa árvore se lançou em direção ao meu pescoço.

Com um grito, pulei na árvore e subi o mais alto que consegui. Mas as cobras me seguiram, e meu coração acelerou de medo. Me preparei para uma mordida fatal.

De repente, o portão do jardim se abriu e Raikama apareceu. As cobras recuaram como uma maré vazante.

Eu estava praticamente aos prantos.

– Madrasta, por favor, me perdoe. Não sei como eu...

Um olhar fulminante foi tudo o que ela precisou para me silenciar.

– Saia – ela disse friamente.

Raikama nunca tinha levantado a voz para mim. Assustada e apática, assenti. Desci da árvore o mais rápido que consegui e saí correndo.

– Desde então, ela me odeia – disse a Seryu, encolhendo os ombros.

Minha indiferença era fingida. Até hoje, eu não entendia por que aquele momento tinha estragado tudo entre nós, e eu me importava mais do que gostaria. Mas ninguém, nem meus irmãos, sabia disso.

– Bem, você não tem nada a temer – Seryu respondeu, sorrindo. – Se as cobras delas tentarem te machucar, minha pérola vai te proteger. – Ele inclinou a cabeça para mim. *Estamos conectados, você e eu.*

Eu podia ouvir sua voz, mas seus lábios estavam imóveis feito uma pedra. Dei um salto para trás.

– Como você fez isso?

– Como eu disse, minha pérola vai te proteger. Ela nos conecta de um jeito parecido como o que acontece com você e Kiki.

– Sua pérola?

– Sim, você teria se afogado se não fosse pela coisinha minúscula que eu coloquei no seu coração. Só o suficiente para te manter fora de perigo.

– Você colocou uma pérola no meu coração?

– Depois que você desmaiou. Não precisa ser tão ingrata... foi isso que te salvou.

Meu alerta rapidamente se transformou em curiosidade.

– Então pérolas de dragão são mágicas.

– Mágicas? – ele desdenhou. – Elas são a verdadeira fonte do nosso poder. São a magia em sua forma mais pura e selvagem. Demônios e feiticeiros não desejam outra coisa, pois elas aumentam suas habilidades.

– Onde está a sua?

– Aqui – ele disse, apontando para o peito. – Eu te mostraria, mas o brilho te cegaria.

Imitei seu desdém para zombar de seu ego.

– E, ainda assim, você arrancou um pouco dela só pra me salvar?

– Eu gostaria de saber o que uma humana bonita como você estava querendo, mergulhando daquele jeito atrás de uma ave mágica. – Ele limpou a garganta, e suas sobrancelhas grossas e verdes se uniram em confusão enquanto eu o encarava. – Não é uma coisa que se vê todos os dias. Pensei que um pedacinho da pérola poderia te ajudar a chegar até a margem... Por que está me olhando assim?

Eu estava sorrindo timidamente.

– Você disse que eu sou bonita.

No mesmo instante, um rubor coloriu suas orelhas pontudas.

– Eu quis dizer que achei você bonita para uma humana – Seryu grunhiu. – Você seria uma dragoa medonha.

Senti um formigamento morno no peito, e me aproximei dele só para ver suas orelhas ficarem mais vermelhas.

– Ainda bem que não sou uma dragoa.

– Claramente – Seryu disse, esfregando as orelhas. Ele estava brilhando. – E é exatamente por isso que você não pode sair por aí contando para os outros que tem um pedaço da minha pérola. Seria quase impossível se tentassem tirá-la de você, já que só eu posso fazer isso, mas feiticeiros são tão gananciosos quanto engenhosos... é melhor não arriscar enquanto eu estiver fora.

– Você está indo embora? – perguntei, surpresa.

– Vou voltar para o Mar de Taijin. A corte do meu avô se reúne no quadrante oeste durante os meses de inverno.

– Mas não é inverno.

– Para nós é. Nosso tempo é diferente do tempo no reino mortal. Uma semana pra mim é uma estação pra você. Devo voltar na sua primavera.

– Primavera? – repeti. – Mas e as nossas aulas? E os grous... você vai perder os grous!

As sobrancelhas do dragão franziram.

– Grous?

– Eles visitam o palácio no início do inverno – expliquei. – A tradição é cumprimentá-los no primeiro dia que chegam.

– Também é tradição os príncipes e as princesas empinarem pipas durante o Festival de Verão? – Seryu disse com ironia. – Vocês, humanos, têm tradições demais.

– Você também vai perder meu aniversário – eu disse, carrancuda. – Vai ser meu último aniversário no palácio antes que eu seja mandada pra me casar com o filho do lorde Bushian.

Isso pegou o dragão de surpresa.

– Você vai se casar?

– Sim – murmurei. Mantive o pavor que eu sentia sobre o noivado enterrado por semanas, mas agora que Seryu estava partindo, a realidade do destino me tomou.

– Quando?

– Vou ser enviada para o Castelo Bushian antes do fim da primavera. O casamento será no próximo verão.

A tensão nos ombros de Seryu se dissipou.

– Ah, tem bastante tempo. Anime-se, vou voltar na primavera. Enquanto isso, pratique sua mágica.

Meus dedos instintivamente buscaram os pedaços de Kiki que eu ainda mantinha no bolso.

– Me mostre como trazer Kiki de volta à vida.

– Você não precisa de instruções. Só se lembre do que eu te ensinei.

Nervosa, coloquei os pedacinhos de papel no colo – quatro no total. Todos os meus feitiços desde que dei vida a Kiki duravam pouco tempo. As flores que eu revivi murcharam assim que eu me desconcentrei, e os cavalos de palitinhos que eu fiz galopar colapsaram no instante em que me virei. E se eu ressuscitasse Kiki só para depois perdê-la de novo?

Kiki é diferente, disse a mim mesma, juntando suas peças com cuidado. *Ela é uma parte de mim.*

Depois de um minuto, ali estava ela. Um pouco frágil, mas quase a mesma de antes – com um bico ligeiramente inclinado para baixo, dois olhos escuros que eu pintei com esmero e asas com vincos no centro, que se curvavam como pétalas de orquídea.

Só que a tinta vermelha de sua coroa estava manchada e desbotada.

Fiz um furinho em um dos meus dedos e o pressionei em sua cabeça, tingindo-a com o meu sangue. Enquanto isso, com ela na palma da mão, enchi meus pensamentos de esperança de que ela voltasse à vida e sussurrei:

– Acorde.

Um fiozinho de magia meio dourado, meio prateado, saiu dos meus lábios e deu uma volta nas asas da ave antes de pousar ali, como se costurado no papel. Então suas asas bateram uma vez. Duas vezes. E ela levantou voo, girando ao redor do meu rosto.

– Kiki!

Ela pousou na minha mão e fez carinho nos meus dedos. *Esse foi provavelmente o pior cochilo que eu já tirei*, ela resmungou, balançando o bico para mim. *Sonhei que fui rasgada em pedaços. Nunca mais vou dormir. Nunca mais.*

– Eu posso te ouvir – disse, encantada.

Sim, claro que você pode me ouvir! Sou sua melhor amiga, não sou?

– Seu desejo de trazê-la de volta deve ter conectado vocês – Seryu falou, divertido. – Agora vocês podem ouvir os pensamentos uma da outra... se bem que talvez você prefira a companhia de um dragão que a de uma ave de papel.

Será?, Kiki piou em silêncio. *Eu já era amiga dela antes de você.*

Dei risada, adorando sua insolência.

– Sim, mas você pode me ensinar magia enquanto Seryu estiver fora?

– Dificilmente – Seryu relaxou na grama. – Mas você pode pedir ajuda pra sua madrasta.

A risada morreu nos meus lábios.

– Minha madrasta?

Seryu deu de ombros.

– Você não sabia? Ela é uma feiticeira poderosa. A magia emana dela. Percebi no Festival de Verão.

Raikama, uma feiticeira? Impossível!

– Você deve ter se confundido.

– Eu nunca me confundiria com uma coisa dessas.

– Achei que a magia era um dom raro. Como é que Raikama também pode ter?

– Eu falei que era raro, não que *você* era a única que o possuía. E isso não é nada estranho. Magia atrai magia. O que *é* estranho é meu avô ter permitido que ela atravessasse o Mar de Taijin. Ele protege as águas de Kiata de magia estrangeira.

– Talvez ele não soubesse – falei, enquanto o turbilhão na minha cabeça parava abruptamente. Seria esse o segredo que Raikama guardava com tanto cuidado? Que ela tinha magia, como eu? – Você devia perguntar.

– Não é muito esperto incomodar o Rei Dragão com assuntos humanos. Ou alertá-lo para um erro cometido anos atrás. Além disso, ela não é uma feiticeira qualquer.

– Como assim?

– Ela não é um desses tolos gananciosos presos a juramentos de mil anos, que devem servir a qualquer mestre que possua seu amuleto. Não é nada grandioso quanto parece. Os mestres têm que passar seus dias em sua forma espiritual, geralmente uma besta sarnenta sem acesso à magia ou inteligência.

– Se os feiticeiros estão presos nesses juramentos, por que temos tanto medo deles?

– Não temos, não em Kiata. Eles não têm poder nenhum depois que cruzam o Mar de Taijin.

– E por que temos medo deles *fora* de Kiata? – corrigi. Estava curiosa.

– Porque eles estão a uma respiração de se tornarem demônios. Essa é a punição, caso eles quebrem o juramento. Eles são perigosos.

– E minha madrasta não é... perigosa?

– Não desse jeito – Seryu respondeu. – A magia dela é selvagem e ilimitada, como a sua. Com certeza é poderosa, mas vocês duas têm uma vida mortal, portanto, curta. – Ele pareceu não notar meu olhar e continuou: – O mistério é de onde vem a magia dela. Ela não é nativa de Kiata, como você. Então seria preciso ter uma fonte, uma boa fonte para emanar tal poder.

– Talvez ela beba sangue de cobra – eu disse, arregaçando as mangas. – Isso explicaria o motivo de ela ter tantas no jardim.

– Não acho que cobras sejam fonte de magia.

– Bem, se você não perguntar a seu avô, *eu* vou ter que descobrir. – Lancei a Seryu um olhar diabolicamente arrogante. – Infelizmente, você vai ter que esperar até a primavera pra saber o que descobri.

– A primavera dos mortais é apenas algumas semanas no tempo dos dragões. Eu posso esperar. – Ele deu um sorrisinho. – Agora, preciso ir, já fiquei mais do que pretendia. Não se preocupe, princesa. Vou voltar. – Ele piscou. – Você tem um pedacinho da minha pérola, e terei que pegá-la de volta.

Quando foi que ele chegou tão perto? Dava para sentir o cheiro doce de pasta de feijão-vermelho no seu hálito.

– Pegue agora então – falei, dando um passinho para trás. Meu pé vacilou quando pisei em uma pedra solta, e Seryu me segurou pelo cotovelo.

– Fique com ela. – Seus olhos cintilaram, como se ele estivesse guardando algum segredo. – Você pode precisar.

Ele deu um beijo na minha bochecha, e seus lábios eram mais macios do que eu imaginaria para um dragão. Depois, sem esperar minha reação, ele mergulhou na água.

– Te vejo na primavera! – ele disse, fazendo uma onda com o rabo antes de desaparecer por completo.

Peguei a tigela de nogueira que usamos para marcar nosso ponto de encontro, limpei a terra das laterais e a levei para casa debaixo do braço.

A primavera de repente parecia tão distante...

CAPÍTULO SEIS

Com Seryu longe e minha tapeçaria terminada, o resto do verão se arrastou. Retomei as lições com meus professores; as aulas de história, etiqueta e linguagem eram exaustivas, mas eu preferia isso a bordar.

Sempre que podia, inventava desculpas para matar aula. Eu contava mentiras inofensivas, dizendo aos professores que Andahai precisava da minha ajuda para escolher um presente para sua noiva, ou dizendo aos altos sacerdotes que eu não podia pagar minhas homenagens para os deuses naquela tarde porque Hasho estava doente e precisava da minha sopa. Mas a verdade era que meus irmãos estavam sempre ocupados e ninguém nunca perguntava de mim. Nem Raikama.

Pela primeira vez, não liguei, e resolvi aproveitar meu precioso tempo livre para espionar minha madrasta.

Depois de semanas a seguindo ou mandando Kiki espiá-la, tudo que descobri foi sua rotina no palácio. E que rotina mais monótona! Café da manhã com meu pai, em seguida orações matinais e, depois, visita ao jardim, onde ela alimentava suas cobras e regava os crisântemos e varria as pétalas de glicínias. Depois, o pior de tudo: ela ficava bordando por horas e horas.

Com um suspiro de frustração, atirei uma pedra no Lago Sagrado e fiquei vendo a água se agitar e se acalmar. Me sentei, afundando os tornozelos no lago.

– Ela *não* pode ser uma feiticeira, Kiki – falei para minha ave. – Raikama sempre detestou magia.

Detestar era um eufemismo, apesar de eu nunca ter entendido o porquê. A maioria das pessoas em Kiata odiava magia. Mas o passado misterioso de Raikama incitava teorias bizarras sobre suas origens, sobre como ela conheceu meu pai e como conseguiu a cicatriz. Sua predileção por cobras certamente não ajudava. Uma vez, um ministro tentou convencer meu pai de que Raikama era uma adoradora de demônios – uma dessas sacerdotisas que vinham ao palácio todo ano para jogar cinzas nos portões e recitar coisas sem sentido sobre magia das trevas retornando à Kiata. Papai mandou o ministro para o exílio e baniu as sacerdotisas de Gindara, mas agora eu não podia deixar de me perguntar.

Será que Raikama detestava magia porque estava escondendo a própria magia?

Franzi o cenho.

– Ela já teria mostrado. Seryu deve estar errado.

Tente de novo amanhã, sugeriu Kiki. *O dragão disse que ela mantém seus poderes escondidos.*

– Ele também disse que eu devia praticar *minha* magia. Cada hora que eu desperdiço espionando-a é uma oportunidade que estou perdendo de melhorar minhas habilidades.

E você também está desperdiçando vários minutos com suas reclamações, Kiki provocou, revelando-se uma inesperada voz da razão.

Soltei outro suspiro, mas a ave estava certa.

– Amadureça – falei para uma amora verde, e ela ficou tão gorda que um milhafre a arrancou da minha mão. – Pule – ordenei a uma pedra, e ela saiu saltando pelo lago até se perder de vista.

Esses feitiços eram fáceis, já mudar a direção do vento ou chamar as cotovias e andorinhas para mim – coisas simples que seriam naturais para qualquer feiticeira – me derrubavam de tanto esforço.

Está tudo bem se sentir mal por causa da sua falta de habilidade, Kiki disse, tentando me acalmar. Sua empatia ainda precisava ser aperfeiçoada. *Pelo menos você consegue fazer algo, ao contrário das outras pessoas em Kiata.*

– Exceto por Raikama. – Enfiei os dedos no lago, tentando fazer uma onda como Seryu tinha feito, mas a água mal se mexeu.

Você não quer pedir ajuda pra ela?

– Prefiro me afogar no Lago Sagrado – respondi.

Isso é um pouco dramático, não é? Kiki me repreendeu. Dei mais um suspiro, e ela cutucou minha bochecha. *Por que está tão desanimada, Shiori?*

Não tinha nada a ver com Raikama, não de verdade. Eu tinha o verão todo para descobrir o segredo dela; só estava com pressa porque estava entediada.

– Meus irmãos me ensinaram a nadar neste lago – eu finalmente falei. – A gente costumava dar tanta risada que os patos saíam de perto, assustados. Andahai fingia ser um polvo que nos atacava se a gente não nadasse rápido o suficiente. Tenho saudade desse tempo. Não quero que todos se casem, cresçam e se distanciem.

Meus irmãos nem perguntaram por mim este verão. Andahai e Benkai estavam sempre em reuniões secretas com meu pai, generais e embaixadores; Wandei estava sempre imerso em seus livros; Yotan era tão popular na corte que estava constantemente fora com seus amigos; e Reiji e Hasho estavam sempre se rivalizando no xadrez, sem se permitirem tempo para mais nada.

Enquanto eu tirava os pés do lago, o vento trouxe uma corrente na minha direção. Estava ficando mais forte, um sinal de que o outono estava se aproximando. Levantei os braços, desfrutando da lufada de ar frio entrando pelas minhas mangas.

Não importava quantas lembranças alegres eu resgatasse, quão alto eu gritasse, eu não conseguia fazer o vento me ouvir.

E isso?, Kiki sugeriu, apontando a asa para algo flutuando no lago. *Por que não pede para o vento assoprá-lo para você?*

Estreitei os olhos. O que seria essa coisa, brilhando sob um monte de musgo e algas marinhas?

Saí caminhando pela margem e peguei o galho mais longo que encontrei. Então pesquei a última coisa que esperava reencontrar.

– Minha faixa! – exclamei.

Era a faixa que eu estava usando quando pulei no lago – justamente à que Raikama tinha se referido. Seus fios dourados estavam ensopados, seu tecido florido estava sujo de lama e musgo, mas, fora isso, ela estava inteira.

Eu a torci, com os pensamentos agitados. Depois de espionar Raikama por semanas, eu meio que me convenci de que Seryu estava fora de si por pensar que ela era uma feiticeira. Pelo menos, eu ia descobrir por que ela queria tanto essa faixa idiota.

Impulsividade e curiosidade – duas das minhas melhores características – me fizeram irromper em sua sala de costura agitando-a como se fosse o estandarte de um soldado.

– Madrasta! – falei, mostrando a faixa encharcada e amassada. – Você queria isso.

Raikama mal tirou os olhos de seu bordado.

– Só porque era um presente do lorde Yuji. Você já ofendeu uma família, Shiori. É melhor não insultar outra. – Ela fez um nó na linha e a cortou com a tesoura. – Peça para as criadas a lavarem junto das suas coisas.

Virei-me para sair, pronta para deixar o incidente para lá – não fosse pela sombra que varreu o rosto de Raikama. Sutilmente, um leve e inconfundível anel dourado cintilou em seus olhos.

Na manhã seguinte, minha faixa sumiu.

– Sua Esplendorosa a queria – Guiya disse quando perguntei. Ela estava encarando o chão, o que era inteligente da parte dela, já que eu estava boquiaberta, sem conseguir acreditar.

– Então você apenas a deu pra ela?

Guiya curvou os ombros, tremendo feito um rato.

– N-não, princesa... Sua Esplendorosa... Sua Esplendorosa a pegou. Que tal uma vermelha? – Ela estava segurando um pacote ricamente embrulhado. – Isso acabou de chegar do lorde Yuj...

Disparei antes que ela terminasse de falar. A essa altura, eu conhecia a rotina da minha madrasta de cor: ela devia estar no jardim. Perfeito, já que eu conhecia várias formas de entrar despercebida.

Não arrisquei ir muito longe; estava intimidada demais pelas cobras. De vez em quando, eu ouvia os chanceleres do meu pai fofocando sobre elas, dizendo que as víboras eram venenosas, que algumas eram tão mortais que podiam matar com apenas um toque. A lembrança de suas escamas na minha pele ainda me fazia estremecer.

Com cuidado, tirei as sapatilhas e as coloquei debaixo do braço enquanto entrava na parte mais rasa da lagoa de Raikama. Me escondi embaixo da ponte de pedra e fiquei agachada por tanto tempo que meus joelhos vacilaram, e os peixes, pensando que eu era uma vitória-régia, vieram mordiscar meus dedos.

Depois do que pareceu uma eternidade, Raikama apareceu.

Assim que os guardas fecharam o portão do jardim, ela pegou um novelo de linha vermelha de dentro de suas vestes. Parecia quase um sol escaldante, exceto pelas folhas presas em suas fibras.

Eu esperava que ela começasse a falar com as cobras se refestelando na passarela perto das glicínias, como sempre, ou que cuidasse de sua estimada coleção de orquídeas-da-lua – a imagem que ela costumava bordar em seus leques e xales. Em vez disso, ela ergueu a saia até os joelhos e colocou o novelo acima da cabeça.

– Leve-me para as Lágrimas de Emuri'en – ordenou.

O novelo vibrou, emitindo uma onda de luz vermelha ao ricochetear de sua mão para a lagoa.

Raikama esperava na margem. Suas águas estavam girando furiosamente, revelando um caminho no centro e uma escada. Minha madrasta desceu depressa.

Saí correndo atrás dela, mas as cobras sibilaram, surgindo das árvores e se erguendo do chão para me bloquear.

Fui dominada pela inquietação e soltei um suspiro, congelando no meio do caminho. Elas estavam por toda parte, em deslumbrantes cores que eu nunca tinha visto antes, com seus tons turquesa e violeta e safira. Outras eram pretas como a noite, com listras escarlate ou marfim com manchas marrons. Mas suas presas eram sempre as mesmas, curvadas feito adagas, e suas pupilas, fendas ameaçadoras.

Elas estavam me cercando da mesma forma como tinham feito anos atrás.

Shiori!, Kiki chamou das escadas. *Se não se apressar, vamos perdê-la.*

A água estava começando a correr pelas escadas e eu ainda tinha que enfrentar todas as cobras que também se espalhavam por ali.

O medo é apenas um jogo, Shiori, disse a mim mesma. *Que você só ganha se jogar.*

Enfiei as sapatilhas de volta nos pés e disparei para as escadas. Mais cobras desceram das árvores para a água, mas não olhei para trás. A escuridão desabou sobre mim, mas fui seguindo o brilho da luz escada abaixo até emergir do outro lado.

A magia – só podia ser magia – me levou para a floresta que ficava além dos jardins do palácio. Na verdade, eu nem conseguia ver o palácio, apenas as Montanhas Sagradas, tão próximas que obscureciam o céu. Se essa era mesmo uma das florestas da montanha, eu devia estar muito longe de casa. Mas como eu iria voltar era a última das minhas preocupações.

Kiki avançou para as árvores, batendo suas frágeis asas de papel contra uma rajada invisível de vento de verão. À distância, eu podia ver o novelo quicando entre os arbustos, pintando as árvores de vermelho com seu brilho. Corri o mais rápido que consegui, seguindo Raikama floresta adentro. Até que, de repente, ela parou.

Kiki mordeu meu cabelo, me puxando para trás de uma árvore.

O novelo tinha alcançado um buraco de terra, cheio de gravetos e folhas. Já não tremia nem brilhava.

Minha madrasta tirou as sandálias e removeu o grampo de bronze que prendia seu cabelo em um coque característico. Quando seus cabelos negros caíram por suas costas, ela esfregou as têmporas. Uma mecha branca apareceu.

Franzi as sobrancelhas. Eu nunca tinha visto um fio de cabelo branco nela. Não na rainha que nunca envelhecia.

Ajoelhando-se ao lado do buraco, ela enrolou as mangas e foi soltando as camadas de suas vestes, até que seus ombros ficaram nus.

Uma luz brilhou em seu peito. A princípio, ela era fraca, mas foi ficando tão reluzente que tive que proteger meus olhos. No coração de Raikama brilhava uma esfera quebrada, com uma fratura no centro, como uma lua dividida em duas. Ainda assim, era linda; sua superfície era escura como o céu noturno, mas, sua luz, tão ofuscante quanto o amanhecer se desdobrando sobre o oceano. Era hipnotizante.

– É isso – soltei. – A fonte de sua magia.

Maravilhoso. Agora, vamos embora, Kiki implorou. *Já vimos o suficiente.*

– Ainda não – sussurrei, afastando-a para subir na árvore. Eu precisava ver mais.

Água borbulhava do centro do buraco. Um minuto atrás, ele estava seco. De onde vinha essa água?

Me inclinei um pouco, fascinada. Não era uma poça *comum* – a água era opaca e não refletia nada. Será que eram realmente as Lágrimas de

Emuri'en? Diziam que a deusa do destino as derramou ao cair dos céus para a terra. Mas os deuses tinham destruído todas essas poças...

Minha faixa dourada estava sobre o braço de Raikama, com seu fio delgado todo desfeito. Enquanto adentrava a água, ela falava uma língua que eu não reconhecia – era mais rítmica, com palavras cadenciadas e redondas. Sua voz soava suavemente e, por algum motivo, minha pele se arrepiou ao ouvi-la.

– Você entende o que ela está dizendo? – sussurrei para Kiki.

Parece um feitiço. Do tipo perigoso. Kiki enfiou o bico na minha bochecha quando me inclinei para perto. *Cuidado, Shiori! Pelos deuses, ninguém nunca te ensinou que é sempre o passarinho curioso que acaba sendo comido pela raposa?* Ela resmungou. *Se pelo menos eu tivesse sido criada por uma feiticeira mais sensata.*

– Desde quando você se preocupa com seu tempo de vida? – falei. – Raposa nenhuma vai querer você... você é feita de papel.

Sim, mas se você morrer, eu também vou morrer. Então é claro que me preocupo com você. Você seria capaz de enfrentar até fogo, se isso significasse respostas.

– Entendi. Você só se importa comigo por interesse próprio.

Naturalmente. Uma ave como eu não desenvolve apegos desnecessários.

Ignorando-a, estreitei os olhos para observar melhor as Lágrimas de Emuri'en. Dentro da poça, fitas escarlates escorriam feito sangue da minha faixa. Enquanto elas se entrelaçavam entre os dedos de Raikama, sua voz foi mudando, gotejando veneno. Seu tom era áspero e profundo.

– Andahai – ela disse.

Diante dos meus olhos, as fitas na água se transformaram no príncipe herdeiro. A imagem era tão real que eu estremeci. Comprimi os lábios, de repente sentindo saudade dos meus irmãos – até mesmo de Andahai. Ele podia ser chato e cabeça-dura, mas se governasse Kiata com metade do cuidado que dispendia aos seus irmãos, nosso país ainda veria seus melhores dias.

Então, conforme Raikama pronunciava o nome deles, meus outros irmãos foram aparecendo um por um na poça.

– Benkai. – Alto e gracioso, era o irmão que eu mais admirava e o mais paciente de nós, o que não significava que ele sempre nos ouvisse.

– Reiji. – Ele não costumava sorrir e falava sem pensar, sem se importar se suas palavras iriam machucar. Mas se Hasho podia aguentá-lo, ele não devia ser tão mau.

As águas continuavam girando em um turbilhão. Tentei acordar do encantamento que Raikama estava lançando, mas ela não tinha terminado. Ainda faltavam quatro irmãos.

– Yotan. – Era com ele que eu contava para me fazer ver que minha tigela estava meio cheia, não meio vazia. Ele escondia cascas de cigarras no meu travesseiro para me assustar e colocava pimenta no meu chá para me fazer chorar, mas também sempre me fazia rir.

– Wandei. – Esse irmão era o mais calado. Ele gostava mais de livros que de pessoas e passaria o tempo todo só refletindo sobre as coisas se Yotan não o lembrasse de comer e dormir. Suas invenções eram como mágica.

– Hasho. – Era o meu confidente e o mais gentil, apesar de gostar de me provocar. Até os pássaros e as borboletas confiavam nele.

Finalmente, ela chegou no meu nome.

– Shiori.

Fui arrancada do meu torpor. As fitas ficaram pretas, turvando a água da poça. Serpentes – sete, feitas mais de sombras que de carne – emergiram e nadaram até Raikama.

Kiki disparou para dentro da minha manga. *Agora, Shiori. Precisamos ir agora!*

Ouvi o aviso da minha ave, mas não consegui me mexer. Estava hipnotizada pelas cobras.

Elas deslizaram pela minha madrasta, subindo em suas costas e se enrolando em seu pescoço.

Shiori, elas sussurravam. *Morra, Shiori!*

Eu já tinha visto e ouvido o suficiente. Afastei-me do galho e estava começando a descer da árvore quando vi o perfil da minha madrasta. Seus olhos estavam amarelos feito olhos de serpentes e, no lugar de sua pele macia, escamas cintilavam tão brancas quanto a primeira neve do inverno.

Soltei um suspiro e não consegui me segurar, caindo da árvore com um barulho alto.

Raikama se virou.

– Quem está aí? – ela falou, cobrindo o coração com a mão. – Apareça.

Que os demônios me levem! Me enfiei nos arbustos. As folhas ficaram marrons e murcharam sob os meus dedos; o medo e o nervosismo me deixavam incapaz de controlar minha própria magia.

Não ousei nem respirar, mas meu coração batia loucamente dentro do peito. Pelas Cortes Eternas! Rezei para que eu não me entregasse.

– Apareça! – Raikama falou mais uma vez, se colocando de pé. Eu mal podia reconhecê-la, com seu cabelo se agitando em torno de si em uma massa escura e sua língua fina e bifurcada saindo da boca. Minha madrasta não era uma feiticeira, mas um monstro!

Em pânico, saí do esconderijo e comecei a correr, mas uma floresta infinita me cercava. Eu não sabia para onde ir.

Não importava. Contanto que Raikama não me encontrasse...

Alguém agarrou meu braço por trás.

– Shiori – minha madrasta sibilou.

Eu estava assustada demais para resistir. As serpentes sombrias em seus ombros tinham desaparecido. Seu rosto também tinha voltado ao normal, mas o brilho marfim de suas escamas ainda estava gravado na minha memória, me deixando tonta.

Kiki saiu voando, acertando minha madrasta com as asas, mas Raikama a empurrou para longe com um golpe poderoso.

– Kiki! – gritei enquanto minha ave sumia de vista.

– Você não devia estar aqui – Raikama disse, furiosa. – Olhe para mim quando falo com você, Shiori.

Olhei para ela. Seus olhos brilhavam de um jeito que eu nunca tinha visto antes. Eram luminosos e dourados, tão hipnotizantes que eu não conseguia desviar deles.

– Esqueça tudo o que viu aqui. Você está exausta... foi tudo um sonho.

Uma onda de exaustão me varreu. Minha boca se abriu em um bocejo, minha visão estava turva... então voltei a mim. Pisquei. Eu não estava cansada. E não tinha esquecido por que estava ali.

Os lábios da minha madrasta formaram uma carranca. Ela agarrou meus ombros.

– Esqueça tudo o que viu aqui – repetiu, com uma voz profunda e sonora. A água da poça ondulava enquanto ela falava. – Esqueça tudo o que viu e nunca mais fale sobre isso.

– Não – sussurrei. – Não, me solte. Me solte!

Tentei me desvencilhar e consegui dar alguns passos antes que ela me agarrasse de novo. Sua força e sua velocidade me surpreenderam. Ela me ergueu com facilidade, envolvendo minhas mangas com suas unhas compridas.

Ela me ergueu até que meus olhos castanhos estivessem no mesmo nível que seus olhos amarelos, então eu gritei.

Kiki voltou para bicar a bochecha dela. Um corte vermelho surgiu na pele de Raikama. Quando ela gritou, eu me afastei, pegando o novelo de sua mão no último segundo.

Saí correndo pela floresta. Tinha visto tudo o que precisava.

Meu pai tinha se casado com um demônio.

CAPÍTULO SETE

Levantei o novelo no alto e gritei:

– Me leve pra casa!

Ao meu comando, o novelo tremeu com força e saltou para longe. Corri atrás dele sem nem ousar piscar, com medo de perdê-lo de vista em meio à floresta. O suor encharcava minhas têmporas, o calor do verão grudava na minha pele, mas não diminuí o ritmo.

Eu tinha que avisar meus irmãos e meu pai.

Finalmente, emergi no jardim da minha madrasta e saí correndo para o palácio.

Meu estado era lastimável: eu tinha folhas no cabelo e lama endurecendo a bainha bordada de minhas vestes. Também estava sem um pé da sapatilha. Os guardas ficaram boquiabertos, perplexos comigo.

Mas nada seria capaz de me parar.

Irrompi nos aposentos de Hasho, ofegante.

– Ela é... um... demônio... – Apoiei-me na parede, tentando recuperar o fôlego. – Precisamos contar para o papai.

Hasho se colocou de pé de uma vez. Ele não estava sozinho; Reiji e os gêmeos também estavam ali, jogando xadrez.

– Calma. Do que você está falando?

– Raikama! – Sorvi uma golfada de ar. – Eu a vi se transformando. Ela sabe... ela sabe que eu estava lá.

Kiki saiu da minha manga e Reiji quase derrubou o tabuleiro.

– O que você está dizendo? – ele perguntou.

– Precisamos contar ao papai – repeti, ignorando-o. – Onde estão Andahai e Benkai?

– Aqui – Andahai respondeu. Todos os nossos quartos eram conectados. Ele estava entre os aposentos de Hasho e Reiji com uma expressão severa.

– Por que essa comoção, Shiori? – Ele franziu as sobrancelhas ao ver minhas vestes. – Caiu no lago de novo?

Passei por Andahai e me virei para Benkai. Ele me ouviria. Ele tinha que me ouvir.

– Ela tem uma saída secreta no jardim, que dá em... um lugar perto das Montanhas Sagradas da Perseverança. Se seguirmos este novelo, ele vai nos levar lá...

Meus seis irmãos tinham a mesma expressão: sobrancelhas franzidas, queixos para dentro, olhos cheios de pena. Eles queriam acreditar em mim, mas não conseguiam. Claro que não. Eu parecia uma maluca delirante.

– Vocês... não acreditam em mim.

Reiji desdenhou:

– Primeiro, você vê um dragão, e agora diz que nossa madrasta é um demônio?

– Mas é verdade!

– Sei que você não quer se casar, mas certamente existe outro jeito de chamar a atenção de todo mundo.

Benkai lançou a Reiji um olhar de advertência, então se virou para mim:

– Depois do jantar, irmã – ele disse gentilmente. – Depois do jantar, vamos seguir esse novelo com você, está bem?

– Vai ser tarde demais!

– Shiori, Shiori – Hasho disse, segurando meus ombros. – Você está tremendo.

Me desvencilhei dele, ainda em choque.

– Papai se casou com um demônio. Precisamos contar pra ele. Precisamos...

Parei de falar. Raikama estava na porta. Não havia sinais de seu rosto de serpente, da mecha branca em seu cabelo. Suas saias não estavam mais molhadas.

Mas sua presença estava diferente: mais poderosa, mais imponente. E o machucado que Kiki fez em sua bochecha tinha se curado em menos de uma hora!

Enquanto a ave voltava apressada para dentro da minha manga, meus irmãos se curvaram, fazendo a reverência esperada – e eu disparei para a prateleira de espadas mais próxima. Hasho me bloqueou, segurando meu braço com tanta força que eu me encolhi.

Os olhos de Raikama fulminaram os meus.

– Queria falar com Shiori.

– Quem sabe depois do jantar, madrasta – Benkai respondeu. Seus ombros estavam tensos e expandidos e, embora fosse o mais alto dos meus irmãos, sendo pelo menos uma cabeça mais alto que Raikama, ela de alguma forma assomava sobre ele. – Já estamos atrasados para...

– Vocês seis podem ir na frente.

Para minha surpresa, meus irmãos nem discutiram. Hasho soltou o meu braço e seguiu para a porta.

Peguei uma espada com cabo de jade e fui atrás deles, bloqueando Yotan e Wandei.

– Não, fiquem aqui!

Os gêmeos pararam no lugar, confusos.

– Shiori – minha madrasta disse com uma voz ressonante. – Largue a espada.

A arma caiu da minha mão e eu emiti um suspiro de surpresa. Eu não conseguia me mexer. Meu corpo estava se rebelando contra todos os meus comandos, fincando meus pés no chão e meus braços ao lado do meu tronco.

Resista, Shiori!, Kiki gritou, mordendo minha mão por dentro da manga. *Você precisa resistir!*

Raikama tocou meu ombro.

– Olhe só pra você. Você não está em condições de comparecer ao jantar. Vá se arrumar. Vou inventar uma desculpa para o seu pai.

Seus olhos piscaram amarelos, e uma onda gelada percorreu minha mente e meu corpo. De repente, minha raiva por ela entorpeceu, e as lembranças do que vi em seu jardim não eram mais do que uma névoa, um sonho. Tudo que eu queria fazer era obedecer, ir para o meu quarto me trocar para não me atrasar para o jantar.

Eu escolheria uma das minhas vestes vermelhas. Vermelho era minha cor favorita, e papai sempre dizia que era a que ficava melhor em mim. Ou talvez eu usasse aquela faixa vermelha que Guiya tinha mencionado.

De repente, despertei, cerrando os punhos. Raikama estava fazendo aquilo de novo. Ela estava tentando me enfeitiçar!

Sacudi Hasho com tanta força quanto consegui reunir, forçando-o a voltar a si, então puxei os braços de Benkai e Andahai, gritando para eles:

– Não olhem nos olhos dela! Ela está tentando nos controlar! Ela...

– Chega.

A palavra cortou o ar como uma faca. As acusações morreram na minha garganta, como se alguém as bloqueasse com uma rolha.

Benkai pegou a espada que eu derrubei e a apontou para Raikama.

Minha madrasta nem vacilou. Seus olhos brilhavam amarelos, da mesma forma que na floresta.

– Eu o aconselharia a abaixar a espada – ela disse suavemente.

Os braços de Benkai tremeram com o esforço dos músculos, e seu rosto perdeu toda a cor. Algo o levou a abaixar a arma contra sua vontade.

– Demônio! – Andahai gritou, brandindo a espada para Raikama. – Renda-se!

Então aconteceu com ele também. Meu irmão não conseguiu dar nem um passo antes de subitamente derrubar a arma. Os outros se lançaram contra ela, mas poderiam muito bem ter atacado o ar, pois bastou que ela erguesse o queixo para nenhum deles conseguir se mover.

– Corra, Shiori! – Hasho disse. – Mande chamar papai!

Disparei pelo quarto e fui tateando as portas, mas elas não se abriram.

– Guardas! – gritei. No mesmo instante, as janelas se escancararam com tudo e uma rajada de vento entrou, engolindo meu chamado.

Fui arrastada pelo vento até que bati contra a cômoda de Hasho. Enquanto eu desabava, senti uma dor explodindo dentro de mim e vi o pesadelo se desenrolando na minha frente.

– Filhos do meu marido, não quero machucar vocês – Raikama falou baixinho –, mas sua irmã descobriu meu segredo, e estou percebendo que não há como apagar as lembranças da mente dela. Vocês não me deixam escolha. Pelo bem de todos nós, preciso fazer isso.

A luz em seu peito zumbia e brilhava ainda mais forte que antes, espalhando-se pela sala e envolvendo meus irmãos.

Então eles começaram a se transformar. Aconteceu primeiro com suas gargantas – para que não pudessem gritar. Depois, penas pretas cobriram seus pescoços, subindo até os bicos compridos que surgiram de seus narizes e bocas. Ouvi os ossos se quebrando e os músculos se rasgando conforme os braços se alongavam e viravam cintilantes asas brancas e as pernas se estreitavam, tornando-se duas varas parecidas com hastes de bambu. Seus olhos se arredondaram e se aprofundaram. Por último, seis coroas escarlates enfeitaram o topo de suas cabeças.

Grous! Meus irmãos tinham virado grous!

Eles voaram desesperadamente ao meu redor. Gritei, peguei a espada caída e a apontei para Raikama.

Ela se virou, esquivando-se para o lado com agilidade antes de agarrar meu pulso. Com a mesma força descomunal que tinha mostrado na floresta, ela me levantou. A espada caiu no chão.

– Traga-os de volta! – cuspi, me debatendo contra ela. – Traga-os de volta, sua monstra!

Eu poderia muito bem ter implorado a Sharima'en, o Coveiro, mas, em minha loucura, pensei ter visto um lampejo de pena em seus olhos – um sinal de algum sentimento.

Estava errada.

– *Monstra* – minha madrasta repetiu suavemente. Fatalmente. A cicatriz em seu rosto reluziu à luz do lampião. – Já me chamaram disso uma vez. Me chamavam de coisas muito piores.

Enquanto eu me debatia e me contorcia, seus lábios perfeitos se curvaram em um sorriso.

– De todas as pessoas que já conheci nessa vida, pensei que talvez você fosse a única que entenderia. Mas eu errei, Shiori. – Ela me ergueu mais alto. – Agora, você precisa ir.

Antes que ela pudesse lançar sua maldição, meus irmãos avançaram. Como um conjunto de bicos afiados e poderosas asas brancas, eles atacaram nossa madrasta. Móveis voaram e, em meio ao caos, chutei Raikama no peito e consegui me soltar.

Disparei para o meu quarto, batendo a porta atrás de mim. Eu tinha que pará-la. Mas como? Não seria com minha cítara nem com minhas agulhas de bordado, e certamente não com meus pincéis de caligrafia.

Minha tímida criada estava ali, encolhida no canto. Nunca fiquei tão feliz em ver alguém.

– Guiya! – gritei, praticamente empurrando-a porta afora. – Corra, vá falar com meu pai. Diga que Raikama é...

Ela tinha as mãos nas costas, como se estivesse escondendo algo. Uma adaga, pensei dolorosamente. Quando me viu, ela avançou.

– Shiori'anma...

Foi tudo o que ela conseguiu dizer. De repente, sua garganta se apertou e seus olhos ficaram brancos, virando para trás, e seu corpo ficou mole. Então ela caiu no chão, inconsciente.

Pelos demônios de Tambu! Eu só tinha segundos antes que Raikama surgisse na porta.

Tentei acordar Guiya, mas não tive sorte. Ela não tinha adaga nenhuma, só um punhado do que parecia ser areia obscura... devia ser carvão para pintar meu cabelo e meus cílios. Inútil.

Virei-me, cambaleando para dentro do quarto. Na escrivaninha, havia várias dobraduras de grous. Centenas. Eu as atirei para o ar.

– Acordem pra vida e ajudem meus irmãos!

Ao meu comando, seus bicos pontudos se ergueram e suas asas de papel bateram. Em segundos, eles dispararam atrás de Kiki.

Os pássaros cercaram Raikama na porta, mas, para ela, não passavam de mosquitos. Ela levantou um braço e uma luz ofuscante emanou de seu coração. Então eles colapsaram de uma só vez no chão, tão inertes quanto uma pilha de pedras.

Somente Kiki ainda voava. Ela se escondeu atrás do meu cabelo, tremendo tanto as asas que eu podia praticamente ouvir seu medo.

– Então quer dizer que você tem mesmo magia – minha madrasta falou, me encurralando. – Seria mais fácil se você não tivesse.

O ódio me deu forças. Joguei a tigela de nogueira de Seryu na cabeça dela, arremessando-a com uma força que nunca tinha sido capaz de reunir na vida.

Mas Raikama a pegou com uma mão. Ela a segurou em sua palma e um brilho se formou ali dentro. Cobras sombrias rastejaram sobre a borda e se enrolaram em meu pescoço.

Fui enrijecendo músculo por músculo, imobilizada pelas cobras que me apertavam cada vez mais, até que nem um sopro pudesse escapar de meus lábios.

– Pare – ofeguei. – Deixe-os... em... paz...

– Você quer falar? – Os olhos amarelos de minha madrasta brilharam. – Então tome cuidado com o que diz. Enquanto esta tigela repousar sobre sua cabeça, a cada som que passar por seus lábios, um de seus irmãos morrerá.

Raikama levantou meu queixo para me olhar nos olhos. Eu esperava vê-la dar risada da minha impotência, mas sua expressão era indecifrável.

– A partir de agora, seu passado não existe mais. Você não vai falar nem escrever sobre isso. Ninguém vai reconhecer você.

Ela colocou a tigela na minha cabeça. Quando as laterais de madeira cobriram meus olhos e meu nariz, abri a boca para gritar, mas sua maldição foi mais rápida que minha voz, e um mundo de escuridão caiu sobre mim.

CAPÍTULO OITO

Acordei encarando o céu vazio, com as costas contra a terra verde e seca. A grama alta roçava minha bochecha e tornozelos, e o vento trazia um frio azedo que se infiltrava em meus ossos.

Levantei, respirando pesado.

Não estava em casa. Estava no topo de um morro; o palácio não estava à vista, e no lugar de Gindara, havia o mar. Ele estava em todas as direções; para onde eu olhasse, a água cinzenta lambia a costa.

Raikama tinha me confinado em uma ilha – ao que parecia, uma ilha do Extremo Norte. A lua estava do tamanho da minha mão, ainda brilhando no céu da manhã.

A raiva cresceu em meu peito, mas cerrei os punhos e a afastei. Poderia deixá-la para depois. Agora, precisava sair desse lugar... precisava encontrar meus irmãos e voltar para casa. Observei a paisagem abaixo, notando pontinhos vermelho-escuros e marrons ao longo da costa: barcos pesqueiros – uma pequena promessa de civilização.

Ergui as saias esfarrapadas e desci a colina aos trambolhões. Logo ouvi cascos de cavalo batendo contra a estrada de terra.

Que sorte!, pensei, correndo em direção ao som. Agitei os braços e abri a boca para gritar. Eu simplesmente diria que era a princesa Shiori, a filha do imperador. Eles ficariam mais que honrados em me levar para casa.

Mas as risadas grosseiras dos homens – e os lampejos das lâminas de aço manejadas com descuido – me fizeram congelar no meio de um passo.

– Ei, você! – alguém gritou, me vendo à distância. – Garota de chapéu... pare!

O medo tomou conta das minhas entranhas. Tinha ouvido muitas histórias sobre os perigos das estradas de Kiata, que diziam que os ladrões eram os mais perigosos de todos.

Desapareci entre os arbustos. Dei uns cem passos e tirei o manto para poder me mover mais rápido. Com os dentes tiritando de frio, corri, seguindo o pálido sol nascente acima de mim, tão pequeno e branco que não se parecia em nada com o sol que estava acostumada a ver em casa.

Quando a colina ficou para trás, apenas um monte contra o mar azul-cinzento, diminuí o ritmo para recuperar o fôlego. Os bandidos não me seguiram, graças às Cortes Eternas, e topei com um campo de arroz inundado. Devia haver um vilarejo não muito longe.

Levantei a mão para proteger os olhos do sol e procurar uma trilha. Mas, no instante em que meus dedos tocaram madeira em vez de pele, as palavras do bandido voltaram.

Garota de chapéu, ele tinha gritado.

Meu coração deu um solavanco. *Havia* alguma coisa na minha cabeça. Não era um chapéu. Era uma tigela de madeira dura. Por mais que eu tentasse, não conseguia tirá-la. Seria a magia de Raikama?

Ajoelhei-me em uma poça rasa para ver o meu reflexo. A tigela era funda e cobria meus olhos e meu nariz – ainda assim, eu podia enxergar perfeitamente, como se a madeira não fosse mais substancial que uma sombra. O que não se aplicava ao meu reflexo: não importava em qual ângulo eu virasse meu rosto, a tigela cobria meus olhos e obscurecia tudo o que estava acima dos meus lábios.

Um grande nó se formou na minha garganta conforme a queimação retornava ao meu peito.

Meu pai não me reconheceria assim. Ninguém me reconheceria.

Vou escrever para ele, falei para mim mesma com determinação. Assim que eu chegasse ao vilarejo mais próximo, enviaria uma carta lhe dizendo onde eu estava. Nós encontraríamos meus irmãos e alguém – alguma feiticeira em algum lugar – teria o poder de desfazer o que minha madrasta tinha feito.

Então, contra as nuvens cinzentas se juntando ao leste, seis pássaros cruzaram o céu. Meu coração subiu até a garganta quando me lembrei da maldição da minha madrasta.

– Irmãos! – gritei. A palavra tinha gosto de cinzas, mas não parei para me perguntar por quê. Atravessei a plantação de arroz em direção ao mar, agitando os braços.

Os pássaros voavam.

Não, não, não. Eles não tinham me visto! Eles não podiam simplesmente ir embora.

– Voltem! Irmãos!

Entrando em pânico, tirei a sapatilha e a atirei neles. O sapato fez um arco no ar – um borrão rosa brilhante pouco mais alto que as árvores ao meu redor, e que nunca alcançaria o céu.

– IRMÃOS! – supliquei mais uma vez. – Por favor!

Pelo menos desta vez, os pássaros pararam. Ousei ter esperança de que tivessem me visto.

Não. Estavam caindo. Despencando. Inertes, como se alguém tivesse cortado suas asas. Aconteceu tão rápido que tudo o que pude fazer foi ficar olhando enquanto o horror se contorcia em minha barriga.

Corri até a praia quase aos berros quando me deparei com os seis pássaros jazendo sem vida na areia. Perdi o fôlego antes de emitir qualquer som. Seis serpentes espectrais, cada uma tão transparente e escura quanto uma sombra, se arrastavam debaixo das asas dos pássaros mortos. Elas se ergueram até estarem na altura da minha cintura e me encararam com seus sinistros olhos amarelos.

– Este é seu único aviso – elas sibilaram. – Da próxima vez, seus irmãos é que vão perecer. Um para cada som que você emitir.

Depois de transmitirem o recado, elas desapareceram.

Para meu horror e alívio, percebi que os pássaros não eram grous, mas cisnes. Não eram meus irmãos, mas estavam mortos – por minha culpa.

Seis cisnes, um para cada uma das seis palavras que eu falei.

Enquanto esta tigela repousar sobre sua cabeça, a cada som que passar por seus lábios, um de seus irmãos morrerá, minha madrasta dissera.

Um poço de tristeza se abriu em minha garganta enquanto eu compreendia a maldição.

Eu queria gritar. Berrar. Chorar. Queria mostrar a mim mesma que nada disso era verdade. Que era algum erro terrível, terrível. Mas os seis cisnes mortos, com seus olhos escuros e vítreos, seus pescoços compridos e brancos torcidos e feridos me diziam que não era só um pesadelo.

Caí de joelhos, sentindo um soluço mudo queimar em meus pulmões.

Minha madrasta tinha acabado comigo. Ela tinha me mandado para longe dos meus irmãos, da minha família, da minha casa. Até de mim mesma.

Lágrimas escorreram pelas minhas bochechas. Chorei até ficar difícil respirar, até que meus olhos estivessem tão inchados que eu não conseguia distinguir o céu do mar. Não sei por quanto tempo fiquei ali, me balançando de um lado para o outro. Quando a maré começou a subir, eu finalmente me levantei.

Seja esperta, Shiori, disse a mim mesma, secando as bochechas com as mangas. *Não vai adiantar nada ficar chorando. Definhar aqui, desesperada com o que aconteceu, é exatamente o que Raikama quer.*

Ela queria que eu sofresse, talvez até que eu morresse.

Você não vai poder quebrar a maldição se estiver morta. E você com certeza vai morrer se passar o dia todo aí, chafurdando em autopiedade feito uma trouxa.

Seja esperta, Shiori, repeti. Eu precisava comer. Precisava encontrar um abrigo e dinheiro. Essas coisas com as quais nunca tive que me preocupar antes.

Remexi na cintura, no pescoço, nos pulsos e nas mangas compridas em forma de sino.

Não achei nada. Nada de colar de coral, pingente de jade, pulseira de pérolas. Não tinha uma única moeda, nem mesmo um leque bordado que eu pudesse vender.

Pela primeira vez, me arrependi de não deixar minhas criadas me cobrirem de joias ou enfeitarem meu cabelo com grampos de ouro e flores de seda.

Procurei em todos os bolsos, até nos da roupa íntima. Nada.

Então, do último bolso, algo saiu vibrando. Kiki foi se livrando do tecido, dobrando o pescoço e as asas para suavizar os amassados. Depois pousou no meu colo, com uma expressão de preocupação em seu rosto de papel.

Kiki!, gritei em pensamento.

Ela me ouviu e abriu a asa para fazer carinho na palma da minha mão. Esse simples gesto foi o suficiente para trazer lágrimas aos meus olhos de novo, desta vez de alívio. Eu não estava sozinha.

Peguei-a e a pressionei contra minha bochecha.

Não posso falar, contei a ela. Até meus pensamentos pareciam deploráveis. *Minhas palavras... trazem morte... e mataram os cisnes.*

Minha ave de papel ficou em silêncio por um tempo. Então ela disse, surpreendentemente gentil: *O que são palavras senão sons bobos que cansam a língua? Você não precisa delas para encontrar seus irmãos. Você tem a mim e não estará sozinha enquanto procurarmos juntas. Nada de lágrimas até os encontrarmos, hein?*

A promessa de Kiki me emocionou. Não esperava tanto da minha ave, e a segurei contra mim, mantendo-a segura enquanto as ondas quebravam ao nosso redor.

"Encontre a luz que faz sua lanterna brilhar", minha mãe diria. Agora, mais que nunca, Kiki era essa luz.

Certo, concordei.

Aliás, Kiki disse, se acomodando na minha mão, *acho que aqueles bandidos na verdade eram pescadores.*

Por que não falou nada?

Eu estava presa no seu bolso.

Dei risada. Um pouco da minha velha energia voltou.

Juntas, encontramos o vilarejo Tianyi, o único da ilha. Com o queixo erguido e o nariz empinado, caminhei pelas ruas com o ar e a dignidade de uma princesa. Mas ninguém se importou com a delicadeza dos meus passos, a graça dos meus gestos ou com o orgulho com o qual eu movia os lábios sem falar nada. Tudo o que eles viam eram meu vestido rasgado e enlameado, meus pés sujos e a tigela velha na minha cabeça. Tudo o que entendiam era que eu não podia falar. Assim, eles rejeitaram minhas súplicas silenciosas e me mandaram embora.

É só uma questão de tempo até que meu pai me encontre, pensei com tristeza. Pelos deuses, estava torcendo para que Guiya ainda estivesse viva. Ela *tinha* que ter ouvido meus irmãos lutando contra Raikama – ela contaria aos guardas, que contariam ao imperador, e meu pai obrigaria Raikama a desfazer a maldição. Tudo o que eu precisava fazer até lá era sobreviver.

Só que como eu sobreviveria sem nada? Tentei mendigar, mas ninguém quis ajudar uma estranha com uma tigela de madeira na cabeça. Tentei escrever na terra para pedir comida, mas ninguém conseguiu ler. As crianças zombaram de mim e alguns aldeões jogaram pedras, me chamando de demônio, e eu nem conseguia me defender ou olhá-los nos olhos. Depois de três dias sendo ignorada e recebendo apenas cuspidas, dormindo na rua com nada na barriga além de água da chuva, minhas esperanças murcharam.

A fome estava me deixando desesperada. E o desespero me tornava corajosa.

Quando a aurora chegou, esgueirei-me para a baía de águas cinzentas, onde todos os pescadores atracavam seus navios, e desamarrei a corda de um dos barcos de camarão.

Não percebi o perfil escuro de uma mulher pairando sobre mim – até que já era tarde demais.

– Ninguém rouba da sra. Dainan – ela anunciou, levantando uma vara de pescar. Antes que eu pudesse reagir, ela acertou a tigela de madeira na minha cabeça com tanta força que meus ouvidos zumbiram e o mundo girou.

E eu caí.

CAPÍTULO NOVE

Recuperei meus sentidos e tentei me levantar, mas a sra. Dainan bateu na tigela mais uma vez.

– Seria melhor se você se mandasse dessa ilha, garota. Esse negócio na sua cabeça não serve nem pra pegar camarão.

Ela foi me empurrando em direção às ondas cinzentas quebrando contra o cais, me desafiando a pular. Não pulei, então ela resmungou, agarrou meu queixo e ficou estudando as marcas de sujeira nas minhas bochechas.

– Bem que eu imaginei. Demônio nenhum seria tão patético quanto você.

Então atirou o avental para mim.

– Você vai trabalhar pra mim agora. Se tentar qualquer golpe, vou falar pro magistrado cortar suas mãos por tentar roubar meu barco. Entendeu?

A fome gritava nas minhas entranhas enquanto eu amassava o avental na mão. Estava manchado de óleo e molho marrom, e tinha grãos secos de arroz que eu quis lamber direto do pano.

Só um dia, prometi a mim mesma antes de me arrastar atrás dela. Olhei para o céu vazio, imaginando seis grous cortando as nuvens. *Só um dia.*

Logo perdi as contas de quantas vezes essa promessa foi quebrada.

– Lina! Lina, venha aqui, sua besta!

Lina. Mesmo depois de dois meses, eu ainda não tinha me acostumado com o nome que a sra. Dainan me deu, mas isso não tinha importância. Era melhor que *ladra* ou *cabeça de tigela* ou *demônia* – provavelmente nenhum desses seria bom para os negócios.

– Lina! Estou esperando.

O que faltava à sra. Dainan em altura, ela compensava com uma raiva feroz. Nem os terremotos conseguiam superar o poder estrondoso de sua ira. Ela andava de mau humor ultimamente; as correntes de ar do outono faziam seus ossos doerem, e ela sempre descontava em mim.

Só podia me perguntar o que é que eu tinha feito dessa vez.

Deixei a vassoura de lado e me aproximei dela, me preparando para a bronca. Mordi a parte de dentro da bochecha – um lembrete doloroso de que eu não podia falar.

– O sr. Nasawa pediu uma xícara de vinho de arroz, não vinho de ameixa – ela resmungou. – Essa é a terceira vez em uma hora que você confunde os pedidos.

Não era verdade. O sr. Nasawa, um pescador que vinha à Estalagem do Pardal com frequência, tinha pedido vinho de ameixa. Olhei para ele, evitando seus olhos. Por mais que ele gostasse de me causar problemas, eu suspeitava que secretamente tinha medo de mim.

– Então?

Um mês atrás, eu teria cerrado os dentes e gesticulado para dizer que ela estava errada. Teria acabado com um machucado na bochecha e sem jantar.

Mas agora não. Agora eu mostrava minha rebeldia de outras formas.

Desculpe, sinalizei, abaixando a cabeça um centímetro. Estava pegando o vinho de ameixa do sr. Nasawa quando a sra. Dainan acertou a lateral da minha cabeça com a mão.

A tigela em meu crânio vibrou, fazendo-me cambalear para trás. A taça caiu no chão e o vinho respingou na barra da minha saia.

Recuperei o equilíbrio enquanto ela se virava para mim, agitando uma vassoura no meu rosto.

– Garota inútil – ela cuspiu. – Limpe essa bagunça.

– Por que você a mantém aqui? – o sr. Nasawa falou de forma arrastada. – Olhe só pra ela, com essa tigela na cabeça. Nunca vi nada tão lamentável.

– Deixe-a em paz, sra. Dainan – murmurou outro pescador. – Ela cozinha bem. É a melhor cozinheira que você já teve.

– Sim, deixe-a voltar ao trabalho. O velho Nasawa pediu vinho de ameixa, sim. Até eu ouvi!

Sem querer discutir com os clientes, peguei a vassoura para limpar os cacos da taça de vinho quebrada.

Como fui de ladra de barco para cozinheira de estalagem era um mistério. Ainda mais confuso era o fato de já estarmos no meio do outono; os bordos amarelos do lado de fora da construção eram um lembrete constante da minha promessa quebrada.

Engoli em seco enquanto a culpa apodrecia dentro de mim. Eu não pretendia ficar, mas a sra. Dainan me fazia trabalhar tanto que eu colapsava na esteira todas as noites, sem energia nenhuma e exausta demais para pensar em um plano de fuga. A manhã vinha e o ciclo só se repetia. Além disso, para onde eu iria sem dinheiro?

Você podia pedir pra um dos pescadores te emprestar um barco, Shiori, Kiki disse, *lendo meus pensamentos. Muitos gostam de você.*

Ela se agitou dentro do meu bolso. Queria soltá-la, mas não podia deixá-la sozinha no meu quarto, não quando a sra. Dainan passou a inspecioná-lo a cada poucos dias sem avisar.

Kiki procurava meus irmãos todos os dias, até agora sem sucesso. Não tínhamos nem conseguido obter informações sobre o meu pai. O vilarejo Tianyi era tão longe do continente que era difícil as notícias chegarem aqui.

Fui até a cozinha para dar uma olhada na panela enorme fervendo no fogão.

Preparar a sopa da manhã era minha principal tarefa na Estalagem do Pardal, o motivo pelo qual a sra. Dainan não me expulsava. Minha sopa era boa para os negócios.

Era a receita da minha mãe. Ela morreu quando eu tinha três anos, mas guardei o aconchego e o sabor dentro de mim. Me lembrava de ficar cutucando a panela, procurando pedaços de carne e escolhendo espinhas de peixe, de enfeitar a colher com anéis de cebola, de saborear a crocância suave dos rabanetes e dos pontinhos cor de laranja da cenoura. Acima de tudo, me lembrava das musiquinhas que ela inventava enquanto trabalhávamos na cozinha.

Channari era uma garota que vivia à beira-mar,
sempre no fogo com uma colher e uma panela.
Mexendo e mexendo a sopa para ficar com a pele bela.
Cozinhando e cozinhando um ensopado para cabelos pretos e grossos.
Mas o que ela fazia para ter um sorriso feliz?
Bolos, bolos com feijão doce e de açúcar um triz.

Depois que mamãe morreu, continuei escapulindo para a cozinha para ajudar o pessoal a fazer a sopa dela. Era a única coisa que eles me deixavam preparar – provavelmente por pena –, e acabei ficando boa nisso. Era o que meus irmãos pediam sempre que não estavam se sentindo bem, e, apesar de serem garotos fortes e resistentes que raramente ficavam doentes, eles eram *seis*. E eu aproveitava qualquer ego ferido e joelho ralado para aperfeiçoar a receita de mamãe.

Sempre que cozinhava, me sentia mais próxima dela – o que me deixava feliz. *Quase* feliz, o que era tudo o que eu podia pedir esses dias. Era o único momento em que eu esquecia que tinha uma tigela deplorável na cabeça ou que tinha que ficar em silêncio por causa de uma maldição. Ou que meus irmãos estavam perdidos em algum lugar do mundo com seus espíritos aprisionados no corpo de grous.

Além disso, se eu não cozinhasse, a sra. Dainan se encarregava da tarefa. Só que as receitas dela tinham gosto de papel – eram insossas e praticamente intragáveis. Ela serviria ensopado com esterco de burro se isso significasse economia de dinheiro, mas, na maior parte das vezes, ela ficava fervendo restos de ossos durante a semana toda, adicionando vegetais meio podres e água usada, eu suspeitava.

Assim, ela ficava furiosa quando me pegava colocando cenouras extras na sopa e temperando o arroz com caldo de peixe. Mas os pescadores notaram que as refeições de repente estavam mais saborosas, que o arroz estava macio em vez de empapado e que os vegetais estavam crocantes sob suas mordidas, refrescando seus hálitos. Os negócios iam bem, e a sra. Dainan parou de brigar comigo por desperdiçar ingredientes. Em vez disso, aumentou os preços.

Eu não gostava dela, mas entendia que não era fácil para uma viúva cuidar dos negócios sozinha. Suas dificuldades revelavam-se nos sulcos profundos em seu rosto, que a faziam parecer bem mais velha do que era. Ela não era gentil, mas me protegia à sua maneira – pelo menos, de seus clientes.

Um soldado agarrou minhas saias quando eu saí da cozinha, puxando-me para ele.

– O que tem debaixo dessa tigela?

Acertei a vassoura em seu rosto. *Não me toque.*

– Por quê? Você... – Ele se levantou, nervoso, mas estava tão bêbado que oscilou, incapaz de se equilibrar. Ele tentou atirar o vinho em mim, mas errou. – Demônio! Demônio!

A sra. Dainan falou:

– Deixa-a em paz. Minha última ajudante era mais demoníaca que essa camarãozinha. Ela não é muito esperta, mas sabe cozinhar. Você gostou da sopa esta manhã, não gostou?

– Mas por que essa tigela? – o soldado falou.

– Ela só é feia – o sr. Nasawa disse. – Tão feia que sua mãe colou essa tigela na cabeça dela pra nos poupar de ver seu rosto hediondo.

A sra. Dainan, o sr. Nasawa e o soldado riram juntos e eu parei de varrer. Minha vista estava ficando turva de raiva. Era minha madrasta quem tinha feito isso, não minha mãe. Eu ficava maluca só de pensar que uma monstra feito Raikama continuava casada com meu pai, e ainda por cima carregava o honroso título de consorte imperial de Kiata. Cravei as unhas no cabo da vassoura.

Ultimamente, outros homens como este soldado tinham visitado a Estalagem do Pardal. Bêbados e agressivos, estavam sempre de passagem pelo vilarejo Tianyi para defender o Norte. A cada vez que um deles chegava, uma onda de desconforto tomava conta de mim. Pelos deuses, eu rezava para que papai não estivesse nos preparando para a guerra.

Como se percebesse minha distração, a sra. Dainan se virou de repente, agitando um dedo ossudo para mim.

– Pare de bisbilhotar, Lina – ela rosnou. – Estamos sem lenha. Vá buscar.

Peguei minha capa perto da porta e troquei a vassoura por um machado.

Ainda fumegando, me plantei diante da pilha de madeira mais próxima. Antes, a tarefa costumava me exaurir com apenas algumas machadadas – a ferramenta era tão pesada que eu precisava levantá-la com os dois braços. Agora, eu a levantava facilmente com uma mão.

A cada golpe, eu liberava um pouco da minha raiva.

Não foi por acaso que Raikama me largou na parte mais isolada de Kiata, sem ter como voltar.

Será que ela sempre usava a magia para nos obrigar a fazer o que queria? Foi assim que convenceu meu pai a se casar com ela? Justo ela, uma estrangeira que vinha de uma terra distante, sem dinheiro ou título algum.

Uma parte de mim queria acreditar que sim, mas eu sabia que não era isso.

Eu teria notado seus olhos quando ela invocasse seu poder, amarelos como os crisântemos de verão que floresciam em nossos jardins. Eu teria notado a pedra em seu coração, brilhando como uma obsidiana ao luar.

Acima de tudo, eu teria notado seu rosto. Seu rosto verdadeiro, terrível e cheio de sulcos, com escamas cor de marfim – feito escamas de cobra.

O vento açoitou a tigela na minha cabeça, zombando de mim. Eu não podia fazer nada. Estava sozinha, abandonada, sem voz, sem rosto e sem magia.

Centenas de vezes, tentei fazer a grama morta debaixo dos meus sapatos verdejarem de novo, tentei fazer as tangerinas podres que a sra. Dainan trazia do mercado ficarem rechonchudas e suculentas. Tentei fazer dobraduras de pássaros e peixes e macacos com qualquer coisa que eu tivesse nas mãos para fazê-los ganharem vida. Antes, era tão simples quanto pronunciar uma palavra, um pensamento, um desejo. Todos os dias eu tentava e tentava, me recusando a desistir.

Mas eu já não tinha mais magia. Tudo não passava de um sonho.

Dei um último golpe, e a madeira estalou e rangeu. Me afastei quando a tora se dividiu em duas, enxugando o suor da testa.

Talvez a magia não fosse a resposta. Talvez eu tivesse que encontrar outro jeito.

Ergui o machado para a próxima rodada e juntei minhas forças.

Enrolada em um colchão de palha, com Kiki na dobra do meu braço, sonhei com meus irmãos. Eu os via toda noite: Andahai, Benkai, Reiji, Wandei, Yotan e Hasho. Seis grous com coroas escarlates.

Às vezes, eu os chamava e eles caíam um por um, em um lampejo vermelho – com uma picada de serpente em suas gargantas de penas pretas. Acordava encharcada de suor e com o corpo tremendo violentamente. Outras vezes, sonhava que eles estavam me procurando, voando sobre terras distantes que eu não conhecia. Esses sonhos tinham uma clareza muito intensa, e eu torcia para que fossem visões. Para que meus irmãos estivessem vivos e seguros e que não tivessem se esquecido de quem eram – nem de mim.

Esta noite, sonhei com Raikama.

As árvores do nosso jardim tinham adquirido um tom lustroso de amarelo, e as folhas, um matiz avermelhado.

Dia após dia, meus irmãos voltavam ao palácio. Eles voavam, grasnando sons que lembravam meu nome.

– Shiori! Shiori!

Era contra a lei matar grous em território imperial, mas os soldados ficaram tão alarmados com a visita diária que começaram a atirar pedras nos pássaros toda vez que eles tentavam pousar nos jardins. No entanto, meus irmãos não pararam.

Finalmente, um dia, seus gritos ficaram tão altos que meu próprio pai veio ver os seis grous sobrevoando seu palácio.

– Que estranho – ele ficou pensando. – Os grous geralmente só vêm no inverno. Venha ver. – Minha madrasta se juntou a ele. – Esses são diferentes dos pássaros que vêm aqui.

– Diferentes? Marido, está dizendo que agora você consegue ler o rosto dos pássaros?

– Não. – Meu pai deu uma risadinha triste. – Mas os olhos deles... quase parecem humanos. Tão melancólicos. Parece que já os vi antes...

Ouvindo isso, minha madrasta enrijeceu.

– Eles estão ficando violentos – ela disse. – O maior atacou um guarda hoje, e outro voou para o meu jardim. Eles são grous selvagens. Mande os guardas atirarem se eles voltarem.

Antes que meu pai pudesse protestar, pontinhos dourados nos olhos de minha madrasta cintilaram, e a expressão dele ficou vazia. Ele assentiu sem falar nada, como se pensasse "É claro que você tem razão".

Quando meus irmãos voltaram procurando por mim, ela os fez esquecer.

– Voem para o sul – ela disse. – Esqueçam sua irmã, e juntem-se aos pássaros da sua espécie.

Não!, eu queria gritar. Não ouçam o que ela diz!

Mas os seis grous saíram voando para longe, e eu não sabia se era o feitiço de minha madrasta ou se os arqueiros os tinham assustado.

Quando acordei, minhas costas estavam molhadas de suor e minhas pernas estavam doloridas de tanto que chutei durante a noite. Mas minha mente estava mais aguçada que nunca, como se finalmente tivesse ultrapassado o véu de medo que Raikama lançou sobre mim e transformado minha tristeza em uma coragem forte feito aço.

Eu já tinha ficado aqui tempo demais. Era hora de fazer Raikama pagar por suas ações. Era hora de encontrar meus irmãos.

CAPÍTULO DEZ

A sra. Dainan estava na cozinha, diluindo água no vinho de arroz e jogando as sobras da tarde no ensopado de vegetais que eu tinha feito para o jantar.

– O que foi, Lina? – ela perguntou, impaciente.

O pesadelo de ontem me deu coragem. Estendi a mão, pedindo dinheiro.

Ela desdenhou.

– Que audácia me pedir dinheiro. Por que eu deveria pagar uma ladra?

Não recolhi a mão. Tinha trabalhado por dois meses; durante esse tempo, tinha devolvido muito mais do que aquele barco de camarões valia. Ela sabia. Eu sabia.

O cabo da vassoura dela veio com tudo em direção à minha cabeça. Eu vi e me esquivei, mas ela acertou meu ombro.

A dor se espalhou pela minha clavícula, e tive que apertar os lábios para não gritar. A possibilidade de acidentalmente emitir algum som me aterrorizava muito mais que os golpes da sra. Dainan.

– Você acha que alguém vai acolher uma ladra como você? – ela zombou. – Talvez eu devesse te vender pro bordel. Mas quem iria te querer com essa coisa ridícula na cabeça?

Cerrei os punhos para me impedir de agir precipitadamente. Precisava aguentar só mais um pouco. Afundei as unhas na palma das mãos e me acalmei.

– Pra que você precisa de dinheiro, afinal? Você não tem casa, não tem família. – Ela fechou as venezianas da janela com estrépito. – Agora vá embora antes que eu...

Seu discurso foi interrompido pelo som de cascos parando próximos. Um cavalo relinchou do lado de fora da porta.

A sra. Dainan deu uma fungada e ajeitou o colarinho antes de abrir a porta. Segundos depois, suas costas se curvaram em uma reverência profunda, seus braços tremeram e sua voz subiu para um tom submisso que eu não sabia que ela era capaz de emitir.

– Ah, bem-vindo. Bem-vindo, senhor.

Um sentinela imperial entrou na estalagem.

Minha respiração ficou presa na garganta, e eu agarrei a vassoura da sra. Dainan depressa para me aproximar deles enquanto varria.

Antigamente, sentinelas eram cavaleiros treinados para combater demônios. Eles ajudaram os deuses a mandá-los de volta para as Montanhas Sagradas da Perseverança. Agora que tais ameaças supostamente haviam cessado, eles protegiam a família imperial e mantinham a paz onde quer que estivessem. Alguns treinavam a vida inteira para isso; era uma das poucas maneiras de um pobre mudar seu destino.

Este sentinela era jovem, mas, mesmo assim, provavelmente ganhava ao menos dez makans de ouro por ano. O suficiente para ter algumas pratas nos bolsos.

O que está fazendo, Shiori?, me repreendi. *Está fantasiando roubar um sentinela?*

– Lina! – a sra. Dainan estava gritando. – Que modos são esses? Sirva ao nosso novo convidado aqui sua deliciosa sopa e uma xícara de chá.

Obedeci depressa. Quando voltei, o jovem estava sentado em um canto perto da janela, longe dos outros hóspedes.

Ele não tirou o capacete nem a armadura, mas eu reconheceria um sentinela mesmo se ele estivesse usando trapos como eu. Era só observar sua aparência: postura rígida, ombros altivos esculpidos por anos de treinamento rigoroso, olhos solenes que não demonstravam malícia nem esperteza. Eu tinha conhecido vários como ele.

– Está vindo de Iro ou do Forte de Tazheni? – a sra. Dainan perguntou, em um tom caloroso que eu nunca tinha ouvido antes. De forma afetada, ela dobrou a toalhinha quente que tinha colocado na mesa dele. – Vários soldados estão se reunindo aqui. É bom para os negócios, mas não tão bom para Kiata, acho.

– Só estou de passagem.

A resposta dele foi curta, um sinal de que não queria papo. Mas a sra. Dainan insistiu:

– Indo pra casa então?

– O imperador está procurando seus filhos – o sentinela concedeu, mas não era muito conversador. – Pediram para que eu me juntasse a eles.

Os pelos da minha nuca se arrepiaram.

– Ah, sim. – A sra. Dainan fingiu simpatia. – Coitadinhos dos príncipes e da princesa. Bem, não os vimos por aqui. Nenhuma novidade!

Isso ele já parecia saber. Ele tirou um livro surrado da mochila, abrindo-o para impedir mais perguntas. Então inclinou o queixo para sua xícara de chá vazia.

– Lina! – a sra. Dainan gritou antes de se virar para atender outros clientes. – Mais chá.

Eu me apressei para servi-lo, me perguntando o que tinha trazido um sentinela imperial a essa ilha distante para procurar meus irmãos e eu. Será que havia algum jeito de contar a ele quem eu era de verdade? Será que poderia confiar nele?

Ele mal me notou, tomando a sopa com os olhos treinados no livro. Enquanto bebia o chá, espiei por cima de seu ombro. Ele não estava lendo; estava folheando desenhos antigos em um caderno. Alguns tinham anotações, mas eu não conseguia ver...

– Não é educado bisbilhotar por cima do ombro dos outros – ele disse, me assustando.

Ele largou a sopa e me olhou. Quando viu a tigela na minha cabeça, seu rosto foi tomado pela curiosidade. Eu estava acostumada com isso, e me preparei para uma série de perguntas que não podia responder.

Mas ele não perguntou nada.

– Você deve ser a cozinheira – ele disse, gesticulando para a tigela. – A sra. Dainan não estava exagerando, está fenomenal. O sabor, o peixe, até os rabanetes. Me lembra da comida de casa.

Assenti, sem me importar muito com sua opinião sobre a minha sopa. Eu queria saber como meu pai estava, havia quanto tempo ele estava me procurando, e se minha madrasta ainda estava a seu lado.

Acima de tudo, eu queria gritar: "Sou a princesa Shiori!". Queria sacudi-lo pelo ombro até que ele me reconhecesse. Queria ordenar que me levasse para casa.

No entanto, não fiz nada disso. Simplesmente abaixei a cabeça e me retirei para a cozinha.

Afinal, quem é que acreditaria que a princesa de Kiata era uma criada no meio do vilarejo Tianyi com uma tigela de madeira presa na cabeça, tão pobre que nem podia comprar um pente para seu cabelo desgrenhado ou chinelos de palha para caminhar nos campos?

Ninguém. Muito menos esse sentinela.

Você podia pedir-lhe dinheiro, uma voz desesperada dentro de mim sugeriu. *Uma moeda de prata não é nada para ele. E será o mundo para você.*

Eu imploraria de bom grado se isso significasse encontrar meus irmãos. Mesmo se isso significasse verter o pouco orgulho que eu ainda tinha. Mas seria inútil. A sra. Dainan veria e tomaria a moeda de mim.

A vozinha foi mais fundo. *Então você vai roubá-lo.*

Sim. Se isso era necessário para encontrar meus irmãos, eu faria praticamente qualquer coisa.

O crepúsculo demorou a chegar; as sombras caíram sobre a estalagem e a luz cintilante do pôr do sol infiltrou-se pelas rachaduras nos corredores estreitos.

Enquanto todos estavam jantando, arrastei o esfregão e o balde escada acima até o quarto dos hóspedes para lavar o chão e trocar a vela dos lampiões. Essas eram minhas últimas tarefas antes que eu jantasse e encerrasse o dia.

Deixei o quarto do sentinela por último. A sra. Dainan lhe ofereceu o melhor quarto – o que não significava muito, porém, apenas que ele tinha uma janela de frente para a água, um bule que não vazava e um banco que não era bambo.

Normalmente, eu mantinha a porta aberta enquanto trabalhava. Mas esta noite eu a fechei bem.

Juntei coragem e comecei a vasculhar seu quarto.

Ele não tinha muita coisa. Seu armário estava vazio, e ele levava a espada na cintura – provavelmente o dinheiro também. Mas eu não precisava de muito. Só o suficiente para comprar minha passagem para o Sul.

Seu arco estava pendurado no cabideiro. Parecia caro, esculpido no melhor vidoeiro e pintado com um azul-escuro, profundo. Só que eu não era trouxa para tentar vender a arma de um sentinela.

No entanto, sua capa, dobrada com capricho na cama, era outra coisa. Infelizmente, estava mais esfarrapada e rota do que parecia. Segurando um suspiro de frustração, enfiei as mãos nos bolsos. Não havia nada ali.

Virei, pronta para desistir – até que vi sua mochila em um canto escuro. Para um homem que parecia tão cuidadoso, isso era inesperado.

O conteúdo da mochila confirmou meu julgamento sobre sua personalidade: havia uma cabaça de água, uma caixa de cobre com itens para fazer fogo, um feixe de musselina com uma agulha fina de osso e um novelo de linha, meias de lã e um número excessivo de livros – volumes sobre poesia e pintura clássica e história. E ali estava o caderno que eu tinha visto mais cedo – recheado de desenhos de montanhas e barcos em um rio, e uma garotinha com os cabelos presos em marias-chiquinhas segurando um coelho. O desenho era agradável, mas eu tinha vindo pelos makans, não pela arte.

Então... no fundo... encontrei algo macio...

A sapatilha que eu estava usando quando Raikama me amaldiçoou! A que tinha atirado no céu quando pensei ter visto meus irmãos.

O calçado era pouco mais que um trapo, mas eu o reconheceria em qualquer lugar com sua seda rosa cintilante, grous delicadamente bordados e marcas da grama e da estrada de cascalho.

Fiquei segurando o último resquício do meu passado, pensando sobre esse sentinela. Como ele encontrou isso?

Curiosa para saber mais, continuei vasculhando a mochila. Em um dos bolsos laterais, havia dois blocos finos de madeira, amarrados para proteger algo claramente importante.

Peguei o objeto.

Meus dedos trabalharam rápido, desamarrando o cordão. Entre os blocos estavam os restos de um pergaminho. Minha testa se franziu em confusão. Uma carta em a'landano?

Abri-a por completo, desejando ter prestado mais atenção aos meus professores de idiomas. Ao contrário de Kiata, cujo continente e ilhas eram unificados havia milênios, A'landi era um país enorme, dividido em dezenas de estados contenciosos. Nossas crenças e tradições se sobrepunham de muitas maneiras, mas isso não significava que eu pudesse ler essa língua fluentemente.

Mas, para minha sorte, a mensagem era simples:

Vossa Excelência,

Quatro Suspiros parece uma solução elegante, mas temo que não seja mais necessário...

Quatro Suspiros? Franzi o cenho. Eu já tinha ouvido falar desse veneno antes. A receita era segredo de alguns dos mais habilidosos sicários, altamente valorizada porque até seu aroma era nocivo e podia colocar sua vítima para dormir um sono profundo. Quando ingerido, porém, era mortal.

Uma vez, alguém tentou enviar a Raikama um sachê de incenso misturado com Quatro Suspiros, mas ela o detectou quase no mesmo instante, ganhando a admiração de meu pai.

"Tem um cheiro doce", ela disse para mim e para meus irmãos. "Tipo mel. Sicários sempre tentam mascarar o cheiro. Eles tentam usar doses bem pequenas, porque o veneno deixa marcas douradas na pele quando é inalado, e escurece os lábios quando é ingerido."

Pensando bem, não era surpresa que uma cobra feito Raikama tivesse talento para discernir venenos. Se soubéssemos...

Voltei a atenção para a carta. Uma parte tinha sido arrancada e havia sangue seco manchando as bordas, mas um fragmento ao final da mensagem dizia:

A princesa e seus irmãos foram embora do palácio. Vou encontrar você e o Lobo, como combinamos, para discutir nossas próximas ações.

Um calafrio percorreu minha espinha. Quem era esse Lobo, e o que ele queria comigo e com meus irmãos? Guardei a carta de volta entre os blocos de madeira, certa de que tinha descoberto algum esquema obscuro para prejudicar meu pai – e Kiata. Seria por isso que Raikama tinha nos amaldiçoado? Para despir meu pai de suas defesas e deixar o reino vulnerável a ataques?

O que esse sentinela estava fazendo com uma carta como essa?

Os lampiões tremeluziram. Primeiro, pensei que fosse Kiki, voltando de sua busca diária pelos meus irmãos. Então ouvi passos na escada.

Levantei de um salto. Depois de enfiar o pergaminho de volta na mochila e apagar o lampião com pressa, corri para a porta, mas era tarde demais.

O toque frio de uma lâmina beliscou meu pescoço.

Congelei, reconhecendo a silhueta esguia do sentinela contra a parede.

– *Você* – ele disse, com uma voz surpresa. Então endureceu o tom: – Vire-se devagar.

Minha pulsação ribombava nos meus ouvidos enquanto eu obedecia. Se ele fosse mesmo um sentinela, a espada em sua cintura seria afiada o bastante para cortar até um osso. E ele estaria no direito de me matar.

Ele pegou o pergaminho, imediatamente percebendo que alguém havia mexido no cordão, e o sacudiu na minha frente.

– O que você estava fazendo com isso?

Eu o encarei com firmeza, com os lábios comprimidos e fechados.

– Não vou perguntar de novo.

Apontei para a garganta, indicando que não podia falar. Então estendi a mão com a palma para cima, para explicar que estava procurando dinheiro. Gesticulei fazendo ondas no oceano: *Queria dinheiro para deixar a ilha.*

Ele abaixou a adaga, finalmente entendendo.

– Vi a estalajadeira batendo em você. É por isso que quer ir embora?

Tudo o que fiz foi abaixar a cabeça. Este homem era observador. Também aprendi a ser, através do meu silêncio.

– Entendi.

Ele enfiou o pergaminho de volta na mochila.

– Que bom que te peguei – ele disse com firmeza, mas as arestas de seu tom tinham suavizado. – Andar com isso por aí só te faria acabar morta.

Inclinei a cabeça. *Como assim? O que isso quer dizer?*

– Para alguém que não consegue falar, até que você consegue expressar bem seus pensamentos. – O homem fechou a mochila. – Meus assuntos são particulares e não lhe dizem respeito.

Fiquei observando-o. Apesar de seu tom severo, eu não estava com medo. Ele podia ter me matado agora mesmo por mexer nas suas coisas, mas não o fez. Isso era o suficiente para que eu deduzisse que ele não era o destinatário da carta. Ele dissera à sra. Dainan que estava procurando pelos filhos do imperador. Devia ter topado com a carta durante a busca.

Uma dúzia de perguntas faziam minha língua arder. Eu queria lhe perguntar sobre minha casa e minha família. Queria exigir que ele me contasse tudo o que sabia. Mas, primeiro, precisaria lhe contar quem eu era.

Eu tremia toda, delirando de euforia, enquanto escrevia meu nome na palma da mão. Pelos milagres de Ashmiyu'en, finalmente alguém poderia ler!

Então cobras invisíveis sibilaram em meus ouvidos. *Lembre-se*, elas me avisaram. *Ninguém vai reconhecer você.*

Fiquei imóvel, sentindo a tigela na minha cabeça tão pesada quanto uma pedra. Mesmo tão longe de casa, eu ainda estava presa na maldição de Raikama.

Os sibilos pararam quando o sentinela tirou o capacete. Seu cabelo era escuro, todo emaranhado e despenteado, curvado nas orelhas, e ele tinha uma mecha solta caindo da ponta do couro cabeludo. Isso o fazia parecer menos ameaçador – menos como um guerreiro durão e mais como um viajante cansado que precisava se lavar e se barbear.

Ele olhou para mim.

– Ainda está aqui? Qualquer outra ladra já teria se mandado. – Ele fez uma pausa. – Suponho que você não seja bem uma ladra, se teve a audácia de roubar um sentinela. É a primeira vez?

Não pretendia responder, mas minha mão se ergueu com dois dedos levantados.

– Segunda vez, então. – O canto de sua boca se curvou em um quase sorriso. – Você é honesta. Não é como sua senhora.

Eu não era honesta. Meus irmãos uma vez me chamaram de princesa das mentiras. Mas acho que tinha mudado nos últimos meses. Tanta coisa tinha mudado.

– A sra. Dainan te chamou de Lina. É esse o seu nome?

Hesitei. Balancei a cabeça.

– Não achei que fosse. É bonito, mas não sei por quê, não combina com você. – Esperei que explicasse o que queria dizer, mas ele não fez isso. – Qual *é* o seu nome?

Ao ouvir a pergunta, apertei os lábios. Meus dedos fizeram a primeira linha do meu nome, mas pensei melhor e parei.

– Não quer me contar? Tudo bem. – Sua voz era gentil, quase agradável. Havia uma certa musicalidade nela, e cada palavra era clara e demorada.

Isso era bastante incomum para um sentinela. Os que eu conheci no palácio eram sempre grosseiros, mais expressivos com suas espadas que com palavras. E que tipo de sentinela andava com um caderno de desenhos e lia poesia?

Uma moeda de prata surgiu entre seus dedos.

– Aqui, pegue isto. Faça bom uso.

Olhei para ele. Era mais que o suficiente para me levar para o Sul para encontrar meus irmãos.

Tentei pegá-la, mas ele a afastou.

– Espere até depois do café da manhã para sair – disse, como se estivesse fazendo uma promessa.

Meus ombros tensionaram e meu rosto ficou sem expressão. *Por quê?*

– É melhor começar uma jornada com a barriga cheia. Estou falando por mim *e* por você.

Apontei para fora. *Você também está indo embora?*

– Amanhã de manhã – ele confirmou. – Minha missão tem sido um fracasso, mas sua sopa foi um conforto inesperado. Juro, deve ter algum tipo de magia na sua panela... hoje foi a primeira vez que comi rabanete e gostei de verdade. – Humor cintilou em seus olhos. – Eu adoraria provar mais uma vez pra garantir que não foi mero acaso.

Não consegui evitar devolver o sorriso. Que jovem bobo, de tanto não gostar de rabanetes ele temia que minha sopa pudesse ter sido um acaso. Só de pensar nisso, comecei a rir internamente.

Muito bem. Um café da manhã a mais não faria mal. Mas, depois, eu também iria embora. Eu encontraria meus irmãos e quebraria a maldição.

Com a moeda finalmente nas mãos, saí de seu quarto, esquecendo o esfregão e o balde. Meu peito borbulhava de empolgação, e eu mal consegui me impedir de sair correndo para o meu quarto.

Talvez, e só talvez, minha sorte estivesse começando a mudar.

CAPÍTULO ONZE

Na manhã seguinte, um segundo sentinela chegou à Estalagem do Pardal.

Nem me dei ao trabalho de cumprimentá-lo. Estava mexendo na minha panela de sopa de peixe, inalando o aroma e prestando atenção extra aos rabanetes.

Os dedos do meu pé tamborilavam em um ritmo imaginário e eu cantarolava na cabeça:

Mexendo e mexendo a sopa para ficar com a pele bela.
Cozinhando e cozinhando um ensopado para cabelos pretos e grossos.

Fazia semanas que não me sentia tão feliz.

O sol fez cócegas no meu nariz, e coloquei a concha de lado para coçá-lo. Então fiquei olhando meu makan de prata, observando a luz refletida em suas bordas. Ainda não conseguia acreditar que o sentinela havia me dado essa moeda. Eu tinha que perguntar seu nome antes que ele fosse embora; meu pai o recompensaria por sua generosidade, assim que eu voltasse para casa em segurança.

Depois que a sopa fosse servida, eu iria embora. À noite, eu já estaria longe deste lugar.

Mas, quando coloquei as tigelas na bandeja, a lâmina do novo sentinela bateu contra a parede externa e as telhas de argila estremeceram acima das nossas cabeças.

– Como ousa tentar me trair? – ele rugiu.

– P-p-perdão, m-meu senhor – a sra. Dainan implorou. – Eu não estava pensando direito.

Minha canção foi fragilmente interrompida. Olhei para fora, espiando pelas venezianas para ver o que estava acontecendo.

– Mande seus hóspedes virem pro corredor – ele ordenou. – Quero que todos estejam presentes.

Quem era esse homem? A malha que adornava seus braços e pernas era de um azul profundo; os fios eram delicados e pareciam minúsculas escamas de peixe. Cordões dourados mantinham as placas de aço de sua armadura presas no torso, tão bem polida que eu podia ver o reflexo da sra. Dainan nela – ela estava de joelhos fazendo reverências como se sua vida dependesse disso. Provavelmente dependia.

Ele parece importante – um lorde, Kiki observou. *Você devia ir até ele.*

Pra fazer o quê?, respondi. *Você não viu como ele golpeou a parede?*

A sra. Dainan tentou traí-lo porque ele é rico. Eu também ficaria chateada. Rápido, ele está entrando.

A porta se abriu de uma vez, fazendo a sopa na minha bandeja tremer. Sem conseguir conter a curiosidade, me esgueirei para fora da cozinha para ver o que estava acontecendo.

O jovem lorde entrou na estalagem pisando firme com suas botas enquanto os hóspedes se ajoelhavam apressadamente. Seus olhos pareciam laca escura e escorregadia, e músculos grossos se destacavam em seu pescoço enquanto ele inspecionava a estalagem. Então, com um grunhido, ele atravessou a multidão.

Ele está procurando alguém, percebi.

Talvez um bandido?, Kiki sugeriu. *Ou um criado fugitivo?*

Não respondi. Este homem não era um sentinela qualquer. Ele era do *alto* escalão, provavelmente um dos filhos de algum chefe militar do meu pai. Estaria aqui procurando por mim e pelos meus irmãos?

Com um suspiro forte, tirei Kiki do ombro e a escondi na minha manga. Comecei a me retirar de volta para a cozinha, mas o lorde me ouviu.

Ele se virou e pressionou a ponta da lâmina no meu pescoço.

– Mostre respeito. Não vou pedir de novo.

Eu nunca me ajoelhava para ninguém, exceto para meu pai. Trabalhar na estalagem tinha acabado com o meu orgulho, mas qualquer vestígio dele que ainda restava em mim se recusava a me deixar me curvar diante desse estranho cruel. Olhei para ele desafiadoramente, e uma centelha de raiva passou pelo seu rosto.

– Tire essa tigela da cabeça.

Sem aviso, a parte plana de sua espada bateu na minha cabeça e eu tropecei, derrubando a bandeja. A sopa se espalhou, e os respingos quentes lamberam meus tornozelos. Mordi o lábio até a queimação passar, mas não me movi para limpar a bagunça.

Quando me coloquei de pé, o jovem lorde ergueu a espada novamente. Vi consternação – e uma fagulha de medo – se demorando em seus olhos estreitos. Ele esperava que a tigela na minha cabeça se quebrasse.

– Que tipo de demônio é você? – ele questionou.

– Seu nome é Lina – disse uma voz familiar atrás de mim –, e ela não é um demônio.

Era o sentinela de ontem. Ele fixou o olhar com firmeza no recém-chegado.

– Você veio até aqui pra me encontrar, primo, ou só quer maltratar aldeãs inocentes?

Primo? Dava para notar uma semelhança entre eles, agora que eu sabia que eram parentes. Os dois tinham alturas e constituições físicas parecidas, e compartilhavam dos mesmos ombros altivos e olhos resolutos.

Mas eles podiam muito bem ser primavera e inverno, tão diferentes eram seus comportamentos.

– É a função de um sentinela proteger Kiata de demônios – ele falou. – Sei reconhecer um demônio quando vejo um. Uma energia sinistra a rodeia.

– Chega dessa superstição sem sentido. Não existem demônios em Kiata. Você é do alto escalão, e não um alto sacerdote. Abaixe essa espada, Takkan.

Takkan?

Assustada, examinei o lorde enquanto ele guardava a espada. Estampado em sua bainha estava um coelho em uma montanha, rodeado por cinco flores de ameixa – e uma lua cheia branca.

Meu estômago se contorceu. Embora eu nunca tivesse prestado atenção às aulas de heráldica, esse brasão eu conhecia. Era da família Bushian.

E Takkan... era o nome que passei anos evitando. O nome do garoto com quem eu deveria me casar.

O mundo chacoalhou. Esta *era* a minha chance. Tudo o que eu tinha que fazer era mostrar a ele que eu era a princesa Shiori, a filha do imperador. Em dias, eu estaria de volta ao palácio.

Mas minha mente me mandou ficar quieta.

Eu já tinha visto Takkan. Uma vez só, quando éramos crianças. Eu não lembrava de nada – de sua aparência ou voz –, mas todo mundo sempre me garantiu que o herdeiro de lorde Bushian era gentil e honesto.

Tudo mentira. O Takkan que eu via diante de mim agora não parecia nada gentil. Seus olhos negros eram frios e duros, e havia algo ameaçador na maneira como ele se movia, como um cão de caça.

– Está dizendo que ela não é um demônio? – Takkan disse com desprezo. – Adoradora de demônios, então. Pior ainda. – Ele caminhou pela sala, se dirigindo aos aldeões: – Todos vocês já ouviram falar das chamadas sacerdotisas das Montanhas Sagradas, que mantêm sua magia das trevas em segredo até mesmo para os deuses. Esta pobrezinha aqui poderia ser uma delas. Que espíritos sombrios ela poderia estar escondendo sob essa tigela?

– Chega – disse o outro sentinela, irritado. – Isso é só uma lenda, e ela é só uma garotinha. Ela não tem más intenções.

– Só uma lenda? – Takkan repetiu. – Que engraçado *você* dizer isso, primo.

O sentinela apenas o encarou.

Ninguém sabia como era a relação dos dois, mas a estalagem inteira ficou em silêncio, e o ar estava pesado de tensão. Eu mal notava a dúzia de aldeões ao meu redor, todos com o rosto colado no chão como se as paredes estivessem desmoronando.

Eu me mexi, inquieta, trocando o peso de um pé para o outro. Eu tinha certeza de que Takkan puniria seu primo pela impertinência.

Em vez disso, ele se afastou, como se tivesse me esquecido por completo.

– Junte suas coisas – Takkan grunhiu para o sentinela. – Vou levá-lo para casa.

Enquanto Takkan saía batendo os pés, me esgueirei de volta para a cozinha e peguei o que restava da sopa na panela. Eu a servi em uma tigela, e quase a derramei de novo enquanto seguia para a porta da cozinha, apressada.

Não esperava que o primo de Takkan estivesse logo ali.

Ele me segurou pelo braço, me impedindo de trombar com ele.

– Está com pressa para ir embora?

Não estava assustada, apenas nervosa por causa da sopa. Era tudo o que sobrara.

Estendi a tigela. *Para você.*

– Obrigado. – Ele a levou até os lábios, hesitou e a abaixou. – Você quer vir com a gente? – ele falou bem baixinho, de forma que só nós dois pudéssemos ouvir. – Estamos indo para o sul, para Iro. Já ouviu falar? – Uma melancolia surgiu em sua voz. – É linda... é o lugar mais lindo de Kiata quando neva.

Sua oferta me comoveu, mas a ironia disso quase me fez dar risada. Claro que eu já tinha ouvido falar de Iro – era a província onde ficava o Castelo Bushian. Eu jurava que meus professores tinham sido subornados para me falarem diariamente de seu esplendor. Iro era cercada por montanhas e pelo rio Baiyun – um oásis no Norte distante. Eram apenas tentativas inúteis de me tranquilizar sobre meu noivado.

Ainda assim, quando o sentinela falou de sua beleza, eu acreditei. A voz dele estava carregada de uma saudade pura – e um encantamento que não podia ser fingido. Quase fiquei com vontade de ver com meus próprios olhos.

– Não é longe daqui – ele continuou. – Fica logo após o estreito do Mar do Norte, no continente. Posso encontrar trabalho pra você no castelo, se quiser. Sua vida seria mais fácil do que aqui.

Balancei a cabeça. Por mais que eu gostasse dele, minha missão era encontrar meus irmãos. Além disso, eu não queria saber desse primo Takkan.

A decepção repuxou a boca do jovem sentinela, mas ele bebeu a sopa toda.

– Não era acaso – ele disse, mastigando os rabanetes deliberadamente.

Peguei sua tigela, pensando que ele tinha terminado e já iria partir, mas ele desamarrou um amuleto azul com borlas do leque em seu cinto. Nele havia uma plaquinha de prata com a palavra *coragem*.

– Se precisar de trabalho, mostre isto no portão do castelo. Os guardas não vão hesitar e vão te deixar entrar.

Ele me ofereceu o objeto, mas eu não queria aceitar. Era um presente atencioso, mas totalmente inútil. Em vez disso, apontei para sua adaga, embainhada ao lado de sua espada.

– Você quer isso? – Surpresa e depois divertimento preencheram os calorosos olhos do sentinela. – Você é descarada. Está certo, pode ficar com ela. Mas fique longe das estradas durante a noite; os bandidos estão mais ousados, com a maioria dos sentinelas à procura dos filhos do imperador.

Ele hesitou, então amarrou o amuleto no cabo da arma antes de entregá-la para mim.

– Tome cuidado.

Nossos dedos se tocaram, e meu coração deu um pequeno solavanco. Eu nunca soube seu nome.

Mas, no momento em que ergui a cabeça para perguntar, ele já tinha partido. Fui até a janela e fiquei olhando seu cavalo até que ele desaparecesse pela estrada estreita à beira-mar. Quando o perdi de vista, fechei as cortinas e não pensei mais nele. Eu precisava me organizar, agora que tinha os meios de ir embora.

Aquela noite, enquanto todos dormiam, enchi um saco de arroz com o máximo de coisas que conseguiria carregar: vegetais em conserva, peixe salgado, camarão recém-grelhado. Queria ter tido tempo de preparar comidas que durassem a viagem toda, mas não podia ser exigente.

Quando a aurora chegasse e a sra. Dainan acordasse para descobrir que não havia sopa fervendo no fogão, eu já estaria longe.

CAPÍTULO DOZE

Comprei um barco de um pescador do vilarejo Tianyi. Ele devia pensar que eu era uma tola por querer navegar no auge do inverno, mas me ensinou a cortar o mar com os remos, ler o vento para ir em direção ao sul e lançar a rede para pescar.

Sua esposa colocou no barco um cobertor e uma caixa de bolinhos de peixe e ovos cozidos. Sua filha amarrou um amuleto – uma bonequinha vermelha com olhos de contas – para me proteger. Quando encontrei tudo isso, horas depois, a gentileza inesperada quase me levou às lágrimas. Mas tinha prometido a Kiki não chorar mais, não até encontrar meus irmãos.

Algumas horas antes do crepúsculo, finalmente deixei a ilha, pilotando um barco em que eu mal cabia deitada, com uma vela que balançava contra o vento.

Parece que isso aí não vai sobreviver a uma tempestade, Kiki disse, dando voz às minhas preocupações.

O céu está limpo, respondi, remando. *Não há tempestade nenhuma a caminho.*

O inverno era meu maior problema. O frio nos perseguia rumo ao sul, e o vento constante fazia meu rosto queimar. Toda noite eu rezava para os deuses pedindo apenas duas coisas: que eu encontrasse meus irmãos e que eu não morresse congelada durante o sono.

Me mantive perto da costa, permitindo que a vela fizesse a maior parte do trabalho. Só quando o tempo estava bom e o vento, forte, eu ousava remar pelo estreito do Mar do Norte. As auroras se transformaram em crepúsculos, e passei tanto tempo rodeada de água que comecei a sonhar azul.

Às vezes, eu chamava Seryu em minha mente, esperando que ele me ouvisse e dramaticamente emergisse do mar em sua forma de dragão. Ele poderia mandar as correntes pararem de lutar contra o meu barco ou fazer a água ficar um pouquinho mais quente. Mas ele nunca aparecia, e logo desisti.

Quando não estava remando, tentava manter as mãos ocupadas para me distrair do frio. Eu não tinha papel, então usava algas secas para fazer dobraduras de pássaros, usando cera de vela derretida para grudá-los.

O que você vai fazer com todos esses pássaros?, Kiki perguntou.

Dei de ombros. *Estou só tentando me manter ocupada.*

Ah, que bom. Temi que você estivesse querendo fazer um desejo. Uma vez, você disse que pediria para que eu me transformasse em uma grua de verdade. Mas prefiro ser assim, de papel, obrigada.

Por quê?

Veja só o problema que sua pulsação te trouxe, Shiori. Seu noivo quase decepou você com a espada... pode imaginar a dor que teria sentido? Kiki estremeceu. *Você não podia nem contar pra ele quem você era.*

Sim, bem, graças aos deuses eu perdi nossa cerimônia. Também estremeci, mas por um motivo diferente.

Pensar que todo mundo estava sempre elogiando Takkan... Eu *sabia* que meus professores estavam mentindo para mim.

Certa vez, perguntei ao meu pai: "Se Takkan é tão maravilhoso, por que nunca veio à corte me visitar?".

Ele disse que um garoto como Bushi'an Takkan não se daria bem em Gindara.

Claro que não. Ele era um bruto, exatamente como eu tinha imaginado, e finalmente me senti justificada por odiá-lo durante todos esses anos. Eu não conseguia acreditar que papai estava disposto a me casar com esse bárbaro; ele devia mesmo estar sob o feitiço de Raikama.

Eu ficaria perfeitamente feliz se nunca mais ouvisse o nome Bushi'an Takkan na vida, falei para Kiki.

Quando voltasse para casa, eu pediria a papai para anular o noivado.

Se eu um dia conseguisse voltar.

No nono sol depois que deixei o vilarejo Tianyi, cheguei ao continente.

Eu estava com frio, e exausta e faminta, mas, com a terra à vista, senti uma explosão de energia. Coloquei os remos na água e segui em frente.

Naveguei pela costa lentamente, observando as montanhas escarpadas margeando a floresta, algumas tão altas que perfuravam as nuvens. A floresta em si era vibrante, pois, ao contrário de Tianyi, as árvores aqui tinham apenas começado a perder suas folhas. Fiquei encantada com seus tons dourados, esmeralda e rubi, que se estendiam infinitamente até onde a vista alcançava. Esta era Zhensa – a floresta sem fim.

Enquanto me aproximava, um coral de pássaros explodiu das árvores para o céu.

Vocês viram os irmãos dela?, Kiki lhes perguntou. *São seis grous com coroas escarlates.*

Os pássaros olharam Kiki, surpresos com o fato de uma ave de papel estar falando com eles. Então piaram suas respostas.

Eles estão dizendo que não viram nenhum grou por aqui, Kiki traduziu.

Virei-me para ela, maravilhada. *Você consegue falar com eles?*

Ela deu de ombros, erguendo uma asa. *Como você acha que andei procurando seus irmãos esse tempo todo?*

Enquanto eu ouvia, Kiki falou com as borboletas, as abelhas e até com os mosquitos que me atazanavam de noite. *Vocês viram seis grous com coroas escarlates?*

As respostas eram sempre negativas. E Kiki sempre traduzia a mesma mensagem: *Mas ficaremos de olho e, se os virmos, vamos falar para eles te procurarem.*

E assim foi, até que, finalmente, quando o crepúsculo estava prestes a cair, seguimos para o rio Baiyun. Lá, um castor estava trabalhando em sua barragem.

Kiki ouviu seus resmungos e reclamações. *Ele diz que a curva do rio está logo ali e que é melhor desembarcarmos lá. Mais para frente é perigoso.*

Obrigada, sr. Castor, gesticulei, e Kiki lhe transmitiu minha pergunta: *Você viu seis grous por aí?*

Seis grous? Tipo esses? Ele olhou para o céu.

Prendi a respiração. Pairando sobre nós, havia seis grous. Suas coroas escarlates se destacavam contra as nuvens cinzentas.

Fiquei de pé de um salto, puxando os remos. O barco balançou, e enquanto eu oscilava tentando recuperar o equilíbrio, meus irmãos saíram voando.

Irmãos!, gritei. *Kiki, diga que estou aqui!*

Mas Kiki estava prestando atenção em outra coisa. O castor tinha desaparecido, assim como as borboletas. Havia uma cascata logo adiante.

Cuidado, Shiori!

A ave disparou na minha frente, berrando e gritando palavras que eu mal conseguia ouvir. A água acertava meu pequeno barco de todas as direções, e as ondas nos sacudiam.

Nós giramos, levadas por uma corrente implacável, avançando em direção a...

Uma cachoeira!

O pânico tomou conta de mim. Não havia pedras em que pudéssemos nos agarrar, e a margem estava fora de alcance. Puxei o leme o máximo que pude para virar o barco, mas a força da água era violenta, impulsionando-me para frente com uma velocidade alarmante e levando meus remos para longe.

Estávamos indo em direção à cachoeira.

Diga que estou aqui!, gritei para Kiki em minha mente. *Rápido!*

Enquanto minha ave disparava para o céu, o rio virou uma torrente que ameaçava me engolir. Me agarrei às laterais do barco que, por sua vez, se chocava contra as ondas. A bonequinha vermelha, a rede de pescaria, meus cobertores... tudo foi levado. Eu seria a próxima.

Um véu enevoado obscurecia a cachoeira, mas eu podia ouvi-la. Também podia senti-la na água gelada que acertava meu rosto e na forte correnteza que logo me arrastaria para o fim.

O barco vacilou à beira do precipício antes de se lançar por cima da cachoeira. Senti um frio na barriga, e então voei por um momento. Dava para ver um arco-íris no fundo – uma bela última visão, pensei, enquanto a água escorria por toda parte.

Não, eu *estava* mesmo voando! Fortes asas brancas batiam contra minhas costas, e vislumbres escarlates se destacavam contra a névoa, acompanhados por grasnidos furiosos.

Meus irmãos – meus irmãos tinham vindo me salvar!

Eles se enfiaram sob meus braços e pernas, mordendo minhas vestes encharcadas para me levantar. E voavam tão rápido e tão alto que meus pés balançaram sobre a cachoeira e meu estômago se contorceu com a altura.

No entanto, eu não estava com medo. Aninhei Kiki nas mãos, sabendo que ela estava tão feliz quanto eu por ver meus irmãos atravessando as nuvens conosco.

Enfim, eu os encontrei. E eles me encontraram.

CAPÍTULO TREZE

Voamos até os últimos raios de sol se dissiparem atrás do horizonte e a escuridão cobrir o céu.

Meus irmãos pousaram diante de uma gruta que se abria no meio das montanhas, marcada por uma borda estreita sob uma cobertura de galhos e folhas. A luz da lua irradiava sobre a floresta e, ao tocar a coroa escarlate dos meus irmãos, eles foram se tornando humanos novamente.

A transformação não era nada elegante. Esperei no canto, mordendo o lábio enquanto os membros deles se esticavam e seus músculos se tensionavam até que todos os seis estivessem amontoados, respirando como se cada suspiro fosse o último. Quando eles finalmente se levantaram, as lágrimas que segurei todos esses meses encheram meus olhos. Lágrimas de alegria, maravilhamento e alívio por estarmos juntos novamente.

Abraços vieram por todos os lados, e meus irmãos desataram a falar todos de uma vez.

– Onde você estava?

– A gente te procurou por meses!

– Nunca te reconheceríamos, irmã. Graças aos grandiosos deuses, sua ave berra como um corvo!

Mas uma pergunta se destacou das outras:

– O que é essa tigela na sua cabeça?

Andahai calou todos batendo palmas.

– Chega, irmãos. Sei que todos estamos empolgados por ver Shiori de novo, e aliviados por ela estar viva e bem. Mas talvez a gente devesse deixá-la falar.

Baixei a cabeça com tristeza.

– O que foi, irmã? – Hasho perguntou.

Nos dois meses que ficamos sem nos ver, seu cabelo cresceu consideravelmente – assim como o cabelo dos outros. Barbas malfeitas brotavam de seus queixos e bochechas, e misteriosos arranhões apareciam por sobre suas mangas e calças rasgadas. Mas percebi outras mudanças também. Outras menos óbvias, como as sombras que acompanhavam suas formas largas, o vazio vítreo em seus olhos. Era como se passar tanto tempo como pássaros destruísse a humanidade deles dia após dia.

Eu não podia mais evitar lhes contar sobre a minha maldição.

Tapei a garganta e balancei a cabeça.

– O que houve, irmã? Você... não pode falar?

Não é que eu não *podia* falar. Eu não *devia* falar.

Mas nenhum deles entendeu, e eu não sabia como explicar.

Mesmo enquanto eu tentava, eles não prestavam atenção. Estavam trocando olhares que eu não conseguia interpretar. Reiji grunhia com uma expressão sombria. Era o único que não tinha me cumprimentado.

– Raikama arquitetou tudo – Benkai murmurou. – E essa tigela na sua cabeça? Também é coisa da nossa madrasta?

Wandei se aproximou com a cabeça inclinada de forma metódica.

– Tem que ter um jeito de tirar. – Ele tentou puxá-la, no início com gentileza, depois com mais força. – Ela nem se mexe.

– Deixe-me tentar – Yotan disse, vindo por trás de seu gêmeo e se esforçando para arrancá-la. Ele coçou a pinta no queixo, intrigado. – Já tentou cortar?

Assenti exageradamente, baixando a tigela. Eu já tinha tentado de tudo – com cada faca na cozinha da sra. Dainan e cada ferramenta que encontrei no vilarejo Tianyi. A tigela era indestrutível.

Kiki escolheu esse momento para sair voando de trás do meu cabelo. Suas asas claras bateram, quase secas depois do incidente na cachoeira, e meus irmãos recuaram.

Exceto Hasho.

Kiki pousou em sua mão estendida e relaxou na curva de seu dedão. Ela se lembrava do meu irmão mais novo, o único que conhecia o meu segredo.

– Que bom te ver, Kiki – Hasho disse, educado. – Espero que tenha ajudado Shiori a se manter longe de problemas durante esses dois últimos meses.

Meus irmãos tinham visto Kiki no dia em que nossa madrasta nos amaldiçoou, mas nunca tinham tido a oportunidade de me perguntar sobre ela.

– Ela não tem cordas – Wandei falou, admirado.

Eu não sou uma pipa, Kiki disse, seca, apesar de meu irmão não poder ouvi-la.

Os olhos de Reiji se estreitaram, desconfiados. Ele fez sua careta usual.

– É magia.

– Claro que é magia – Hasho falou. Havia um alerta em seu tom. – Não comece, Reiji. A gente já discutiu sobre isso antes...

Franzi as sobrancelhas. O que estava acontecendo? *Discutiram sobre o quê?*

– A magia é proibida – Reiji disse. – Esta... esta ave de papel é um problema.

Vou te mostrar qual é o problema! Kiki mordeu o nariz dele.

Reiji tentou agarrá-la, mas Kiki era rápida demais, voando para cima e voltando depressa para o meu ombro.

– É culpa sua termos sido amaldiçoados – Reiji me acusou, com as narinas dilatadas de ressentimento. – Se você não tivesse deixado Raikama brava, ainda estaríamos em casa sendo príncipes, e não sendo obrigados a passar o resto dos nossos dias como pássaros. – Ele gesticulou maldosamente para suas feridas e roupas esfarrapadas.

– Então você preferiria nunca saber que papai se casou com um demônio? – Yotan explodiu.

– O que ganhamos com isso? Nem tivemos chance de falar com ele. Agora ele está lá sozinho, com *ela*, e não podemos nem protegê-lo.

Meu coração ficou pesado. Passei incontáveis noites acordada, me culpando pelo que tinha acontecido. Eu não me arrependia de ter seguido Raikama e descoberto quem ela era de verdade. Mas e se eu tivesse corrido até meu pai primeiro, e não procurado meus irmãos? E se eu tivesse sido mais cuidadosa, e ouvido os conselhos de Kiki para não ser pega?

E se eu nunca tivesse concordado em aprender magia com Seryu?

Eu podia ter feito centenas de coisas diferentes, mas agora era tarde demais.

Me encolhi em um canto, esperando desaparecer entre as sombras. Meus irmãos, ainda discutindo, mal notaram.

– Você acha que nossa irmã é um demônio como nossa madrasta? – Yotan exclamou. – Você deve ser mais pássaro que humano, Reiji, pra estar tão confuso desse jeito!

– Papai proibiu a magia por um motivo – Reiji falou com firmeza. – Nossos *ancestrais* proibiram a magia por um motivo.

– Então você expulsaria nossa irmã do reino? – Hasho perguntou.

– Eu teria falado pra ela contar a verdade ao papai em vez de nos fazer virar pássaros!

– Chega. – Andahai levantou uma mão para impedir que eles continuassem. No passado, era só o que eles precisavam para se calarem, mas Reiji ainda fumegava de raiva. – Chega, Reiji. Shiori voltou pra nós, e estamos nessa juntos. Entendeu?

Quando Reiji finalmente assentiu, meu irmão mais velho suspirou.

Hasho me encontrou no canto, pegou minha capa enxarcada, pendurou-a e a substituiu por um cobertor fino, que envolveu em meus ombros.

– Venha, vamos deixar Reiji se acalmar.

Saímos para a borda e respirei o ar fresco. As árvores farfalhavam abaixo e os grilos cantavam contra o vento uivante. As estrelas brilhavam no céu noturno, mas eu não conseguia mais ver a lua.

– Sentimos sua falta, Shiori – Hasho disse. – Reiji também, mas você tem que ser paciente com ele. A maldição tem sido... difícil, especialmente para ele. Ele sabe que você fez a coisa certa. Ele só está demorando mais que a gente pra aceitar.

Olhei para o meu irmão mais novo. Eram os mesmos olhos gentis que eu conhecia, ainda que agora houvesse uma tristeza que não havia antes. Senti o coração pesar em meu peito.

Hasho encostou o ombro no meu.

– Talvez haja algo bom por vir por causa dessa maldição. Nós seis estamos aprendendo a trabalhar juntos. Agora que te encontramos, vai ser só uma questão de tempo pra gente acabar com Raikama. – Ele abriu um meio-sorriso. – Precisamos ficar juntos se quisermos quebrar a maldição.

Hasho e eu voltamos para a gruta, e a primeira coisa que fiz foi procurar Reiji. Ele estava perto do fogo, observando a raiz de lótus e as castanhas ferverem. Quando me viu, começou a se virar de costas.

Não deixei que essa atitude me desmotivasse. Me coloquei ao seu lado e esperei até que seus ombros tensos relaxassem aos poucos.

Reiji soltou um suspiro baixinho.

– Eu nunca ia querer que papai te expulsasse, irmã. Você tendo magia ou não.

Não era um pedido de desculpas, mas era o suficiente.

Toquei sua mão, mostrando que o entendia.

Hasho se intrometeu com um sorriso no rosto.

– Venham, vamos celebrar. Não temos muita comida. – Ele gesticulou para os suprimentos irrisórios no fundo da gruta: um saco de laranjas amassadas, um punhado de castanhas e um conjunto de xícaras de cerâmica quebradas. – Mas, a partir de amanhã, vamos ter que dobrar os esforços, conhecendo seu apetite insaciável.

Minha barriga já estava roncando, mas o ensopado fervendo na panela ainda não estava pronto, e eu tinha várias perguntas na cabeça desde que vi a transformação deles.

Apontei para seus braços e pernas e então para a lua lá fora. *Vocês se transformam em homens à noite?*, questionei mexendo a boca. Eu temia que eles fossem ser grous para sempre.

Quem respondeu foi Benkai:

– Sim, mas isso não é o consolo que você imaginaria, Shiori. Nossas mentes são mais aguçadas que a da maioria dos grous, mas os dias se misturam quando se é um pássaro, e não é sempre que lembramos que vamos nos transformar ao crepúsculo. É especialmente perigoso quando estamos voando... várias vezes, quase caímos do céu...

Sua voz falhou e ele cruzou os longos braços sobre as pernas.

Mas, quando estão na forma humana, vocês podem tentar ir pra casa. Desenhei um homem e uma casa na mão. *Papai vai...*

– Papai não vai nos reconhecer. Ninguém nos reconhece. A maldição nos persegue mesmo quando somos humanos. Se tentamos dar algum indício de quem somos de verdade, nos transformamos em grous.

A maldição também me perseguia. Eu tinha tentado escrever meu nome para aquele sentinela, mas as cobras de Raikama me dissuadiram.

– Não temos esperança de conseguir falar com papai – Andahai falou com tristeza. – Quanto mais nos aproximamos de casa, mais forte a maldição fica. Mesmo quando a lua está alta, não nos transformamos em humanos. – O tom do meu irmão ficou sombrio. – Além disso, Raikama mandou os guardas atirarem em qualquer grou que se aproximar demais do palácio.

– Yotan quase foi morto da última vez – Reiji disse, com a mandíbula tensa. – Ele levou uma flechada na asa.

O remorso se apoderou de mim e meus braços murcharam ao meu lado.

– Não se preocupe com isso – Yotan acrescentou depressa. – Aconteceu semanas atrás, e já estou muito melhor.

Hasho empurrou uma tigela de comida entre as minhas mãos.

– Coma. Sempre melhora nosso ânimo.

– Sim, esta noite vamos comemorar nosso encontro – Andahai falou. – Agora que você está de volta, não vamos ter que sofrer com a comida de Hasho.

Meu irmão mais novo fez uma careta.

– Vou ficar feliz de deixar a tarefa com você, Shiori. Você finalmente vai realizar seu desejo de aprender a cozinhar.

Assenti sem dizer nada, mergulhando na minha tigela. Meus irmãos não faziam ideia de que eu tinha passado metade do outono trabalhando na Estalagem do Pardal. Eu havia mudado muito desde a última vez que estivemos juntos. E mesmo nesse pouco tempo, dava para ver que o mesmo acontecera com eles.

O jantar foi um ensopado de fosse lá o que meus irmãos encontraram nos fundos da gruta: raiz de lótus com castanhas e uns pedaços nada apetitosos de uma carne marrom que eu não consegui identificar. A pele era escorregadia e dura – se eu não estivesse tão faminta, provavelmente teria cuspido. No entanto, a carne em si não era ruim. Devia ser algo entre pássaro ou peixe.

– Sapo – Yotan disse sem rodeios enquanto eu mastigava com dificuldade. Ele deu um sorrisinho. – Pensamos que você preferiria isso a minhocas e aranhas.

Me obriguei a engolir. *Delicioso*, menti com um sorriso.

Enquanto comíamos, Kiki ficou saltitando de um irmão para outro. Ela já tinha conquistado os gêmeos, e, uma ou duas vezes, vi a carranca de Reiji se desfazendo, mas ele sempre fechava a cara depressa ao perceber que eu estava olhando.

Só Andahai estava sentado sozinho, brincando com uma laranja nas mãos. Ele mal tinha comido.

O que foi?, gesticulei. Ele não costumava ser tão melancólico.

– Não é nada – Benkai respondeu por ele, mas os peguei trocando olhares.

Estava procurando alguma vara para escrever no chão quando Benkai tocou meu ombro.

– Ele só está aliviado por você estar aqui.

Olhei para Andahai. Fazia anos que eu não via meu irmão mais velho vestido com qualquer coisa que não suas sedas principescas. Ele era o príncipe herdeiro do reino de papai, o irmão que carregava a responsabilidade de zelar por todo o nosso país. Aquele que nos protegia e nos ouvia, que mediava nossas brigas e cuidava de nossas feridas.

Pela primeira vez em muito tempo, eu o via primeiro como meu irmão, depois como o príncipe herdeiro. Ele estava aflito por não poder fazer nada para nos salvar da maldição de Raikama.

Me sentei ao seu lado com minha comida.

A maldição, gesticulei, fazendo asas com as mãos. *Quero saber mais.*

– Hoje não – Benkai disse, sempre sensato. – Hoje, só vamos comemorar. Tudo bem, Shiori? Nossa madrasta já nos trouxe tristeza demais. Não podemos deixar que a escuridão dela obscureça nossas preciosas horas de luz. Nada de falar sobre a maldição.

Nada de falar sobre a maldição. Era mais fácil do que eles pensavam.

Como sempre, foi Hasho quem me acalmou. Ele se aproximou, me ofereceu metade de sua comida, que eu recusei, mas ele a despejou na minha tigela mesmo assim.

– Passamos semanas preparando esta gruta pra você, Shiori – ele disse baixinho. – A gente queria te encontrar mais que tudo. E agora estamos aqui.

Agora estamos aqui, repeti.

Por semanas, sonhei com este momento, imaginando como ficaria feliz se conseguisse encontrar meus irmãos. Agora que tinha finalmente acontecido, eu não conseguia comemorar.

Sorrisos se abriram para mim, varas de madeira bateram ritmicamente contra as pedras chatas que meus irmãos usavam como pratos, e Yotan tocou uma flauta que tinha feito. Mas, enquanto me obrigava a sorrir, não conseguia afastar a sensação de que havia algo errado.

Meus irmãos estavam guardando um segredo. E estavam com medo de me contar.

Se eles ao menos soubessem que eu também me sentia assim.

Apertei os lábios com força, escondendo minha maldição. Qualquer que fosse o segredo deles, eu tinha certeza de que o meu era pior.

A noite passou depressa. Não me lembrava de ter pegado no sono, mas os movimentos dos meus irmãos me acordaram. Estavam andando na ponta dos pés para a entrada da gruta, com bolsas rústicas penduradas no pescoço.

Saí correndo atrás deles. *Estão indo embora?*

– Já é quase de manhã – Hasho explicou. – Vamos ficar fora até o pôr do sol, queremos encontrar algo para você escrever e nos informar. Fique aqui e não vá muito longe.

Agarrei a manga dele. *Me leve com vocês.*

– Vai ser mais rápido sem ela – Andahai disse ao ver meu irmão mais novo hesitando.

Hasho fez cara de quem pedia desculpas.

– Espere aqui. Podemos conversar mais tarde.

O sol nasceu no horizonte. Assim que a luz os tocou, eles começaram a se transformar. Seus olhos humanos escureceram e viraram olhos redondos e escuros de grous, e suas peles se cobriram com penas. Por fim, seus braços se alongaram em asas, e seus gritos de "Até depois, Shiori!" foram substituídos pelos gritos e piados de pássaros.

Corri com eles para fora da gruta, observando meus irmãos saltarem da borda para o céu. Quando os perdi de vista, chutei a terra, furiosa por ser deixada para trás.

Kiki pousou no meu ombro, suprimindo um bocejo. *Isso vai virar uma rotina? Eu poderia ter tido algumas horas a mais de sono sem toda essa gritaria.*

Abri um sorriso sarcástico. *Você dormiu a noite toda.*

Quase morrer faz isso com você. Ela encolheu as asas. Kiki nunca deixava de me surpreender com quão viva ela era. *Você não quis ir com eles?*

Eles não me deixaram. Me falaram pra eu ficar quietinha e descansar. Que conversaríamos mais tarde. Chutei o chão mais uma vez.

Somente as pedras considerariam ficar quietinha uma virtude. Que os demônios me levassem se essa fosse uma das minhas qualidades.

Uma hora depois, já estava entediada. Meus irmãos tinham criado um espaço bastante prático naquela pequena gruta: uma fogueira no centro, cercada com pedras – trabalho de Wandei, deduzi – com um escasso estoque de lenha. Também havia um saco de arroz quase vazio junto à panela quebrada que tínhamos usado na noite anterior para ferver as castanhas. Havia até um ou dois livros, com páginas amareladas e gastas. No entanto, a última coisa que eu queria fazer era ler.

Pratiquei atirar a adaga do sentinela em uma prancha de madeira. Somente alguns lances foram bem-sucedidos, mas não desisti. Ajudava imaginar o rosto de Raikama como alvo.

No meio da manhã, estava inquieta. *Vou sair pra caminhar*, anunciei a Kiki.

Seus irmãos falaram pra você não ir muito longe.

Só vou perambular por aí um pouco.

Não estávamos tão alto na montanha como eu tinha pensado inicialmente. A borda era estreita, mas havia uma trilha para descer. Enquanto eu a seguia, mantive um olho no chão onde eu pisava e outro na vista logo abaixo.

A floresta se estendia pelo horizonte, e não havia aldeia ou cidade à vista, somente o rio Baiyun, se me lembrava corretamente das aulas de geografia. Aonde quer que meus irmãos tivessem ido, devia ser bem longe.

As águas do rio estavam calmas, e lamentei ter perdido o barco – especialmente a rede de pesca. Se eles iam sempre me deixar para trás, eu poderia pelo menos pegar alguma truta ou carpa para o jantar. Seria melhor que aquele ensopado de sapo que Hasho fez.

Me ajoelhei e provei a água, dando um suspiro de susto com a temperatura gelada.

Ondas dançavam a partir da ponta dos meus dedos, e, conforme a água foi clareando, encarei meu reflexo. Não era a primeira vez que eu me via desde que fui amaldiçoada, mas, a cada vez, eu me reconhecia um pouco menos.

Mesmo com a tigela na cabeça, dava para ver que eu parecia mais velha. Minha boca não sorria com a mesma facilidade de antes, e meus ombros estavam mais largos, endurecidos pelos meses de trabalho.

Eu não era mais a garota que revirava os olhos para os irmãos ou soltava gritinhos quando via bolo de arroz e animais açucarados em espetinhos.

Agora eu carregava uma adaga para qualquer lugar, até nos meus sonhos.

Tirei os sapatos e entrei no rio, afundando os pés na lama.

Seryu, chamei na minha cabeça. E fiquei esperando.

Esperei até o frio anestesiar meus tornozelos e os peixes começarem a mordiscar meus dedos. Kiki voejava ao meu redor, provocando os peixes, até um deles quase arrancar sua asa.

Tentei de novo: *Seryu?*

Silêncio.

O que eu esperava, afinal? Que o dragão emergisse assim que eu dissesse seu nome?

Seryu estava nas profundezas do Mar de Taijin, provavelmente descansando em um palácio esculpido em pérolas e conchas. Ele tinha me avisado que não voltaria até a primavera.

Me sentindo boba, me virei para voltar para a gruta, quase desejando nunca ter saído de lá.

Meus irmãos voltaram com bicos cheios de peixes e uma cesta lotada de alface, tangerina e pãezinhos cozidos no vapor meio comidos. Nada de papel, pincel ou tinta, mas eles me trouxeram roupas novas – uma capa, um par de meias de conjuntos diferentes e luvas para o inverno rigoroso que se aproximava.

Abri a boca, surpresa, gesticulando para as roupas esfarrapadas deles.

Hasho deu de ombros.

– Ninguém nos vê de noite.

Ninguém me vê de dia também, pensei.

Esperei tanto pela volta deles, ansiosa para que minhas perguntas fossem respondidas. Sem pincel nem tinta, fiquei pensando em uma forma mais inventiva de me comunicar. Joguei água sobre um pedaço de terra e alisei a lama.

Fazia meses que eu não escrevia, e minha mão tremia enquanto eu pressionava a ponta da adaga na terra molhada.

Me levem pra casa?
Os guardas não vão atirar em mim.

Diante da pergunta, o sorriso deles se dissipou.

– Não é tão simples assim, irmã.

Minhas sobrancelhas se franziram em confusão. O que não era simples? Finalmente estávamos juntos de novo, depois de quase um outono separados. Eles podiam voar, o que significava que poderíamos facilmente alcançar o palácio em questão de dias. Por que eles estavam tão relutantes?

– Nossa madrasta dificultou um pouco as coisas pra gente. Além disso, papai não nos reconheceria, mesmo se estivéssemos na frente dele na forma humana.

Senti a bile subindo pela minha garganta. Aquele sonho que tive dos olhos amarelos e brilhantes da minha madrasta penetrando os olhos do meu pai... teria sido real?

Como podemos derrotá-la?
Há algum jeito de quebrar a maldição?

– Sim, mas não vai ser fácil – Andahai respondeu, esfregando seu queixo fino. – Todos os dias dos últimos dois meses, a gente te procurou. Não fazíamos ideia de para onde Raikama tinha te mandado. Nós nos separamos e viajamos para A'landi e Agoria, até mesmo para Balar.

– A gente não conseguia te encontrar – Benkai disse, assumindo a história. – Mas encontramos um feiticeiro. Ele disse que o único jeito de quebrar a maldição é tomar a magia da nossa madrasta.

Eu teria bufado, se pudesse. Isso não era nem um pouco útil.

Como?

Andahai hesitou, e fiquei preocupada. Meu irmão mais velho nunca ficava sem palavras. O fato de ele estar nervoso me deixava nervosa.

Ele endireitou a postura, mas a forma como lançava olhares para os outros fez minhas entranhas se contorcerem. Tive a impressão de que não ia gostar nada de suas próximas palavras.

– Parece que Raikama tem a pérola de um dragão – ele disse lentamente. – E você, Shiori, vai ter que roubá-la.

CAPÍTULO CATORZE

Minha visão ficou turva, e as palavras do meu irmão ficaram ressoando em meus ouvidos.

Mas não foi por preocupação nem choque. Não, foi porque, de repente, tudo ficou claro. Naquele dia em que segui Raikama até as Lágrimas de Emuri'en, eu procurava a fonte de sua magia. E eu a vi: a misteriosa esfera quebrada que minha madrasta escondia no peito. Dela emanava seu poder, como uma gota de luz solar.

Então aquela era a pérola do *dragão*.

Toquei meu coração, onde o fragmento da pérola de Seryu estava esquecido. Então fiquei de pé e escrevi freneticamente: *Como vou fazer para pegá-la?*

– Sente-se, Shiori – Andahai disse, cobrindo a lama com as mãos antes que eu pudesse escrever. – Ouça primeiro.

Me sentei, mas fiquei segurando a adaga com força, com dúzias de perguntas me coçando para sair.

– Você precisa tecer uma rede de choque-celeste – Andahai disse. – É a única coisa poderosa o suficiente para subjugar a magia de um dragão.

Franzi as sobrancelhas. Eu nunca fui uma aluna muito diligente de folclore kiatano, mas *essa* história eu conhecia.

– Ele cresce no topo do Monte Rayuna, no meio do Mar de Taijin – meu irmão continuou, ignorando meu olhar preocupado. – Ninguém jamais conseguiu chegar perto, muito menos tocá-lo, não sem magia.

Olhei para os meus irmãos, todos olhando para o chão. Estávamos pensando a mesma coisa. Incontáveis tolos haviam tentado colher choque-celeste, mas suas folhas eram afiadas como facas, e diziam que o mero toque de seus espinhos era como um golpe de fogo. No entanto, o maior perigo era o próprio Rei Dragão, conhecido por proteger o Monte Rayuna. Qualquer pessoa pega apanhando urtigas estaria à sua terrível mercê.

– Mas nós podemos voar – Andahai falou –, e você... Raikama disse que você tem magia no sangue.

À menção da minha madrasta, olhei para ele perplexa.

– Ela não estava mentindo, não é? – Yotan perguntou.

Fiz uma careta. *Não*. Mas não tinha certeza de como isso nos ajudaria.

– Então você deve conseguir usar isso.

Benkai estendeu uma bolsa de palha velha que tinha a forma de caixa, com uma alça resistente e duas fivelas de madeira. Simples e banal, parecia a bolsa de qualquer pobre aldeão. Mas, quando levantei a aba, vi que estava forrada com tiras de madeira escura. Nogueira, se eu pudesse adivinhar.

– O feiticeiro nos deu. Ele disse que suas profundezas não têm limites, e que somente alguém que possua magia poderia ver seu conteúdo. Ela vai te ajudar a conter o poder do choque-celeste enquanto tece a rede.

Joguei a bolsa para o lado.

E ele tinha essa bolsa entre os pertences?
Quem é esse feiticeiro, afinal?

– Mestre Tsring é um vidente famoso em A'landi. – Benkai fez uma pausa, colocando a bolsa no meu colo. – Foi ele que nos encontrou e nos ajudou. A gente esperava que ele pudesse localizar você. – Seu olhar pousou na tigela na minha cabeça. – Mas ele disse que sua magia estava bloqueada.

Era uma afirmação precisa, mas eu ainda não gostava nem confiava nesse Mestre Tsring.

O que ele quer em troca?
A pérola, quando a pegarmos?

– Ele quer a rede – Hasho respondeu. – Não vai ter utilidade pra gente depois que quebrarmos a maldição. É uma troca justa.

Dificilmente. Cruzei os braços. Dei uma olhada em Reiji, meu irmão menos crédulo, e percebi que eles já tinham discutido sobre isso.

– Vamos nos preocupar com o feiticeiro depois – Andahai disse com firmeza. – Por enquanto, vamos nos concentrar na rede de choque-celeste. Está pronta para a tarefa, Shiori?

Que escolha eu tinha?

Estou. Enfiei meu braço na alça da bolsa. *Claro que estou*.

– Espere – Wandei soltou, nos lembrando de que era o único que ainda não tinha falado. – Você nunca nos contou, irmã, por que não pode falar.

Fechei os olhos, querendo que ele não tivesse mencionado o assunto.

Apontei a adaga para a minha garganta e então para eles, e falei sem emitir som:

Porque vocês vão morrer. A cada palavra que eu pronunciar, cada som que eu fizer, um de vocês vai morrer.

Eles ficaram pálidos e se entreolharam, transmitindo algo não dito entre si. O sinal mais revelador de que estavam escondendo alguma coisa de mim foi a carranca que Andahai exibiu. Ele deu uma cotovelada em Benkai, balançando a cabeça.

O que estava acontecendo?

– Talvez a gente esteja pedindo demais de você, Shiori – Andahai falou devagar. – Tecer essa rede vai ser doloroso e agoniante. Eu não queria multiplicar seu fardo.

Fiquei de pé. *Meu fardo?* Gesticulei desenfreadamente. *Todas as manhãs, seus corpos são dilacerados quando vocês se transformam em grous.* Eu vi Hasho tentar segurar um grito enquanto a maldição de Raikama o consumia. Vi o rosto de Yotan empalidecer quando as cores da aurora começaram a tingir o céu.

E eu? Apesar de tanto reclamar, tudo o que eu tinha que fazer era usar uma tigela estúpida na cabeça e ficar de boca fechada.

Minha maldição era fácil, comparada à deles, e eu aceitaria de bom grado qualquer fardo, se isso lhes trouxesse algum alívio.

– Vamos esperar até amanhã – Hasho falou. – Não temos pressa nenhuma pra quebrar essa maldição.

Pressa nenhuma? Levantei a cabeça de uma vez, certa de que ele estava mentindo. Olhei para Hasho. Meu irmão mais novo era quem costumava guardar os *meus* segredos. O que ele estaria escondendo dessa vez?

Reiji falou, com as narinas dilatadas:

– Precisamos contar pra ela. Seria errado sairmos para o Monte Rayuna sem contar.

– Reiji – Andahai avisou. – A gente concordou...

– *Você* nos obrigou a concordar. Ela tem que saber.

Agarrei o braço de Hasho. *Me conte.*

Os olhos dele estavam fixos no chão, o que não era um bom sinal.

– Nós... – ele hesitou. – Nós te falamos que precisamos enfraquecer Raikama com uma rede de dragão e p-pegar a pérola pra quebrar a maldição.

Sim. Eu estava ficando impaciente. *Sim, já sei disso.*

– Não te contamos o que fazer quando você pegar a pérola – Andahai falou. Seu rosto comprido estava exaurido e tenso.

Agora ele tinha minha atenção total.

– Você vai ter que segurá-la nas mãos – ele falou devagar – e falar o nome verdadeiro de nossa madrasta.

O nome verdadeiro dela? Franzi as sobrancelhas. Isso era fácil. Eu poderia simplesmente perguntar ao papai quando voltássemos para o palácio com a rede.

Então entendi. Eu tinha que *falar* seu nome.

Não seria possível quebrar a maldição deles se eu não falasse. Enquanto essa tigela velha estivesse na minha cabeça, qualquer palavra que eu pronunciasse traria morte.

Meus pulmões se apertaram. Um deles teria que morrer.

Enfiei a adaga na lama, perplexa com a crueldade da maldição de Raikama.

– Se for preciso, todos nós estamos dispostos a correr o risco – Benkai falou rapidamente. – Não é, irmãos?

Eu não estou!, gritei, sacudindo os punhos. Fiquei de pé somente para afundar no chão mais uma vez. *Eu não estou.*

– Agora não é hora de se desesperar, Shiori – Yotan disse, envolvendo o braço em meus ombros. Mas até seus olhos, sempre dançando de alegria, pareciam resignados.

Pensando que a comida me animaria, ele me passou os restos do ensopado da noite anterior, mas eu só fiquei mexendo a tigela, entorpecida.

– Nós vamos juntar todas as informações que conseguirmos sobre o nome dela – Andahai disse, tomando meu silêncio como uma deixa para continuar. – Você vai se concentrar na rede. Na primavera, vamos voar pra Gindara de novo pra quebrar a maldição.

Na primavera? Pisquei, rabiscando a lama com a ponta da colher.

Estaremos prontos até lá?

– Não temos escolha – Benkai disse com tristeza. – Estamos em guerra, Shiori. Com A'landi.

As palavras reverberaram nos meus ouvidos. *Em guerra?*

– Papai não tem mais herdeiros, agora que estamos desaparecidos, e Raikama não tem filhos. O khagan dos estados do Norte de A'landi declarou que o trono de Kiata estava pronto para ser tomado, e tem subornado alguns dos nossos aliados mais poderosos para se voltar contra papai, que chamou todos os grandes lordes à Gindara pra reafirmar sua fidelidade.

Olhei para meus irmãos, todos tristonhos. Ontem mesmo estávamos nos abraçando com alegria. Só que essa alegria foi rapidamente substituída por um pavor frio e terrível.

Ninguém o trairia.
Todas as casas são leais.

A expressão de Benkai não inspirou confiança.

– A ganância é um grande motivador – ele disse baixinho –, e há rumores de que o khagan tem um feiticeiro.

– Ele é conhecido como Lobo – Andahai falou. Fiquei encarando-o, reconhecendo o nome. – Já ouviu falar dele?

Vi esse nome em uma carta.
Devia ser destinada ao khagan.

Escrevi o que lembrava, exceto as palavras que não tinha conseguido traduzir.

– Você sabe de quem era?

Balancei a cabeça com pesar, imaginando agora que devia ser do lorde que traiu meu pai. Mergulhei no ensopado e comi uma colherada cheia, engolindo com força. *Conte sobre esse Lobo*, pedi.

– Mestre Tsring nos alertou sobre ele – Andahai disse. – O Lobo foi seu aluno antes de revelar sua verdadeira natureza. Ele é traiçoeiro e cruel, e muito inteligente.

Mas por que vir até aqui?
Ele não teria magia se colocasse os pés em Kiata.

– Ninguém precisa de magia para ser perigoso, Shiori – Benkai respondeu. – Somente a reputação já é o suficiente para espalhar o medo. E o medo é uma arma poderosa.

– Ou... – Wandei falou devagar – talvez as costuras que seguram a magia de Kiata estejam se desfazendo. Os deuses estão em silêncio há séculos. Pode ser que eles tenham decidido que é hora de a magia retornar a Kiata. Olhe pra nossa madrasta... e pra você.

No mesmo instante, me senti mal. Meus dedos enrijeceram em torno da colher, que pousei sobre o ensopado. Tinha perdido o apetite.

– Não se preocupe ainda – Hasho falou, se esforçando para me acalmar. – Se a sorte estiver do nosso lado, os estados de A'landi lutarão entre si, e o khagan se esquecerá de nós. No mínimo, o inverno vai dar ao papai mais tempo para se preparar.

E eu vou ter mais tempo para quebrar a maldição, pensei.

Talvez mamãe fosse vidente – por me batizar de Shiori, que significa "nó". Eu era a última de seus sete filhos, aquela que uniria meus irmãos, não importava o quanto o destino conspirasse para nos separar.

Nós éramos sete, e sete era o número da força. Um número ímpar que não se dobrava, grande o suficiente para resistir a muitas ameaças, e pequeno o bastante para permanecer conectado.

Enrolei a alça da mochila por cima do ombro e olhei cada um dos meus irmãos diretamente nos olhos.

Eu faria qualquer coisa para deter Raikama e quebrar a maldição que ela havia lançado sobre nós. Mesmo que demorasse meses ou anos, mesmo que eu invocasse a ira dos deuses e me tornasse inimiga dos dragões.

Levem-me para o Monte Rayuna.

CAPÍTULO QUINZE

No dia seguinte, saímos para o Monte Rayuna.

Com Kiki bem enfiada dentro da manga, agarrei-me às laterais da cesta de madeira que Wandei fez para me transportar. Era mais seguro do que me agarrar ao pescoço deles, mas meu estômago ainda revirava sempre que mergulhávamos nas nuvens.

Quatro dos meus irmãos seguravam as cordas presas à cesta em seus bicos, um seguia à frente liderando o caminho e outro ia na parte de trás para ficar de vigia. Voávamos tão alto que os rios pareciam fitas lá embaixo, e as montanhas, rugas na terra.

Durante o caminho, meus irmãos me contaram tudo o que aprenderam sobre o choque-celeste e os dragões que o guardavam – Kiki fazia a tradução. Dragões nem sempre foram vistos como símbolos de boa sorte, nem costumavam ser visitantes raros em nossa terra. Eles eram imprevisíveis e violentos, e muitas vezes cediam ao poder de causar o caos nos mares. E o problema era que eles não respondiam a ninguém, nem mesmo aos deuses.

Para amenizar sua força, os deuses forjaram o choque-celeste com um trio de magias: fios do destino dos cabelos da deusa Emuri'en; sangue das estrelas de Lapzur, a fonte do poder dos feiticeiros; e fogo demoníaco das Ilhas Tambu, local de nascimento dos demônios.

Enquanto o choque-celeste crescia em Lor'yan, os dragões se retiraram para o mar, escondendo-se lá até que os deuses imploraram por sua ajuda para livrar Kiata da magia e trancar os demônios nas Montanhas Sagradas. Em troca, o Rei Dragão exigiu que o choque-celeste fosse confinado no cume do Monte Rayuna. Ele estava sempre atento para qualquer um que tentasse roubá-lo.

Ou seja, ele estava de olho nos ladrões, como meus irmãos e eu. Pelas Cortes Eternas, eu rezava para que fôssemos insignificantes o suficiente – seis grous e uma garota sem magia – para que ele não nos visse.

Ali! Gritei, apontando para frente. *Estou vendo.*

Vapor subia do cume do Monte Rayuna, tão espesso quanto as nuvens. Rios derretidos chiavam, escorrendo como ouro líquido, e fortes ventos sopravam, obrigando meus irmãos a me deixarem na parte de baixo da montanha.

Vasculhei o espaço, fazendo um inventário dos arbustos cintilantes de choque-celeste. Devia haver centenas, senão milhares, cravejando o topo da montanha. Eu teria que trabalhar depressa e terminar antes do anoitecer – antes que meus irmãos voltassem à forma humana. Eu que não queria ficar presa ali.

Hasho se aproximou. As faixas pretas de suas asas eram as mais grossas, como traços largos de tinta sob a dobra de suas penas pintadas pela neve. Seus olhos eram os mais parecidos com os meus – castanhos com manchas âmbar –, mesmo quando ele estava sob a forma de grou.

Ele está falando que se você mudar de ideia a qualquer hora, Shiori, é só me dizer. Kiki olhou para baixo, receosa, antes de me transmitir o resto da mensagem de Hasho. *Vou encontrar seus irmãos e eles vão te levar para casa.*

Balancei a cabeça. Eu não ia mudar de ideia.

Ele também quer saber se você quer que um deles fique com você.

Ali no Monte Rayuna, onde a magia selvagem crescia descontroladamente, era melhor que ninguém me acompanhasse na colheita. Certamente, não meus irmãos.

Balancei a cabeça com firmeza e passei Kiki para Hasho. Se uma ave de papel pudesse fazer careta, ela teria feito. E voou de volta para o meu ombro, piando: *Eu também vou.*

Mas...

Sou uma grua de papel, Shiori, não de verdade. Se algo acontecer, você pode me fazer voltar à vida de novo.

"Não sem magia", quis responder, mas só concordei para não a assustar. Deixei a bolsa bater no meu quadril; sua presença me parecia estranhamente reconfortante enquanto eu subia a montanha.

A escalada não foi difícil, embora as cinzas tornassem a caminhada escorregadia. Várias vezes chutei objetos frágeis demais para serem pedras, e ocos demais para serem galhos. Torci para que não fossem ossos.

Estava na metade do caminho para o topo quando o chão tremeu, e tropecei em uma coluna de pedra.

Pelos cabelos de Emuri'en! Kiki gritou. *Não é o Rei Dragão, é?*

Foi só um terremoto. Eu me encolhi até o tremor passar. *Acho.*

Kiki bateu as asas mais rápido, desviando por pouco de um jato de lava de uma das rochas. *Esse fogo vai queimar meu rabo! O que eu estava pensando, querendo te acompanhar? Depressa, Shiori. Não quero ficar aqui nem um minuto a mais do que o necessário.*

Não demoramos para encontrar as urtigas. Suas folhas, verde-prateadas com veias vermelho-escuras, eram pontiagudas, e seus espinhos eram afiados feito presas. Elas cresciam em montes espalhados ao redor do cume do Rayuna, seus caules grossos cintilando fogo demoníaco e se balançando com as rajadas do vento feroz. O fato de sobreviverem em tais condições – aliás, prosperarem – me lembrava de que essas não eram urtigas comuns.

Aproximei-me do primeiro arbusto com cautela. De longe, as urtigas não pareciam mais brilhantes do que os rios derretidos chiando pela encosta da montanha. Porém, quanto mais perto eu chegava, mais o choque-celeste reluzia. Uma onda de calor fez meu rosto pinicar, e usei minha tigela como escudo. Mesmo assim, meus olhos lacrimejaram.

Seus irmãos disseram que você não precisa fazer isso, Kiki me lembrou. *Posso falar pra eles que você...*

Não é tão ruim assim, menti, abrindo um sorriso forçado. *É tipo cortar um milhão de cebolas.*

Apesar da piadinha sem graça e das palavras corajosas, eu estava arrepiada de medo. Senti meu coração saltando dentro do peito, e uma dor tão aguda que doía respirar.

Era o pequenino fragmento da pérola de Seryu, brilhando sob meu colarinho pela primeira vez – um aviso para que eu não avançasse mais.

Ela é repelida pelo choque-celeste, percebi.

Ela pode nos ajudar?, Kiki perguntou, se infiltrando em meus pensamentos.

Não, eu não podia acessar sua magia enquanto estivesse sob a maldição, mas eu não precisava. Se só chegar perto já fazia *minha* pequenina pérola doer, sorri ao pensar no que o choque-celeste faria com Raikama.

Enrolando a alça da bolsa na mão, peguei a adaga e cortei as urtigas.

Mas foi como tentar cortar pedras. Nenhuma planta caiu. Nem uma folha sequer.

Frustrada e sem fôlego, cambaleei para trás. Mesmo com a alça cobrindo minha pele, minha mão doía como se tivesse sido picada por mil agulhas de fogo. Cerrei o punho, tentando aguentar firme.

Kiki voava ao meu redor freneticamente. *Shiori, Shiori! Está machucada?*

Não. Respirei fundo, soltando a alça da mão enquanto me aproximava do arbusto de novo. *Acho que tenho que puxá-los com a mão.*

Com a mão? Não, Shiori, isso vai...

Eu não estava ouvindo o conselho de Kiki. *O medo é apenas um jogo*, disse a mim mesma várias vezes. *Que você só ganha se jogar.*

Arranquei o talo mais próximo.

Um grito ferveu dentro de mim e quase explodiu dos meus pulmões. Mordi a língua, estrangulando o som. Minha visão turvou e, enquanto o sangue jorrava pelos meus dentes, tudo o que eu conseguia ver eram seis cisnes mortos na praia.

Quando finalmente recuperei o fôlego, meu rosto estava molhado de lágrimas. Eu me machuquei bastante trabalhando na cozinha da sra. Dainan, mas a dor que senti ao tocar o choque-celeste era completamente diferente de tudo o que já tinha sentido. As folhas serrilhadas cortaram minha pele feito lâminas, e os espinhos eram como facas de fogo.

Mas funcionou. Raízes finas e prateadas parecidas com teias de aranha emergiram da terra. Joguei a planta com raízes e tudo na bolsa.

A queimação diminuiu assim que larguei o choque-celeste. Fechei a mão e então a abri, olhando para minha palma com marcas de queimaduras.

Chega, Shiori, Kiki implorou. *Você vai morrer se continuar fazendo isso.*

Vai ser mais fácil da próxima vez, garanti a ela, mesmo sabendo que era mentira.

A dor não diminuiu, pelo contrário. Só ficou pior.

Arranquei um pedaço da manga e o enfiei na boca. Sem uso por meses, minha voz se encolheu dentro da garganta, mas eu não queria arriscar. Qualquer som poderia condenar meus irmãos.

Ignorei os protestos de Kiki e ataquei o segundo monte de urtigas. Desta vez, o ramo era maior, e usei as duas mãos para arrancar as raízes da terra. Eu precisaria de centenas para tecer uma rede capaz de conter a pérola de Raikama.

Cada vez que eu puxava uma urtiga, pensava em meu pai, em meus irmãos, em meu país. Imaginei papai dilacerado pela tristeza, sem poder confiar em ninguém ao seu redor, convencido de que um de seus chefes militares havia capturado seus filhos, quando na verdade isso era obra da pessoa em quem ele mais confiava: Raikama.

Eu não podia deixá-la vencer.

Por fim, Kiki parou de me falar para desistir e começou a me mandar descansar. Eu precisava mesmo descansar, apesar de não querer. Várias vezes cambaleei para o lado para vomitar de dor ou para dar uma pausa para minhas mãos ensanguentadas.

Enfiei as urtigas dentro da bolsa. Eu provavelmente já tinha o suficiente para encher uma dúzia de bolsas como essa, mas o feiticeiro não estava mentindo quando disse que suas profundezas não tinham fim.

Rastejei para longe dos arbustos e assoprei minhas mãos. A pérola ainda latejava em meu peito, mas eu estava quase terminando.

– Shiori!

Fiquei imóvel. Eu reconheceria essa voz em qualquer lugar. Mas não, não podia ser.

– Shiori – Seryu falou. – O que você está fazendo aqui no Monte Rayuna?

Me virei, procurando-o entre os arbustos.

– Atrás de você. Na água.

Kiki estava diante de uma poça, que borbulhava e jorrava pequenos gêiseres a cada poucos minutos.

Eu não conseguia ver Seryu, mas nossas mentes estavam conectadas, e suas palavras ressoavam em meus ouvidos como se ele estivesse ao meu lado.

– Você precisa ir embora daqui – ele disse. – Agora.

Não posso. Saia daqui, Seryu. A não ser que queira me ajudar.

– Ajudar com o quê? Por que você está aqui?

Ela foi amaldiçoada, Kiki se intrometeu.

– Amaldiçoada? – o dragão perguntou. – O que...

Não posso te contar. Ela vai matar meus irmãos se eu falar.

– Quem? Sua madrasta? Ela não pode te punir por seus pensamentos, Shiori. O que é essa maldição?

Raikama transformou os irmãos dela em grous, Kiki contou, *e o único jeito de quebrar a maldição é...*

Fechei o bico de Kiki com os dedos. *Chega. Eu conto o resto.* Engoli em seco com força, sabendo que meu amigo não iria gostar do que eu estava prestes a lhe dizer.

Preciso tecer uma rede de dragão.

Eu podia sentir Seryu ficando tenso.

– Então você veio *mesmo* pelo choque-celeste. Que dragão você está tentando pegar?

Não é um dragão, é minha madrasta. Ela está com a pérola de um dragão.

– A pérola de um dragão! – Seryu repetiu. – Isso é impossível. Humano nenhum tem a pérola de um dragão.

Você me deu um pedaço da sua.

– Só um pedacinho. E mesmo assim, já foi um risco tremendo. Nenhum dragão daria mais, não sem a bênção do meu avô. Só se a roubaram. – Ele fez uma pausa deliberada, como se quisesse me alertar do local onde eu me encontrava. – E você é a primeira mortal em séculos a se aventurar aqui.

Ele soltou um rugido baixo que fiquei feliz por não poder ver.

– É melhor você ir. Se meu avô perceber que alguém está roubando choque-celeste, vai ficar furioso. Vou tentar distraí-lo, mas pode ser tarde demais. Você tem que ir. Agora!

Levantei de um salto. *Espere, Seryu. Quando vou te ver de novo?*

– Quando as marés estiverem altas, minha magia estará no auge. Pare no rio mais próximo após a próxima lua cheia e me chame. Então eu irei até você. Agora se apresse e vá embora deste lugar. – Uma pitada de medo transpareceu em sua voz. – A ira do meu avô não é algo trivial.

Assim que ele desapareceu, um estalo ensurdecedor açoitou o céu.

Então a montanha rugiu.

CAPÍTULO DEZESSEIS

O fogo emergiu e o vapor assobiou do chão. A terra estremeceu e as rochas escuras começaram a se soltar e a rolar cada vez mais para baixo, arrastando-me com elas.

Irmãos!, gritei por dentro. Kiki saiu voando do meu ombro, disparando para encontrá-los.

Rolei montanha abaixo, tentando me agarrar em algum osso, pilar ou qualquer outra coisa. Mas a montanha estava sucumbindo junto comigo. Colunas de pedra desmoronavam enquanto tudo tremia e fumaça subia para o céu.

Um poço de lava fervilhava logo abaixo, brilhante feito um sol líquido. Me arrependi de ter olhado. Por mais poderosa que fosse a pérola de Seryu, provavelmente ela não poderia me ressuscitar. Não enquanto eu tivesse essa tigela na cabeça. *Especialmente* se eu não derretesse.

Meus irmãos estavam gritando por mim, mas estavam acima das nuvens de fumaça. Eu estava tão longe que eles não me veriam.

Me virei de barriga para baixo, me agarrando em uma pedra. Minhas mãos doíam muito e eu não conseguiria aguentar por muito tempo. *Kiki*, gritei. *Kiki!*

Se alguma vez senti gratidão por minha conexão com a ave mágica, foi nesse momento. Eu quase podia senti-la mergulhando em minha direção, gritando para meus irmãos a seguirem.

Eles cortaram as nuvens, atravessando rajadas de vento escaldante. Suas asas brancas brilhavam contra as cinzas e o fogo.

Hasho e Reiji agarraram meu colarinho e me jogaram na cesta. E quando desviamos do Monte Rayuna, deixando-o para trás, em meu delírio, pensei ter ouvido o rugido estrondoso de um dragão.

Fugimos pelo Mar de Taijin, correndo contra a tempestade. Relâmpagos açoitavam o céu, e trovões estalavam logo em seguida. Então veio a chuva.

As nuvens estavam gordas, e cada gota caía pesada, parecendo grãos de arroz. Enquanto a chuva caía em minha cesta, meus irmãos voavam velozes, dobrando as asas e lutando para me carregar através da tempestade.

Mergulhamos abaixo das nuvens; as cordas que seguravam minha cesta se torciam e meus irmãos lutavam contra o vento.

Me segurei nas bordas da cesta, ignorando a dor que queimava meus dedos.

Não nos deixe morrer, sou uma ave muito jovem pra morrer. Kiki estava rezando para todos os deuses que conhecia, e tudo o que eu podia fazer era olhar para o mar. Havia algo se debatendo na água, uma criatura longa e serpenteante.

Um trovão ribombou tão estrondosamente alto que fez as ondas subirem e os ventos dobrarem de intensidade. Alarmados, Wandei e Yotan largaram as cordas que prendiam minha cesta. Durante o segundo mais longo da minha vida, eu me debati contra o vento feroz enquanto os galhos e gravetos da cesta se despedaçavam sob minhas mãos. O mar agitava-se faminto e, no momento em que os gêmeos recuperaram as cordas, eu estava tremendo de medo – e compreensão.

Não era um trovão, percebi, ainda observando as águas.

Era o rugido de um dragão.

Seus bigodes eram como relâmpagos, brancos e tortos, e seus olhos, como pedras geladas, brilhantes e ameaçadoras.

Era Nazayun, o Rei Dragão.

Das profundezas do Mar de Taijin, ele se ergueu em todo o seu terrível esplendor feito uma torre de escamas violeta e safira. Benkai soltou um grito agudo quando o dragão agitou as garras em nossa direção.

Meus irmãos desviaram, escapando por pouco do ataque do Rei Dragão.

Ele quer as urtigas de volta, Kiki berrou. *Se não devolver, ele vai matar vocês!*

O rei Nazayun não estava exatamente me dando uma chance de devolver as urtigas. Ele atacou sem parar, e meus irmãos mal tinham tempo para se esquivar de seus golpes. Não poderíamos ficar voando para sempre – não enquanto eles tivessem que me carregar por uma corda em seus bicos.

Puxei as asas de Yotan e de Wandei. Apesar de suas diferenças, os gêmeos estavam mais perto um do outro que o resto. Mesmo agora, suas asas batiam em sincronia.

Gesticulei para o Rei Dragão. *Me leve até ele.*

Kiki começou a traduzir, então seu bico se levantou em horror. *Pelos deuses, Shiori? Não!*

Eu não estava ouvindo; já estava com um braço sobre o pescoço de Yotan e o outro sobre o de Wandei.

Eu sabia que era impulsivo. Ouvia os gritos de Andahai conforme Wandei e Yotan me carregavam para fora da cesta; minhas pernas balançavam sobre o mar revolto. Kiki era um pouco mais difícil de ser ignorada.

Shiori, isso é loucura. Pense em mim. Vou morrer se você morrer! Não falamos que a cautela era o credo dos sábios? Shiori!

Peguei minha ave pelas asas e a enfiei na manga para protegê-la. Então, com um aceno de cabeça para meus irmãos, pulei na cabeça do Rei Dragão.

Pousei em um de seus chifres e deslizei até suas sobrancelhas. A dor cortou minhas mãos enquanto eu me agarrava ao seu pelo arrepiado e dourado, tão grosso quanto o pelo de um urso – ou o que eu imaginava que fosse o pelo de um urso. Antes de desistir, abri a bolsa.

A luz se espalhou, ofuscando os olhos claros do dragão.

Preciso de uma rede de choque-celeste pra quebrar uma maldição terrível, gritei para ele em pensamentos, sem saber se ele conseguiria ouvir. *Ela foi lançada pela minha madrasta, a Rainha Sem Nome. Por favor, ela tem uma pérola de dragão no coração, e tenho que salvar meus irmãos – os seis grous. Conceda-nos uma passagem segura pelo Mar de Taijin. Vou devolver o choque-celeste quando quebrar a maldição.*

Baixei o colarinho, revelando o fragmento cintilante da pérola de Seryu dentro do meu coração.

As sobrancelhas do rei Nazayun se curvaram em reconhecimento e as águas tremeram. Por um momento, pensei que minha aposta tinha funcionado.

Mas errei.

Com um rugido, ele mergulhou de volta no mar, me levando junto consigo.

Nada poderia ter me preparado para a força do Rei Dragão. Caí de sua sobrancelha; meu terror se refletindo em suas escamas brilhantes de safira antes de eu entrar em queda livre. As ondas se elevavam sobre ele como se fossem montanhas. O vento me lançou para o mar.

Esperei a queda, mas ela não veio.

Galhos se quebraram sob as minhas costas, quando fortes asas emplumadas nos carregaram para longe do perigo iminente.

Seu irmão Andahai está dizendo que isso foi uma estupidez, Kiki me repreendeu enquanto eu rolava de barriga para baixo na cesta.

Só que ela não teve mais tempo de transmitir outras reprimendas. Benkai nos direcionou para os ventos frontais, cruzando o Mar de Taijin e tentando ultrapassar o Rei Dragão antes que ele percebesse que eu ainda estava viva.

Mas um novo perigo se apresentou quando as nuvens passaram, revelando o sol.

Ele estava se pondo; em poucos minutos, seria crepúsculo. Se meus irmãos não pousassem a tempo, se transformariam em pleno ar, sobrevoando o mar agitado.

Tínhamos que fazer algo. A coisa mais importante era proteger minha bolsa cheia de choque-celeste. Benkai era o grou mais atlético, mais rápido e mais forte. Enfiei a tira de couro em seu bico, acenando para que ele a levasse para a costa.

Ele nem hesitou. Seu pescoço cedeu um pouco sob o peso da bolsa conforme ele disparava em direção à terra. Ele ia conseguir. Eu tinha certeza.

Só não tinha tanta certeza quanto ao resto de nós.

Os raios nos perseguiam, longos e tortos feito garras de dragão, enviados pelo próprio Nazayun, golpeando o céu. Alguns chegaram tão perto que eu senti o cheiro da fumaça em seu rastro, como fitas retorcidas.

Então a costa surgiu; eu conseguia ver a orla do Mar de Taijin espumando contra as areias pedregosas. *Por favor, só mais alguns segundos de luz*, rezei.

O sol não me ouviu. Uma última vez, ele estendeu seus braços âmbar, polidos com o brilho sonolento das estrelas ascendentes, fazendo as águas brilharem. Em seguida, os últimos raios de luz do dia se esconderam além do horizonte. E enquanto a noite caía, nós também caíamos.

O terror fez minha garganta se fechar. O vento me lançou para fora da cesta e eu gritei por dentro. Meus irmãos foram jogados para longe em todas as direções. O luar atingiu o contorno fluido do rosto deles e seus grasnidos se transformaram em gritos humanos.

Hasho se esforçava para me segurar. Me agarrei às suas penas, mas ele começou a tremer descontroladamente quando o feitiço sinistro de minha madrasta se apoderou de seu corpo.

Seus olhos ficaram vazios, suas pernas se dobraram e seu rosto se contorceu de dor. Seu longo bico preto se encolheu, se transformando em lábios pálidos e um nariz ligeiramente adunco. Seus frágeis ossos de pássaro se reconstruíram em ossos humanos, e seus músculos se transformaram em braços. Ele estava tão ofegante que parecia não conseguir respirar.

Quando atingiu a água, ele ainda não tinha terminado a transformação. Eu sabia que seria assim com os outros.

Respirei fundo. Em um mero piscar de olhos, o mar me devoraria também.

Foi um milagre meus ossos não terem se quebrado – eles certamente doíam tanto quanto. Eu não saberia dizer qual a profundidade que mergulhei. Lúgubres raios de luar iluminavam a água, atravessando meu corpo feito fantasmas.

Enquanto minhas mãos se agitavam, bati as pernas instintivamente, me impulsionando para cima. Nadei até a superfície e senti minha cabeça leve e pesada ao mesmo tempo. Meus pulmões se comprimiam conforme meu coração batia loucamente para me manter viva.

Bati as pernas com mais força. Pelo canto do olho, vi Reiji tentando se segurar em um pedaço de entulho. Quando o agarrei, senti espasmos de dor em minhas mãos.

Passei o braço em volta de seu pescoço, levando nós dois para a margem, onde Kiki e o outros estavam esperando.

Os gêmeos nos cumprimentaram, mas Andahai e Hasho estavam agachados ao lado de Benkai. Meu irmão estava deitado na areia.

Corri até ele. *Benkai!*

Hasho o ergueu e Andahai o sacudiu até que ele finalmente cuspiu areia e água do mar.

Não fui a única que desabou no chão de alívio.

– Você nos assustou, irmão. – Andahai deu um soquinho no ombro de Benkai. – Pensamos que tinha morrido.

Benkai forçou um sorriso.

– Vai ser preciso mais do que o Rei Dragão para *me* matar. – A água escorria de seu cabelo para o manto fino sobre seus ombros. – Mas se ficarmos longe do Mar de Taijin por um tempo, não vou reclamar.

Joguei os braços ao redor dele, rindo em silêncio enquanto o abraçava apertado.

– Você está machucada – Hasho falou, me vendo estremecer quando me afastei. – Benkai, venha rápido. Dê uma olhada nisso.

Não é nada. Escondi as mãos nas costas para que eles não as vissem, mas Benkai foi firme.

– Deixe-me ver, Shiori.

Com muita relutância, abri a mão, e Hasho e Benkai suspiraram longamente.

Naquela manhã, eu tinha mãos de uma jovem. Estavam calejadas pelo trabalho árduo na Estalagem do Pardal e exibiam algumas queimaduras que ainda estavam sarando – mas, fora isso, eram macias e imaculadas. Agora, minha pele estava em carne viva, borbulhando veias prateadas e vermelhas que imitavam as folhas do choque-celeste. A dor dilacerante havia diminuído, mas só o fato de dobrar os dedos já era o suficiente para me fazer cerrar os dentes.

Vai passar, dei de ombros. *Já está melhorando.*

Sem acreditar em mim, Hasho rasgou a manga de suas vestes e enrolou minhas mãos. Ele segurou meus ombros, com um meio-sorriso no rosto.

O que foi?, falei sem emitir som. *Tem alga no meu cabelo?*

– Você se parece com ela – Hasho disse. Havia destemor e orgulho em seus olhos. – Com a nossa mãe.

Será? Meus irmãos nunca tinham me falado isso.

– Só um pouco – Reiji comentou. – Ela era mais bonita. E muito menos impulsiva.

Olhei para ele, mas um leve sorriso – um que não era antipático – se espalhou por seu rosto.

– Você é você, Shiori. O nó que nos mantém juntos, gostemos ou não.

Então, ele e os outros fizeram algo que nunca tinham feito antes: uma reverência, demonstrando respeito.

Levantem-se, pedi sem palavras. Sinceramente... *Kiki, pode pedir pra eles se levantarem?*

Minha ave de papel inclinou a cabeça para o lado timidamente. *Não é minha função dizer aos príncipes de Kiata o que fazer.*

Só às princesas?

Só às princesas.

Os raios haviam cessado, deixando cicatrizes recortadas entre a colcha de retalhos estrelada da noite.

Procurei as estrelas que eu conhecia no céu. Só vi algumas: o Coelho, amigo de Imurinya, a Senhora da Lua; o arco e a flecha do Caçador, que pertencia ao marido de Imurinya; e o Grou, o mensageiro sagrado do destino.

O Grou era uma constelação de sete estrelas a nordeste da lua. Corri o dedo pelo ar, contornando-as como costumava fazer quando era criança. Meu pai tinha batizado aquelas sete estrelas em homenagem a nós, seus sete filhos.

Andahai, Benkai, Reiji, Yotan, Wandei, Hasho e Shiori.

"Não importa para onde a vida leve vocês", ele costumava dizer, "vocês são como essas estrelas, conectadas pela luz que emanam juntos."

Apesar de fazer frio na praia e de estarmos encharcados pela chuva e água do mar, de alguma forma me senti mais aquecida que em muito, muito tempo.

CAPÍTULO DEZESSETE

Se havia algo bom nessa maldição, era que, em uma curta semana, meus irmãos e eu ficamos próximos de novo – tão próximos quanto quando crianças.

Embora o inverno pairasse sobre a nossa pequena caverna e o céu se mostrasse sombrio e cinzento, nossos ânimos eram o oposto disso. Yotan e Benkai contavam histórias de terror na fogueira, Wandei perseguia Kiki e tentava criar seus próprios pássaros esculpindo madeira, e eu supervisionava Andahai e Hasho cozinhando.

Às vezes, durante as refeições, compartilhávamos nossas lembranças mais antigas de Raikama. Eu contribuía pouco – eu era a mais nova, afinal de contas, então minhas recordações eram as menos nítidas. Mas a vergonha também me mantinha em silêncio; fui a favorita de Raikama quando ela chegou em Kiata, um fato que eu queria apagar para sempre.

Talvez eu já tivesse apagado. Era estranho, mas eu mal me lembrava do amor que senti pela minha madrasta. Era como se alguém tivesse transformado essas memórias em areia e as soprado para longe do meu passado. Verdade fosse dita, provavelmente era melhor assim. Elas não faziam falta.

– Até onde sabemos, ela não é de Kiata – Wandei disse, raciocinando em voz alta. – Se papai a conheceu fora, deve ter viajado de navio com uma tripulação inteira. Deve ter algum registro de sua chegada, ou pelo menos alguma informação sobre sua cidade natal.

– Uma mulher bonita não pode simplesmente surgir do nada – Yotan concordou.

Você está se esquecendo de que ela é uma feiticeira, eu os lembrei, escrevendo na terra. *Ela pode nem sempre ter sido bonita.*

– Mas ela com certeza tinha um nome, uma família, uma casa. – Hasho fez uma pausa. – É um começo.

Era um começo, mas eu estava mais preocupada com o final dessa história. Um dia ou dois depois que voltamos do Monte Rayuna, quando a dor em minhas mãos diminuiu, procurei Benkai para que ele me ensinasse a usar a adaga.

Havia um motivo para eu ter pedido a arma para o sentinela – eu não pretendia apenas quebrar cascas de castanhas e arrancar choque-celeste com ela. Benkai era um alto sentinela, e meus outros cinco irmãos eram guerreiros habilidosos – em breve, teríamos que voltar para o palácio, onde a magia de Raikama reinava cada vez mais forte.

Me ensine, implorei silenciosamente.

Andahai se colocou entre nós.

– Uma adaga não vai ter muita utilidade contra Raikama. Até Benkai errou quando tentamos enfrentá-la.

– Deixe suas mãos sararem primeiro, depois você devia começar a trabalhar com o choque-celeste – Yotan concordou. – A rede é nossa melhor chance de derrotá-la.

– Descanse, Shiori.

– Vocês todos estão tratando Shiori como se ela fosse um bicho da seda – Reiji falou. – Ela acabou de roubar choque-celeste do Rei Dragão. Ela pode lidar com uma adaga! – Ele se levantou, espanando suas calças rasgadas. – Vou ensiná-la.

Todos o olhamos perplexos. De todos os meus irmãos, eu não esperava que *ele* me defendesse.

Sem falar mais nada, ele me levou para o fundo da gruta, e nosso treinamento começou. Com o tempo, Benkai se juntou a nós, e de noite já estávamos fazendo uma simulação.

– Você ficou forte, Shiori – Benkai disse, surpreso, enquanto eu forçava minha adaga contra a dele.

Dois meses de trabalho pesado para a sra. Dainan, cortando repolhos e melões com suas facas cegas e carregando lenha no frio, tinham contribuído para isso.

Se ao menos isso tivesse me preparado para lidar com a dor do choque-celeste...

No dia seguinte, quando meus irmãos saíram para coletar suprimentos para o inverno, eu finalmente encarei as urtigas. Espalhei-as pela gruta para determinar meu curso de ação.

Lâmina nenhuma poderia perfurá-las, muito menos cortá-las. Em sua forma bruta, eu não poderia usar os caules para tecer uma rede, e obviamente não poderia costurá-los – não com seus espinhos ardentes e suas folhas afiadas feito navalhas.

É um trio de magias, fiquei repetindo para mim mesma depois de horas agonizando com Kiki. Essas malditas urtigas tinham sido criadas por três magias diferentes, mas eu só via o fogo demoníaco – a luz ofuscante que envolvia cada talo. Onde estavam os fios do destino e o sangue das estrelas?

– Experimente remover as folhas e os espinhos – Kiki sugeriu. – Senão você mal vai conseguir tocar o choque-celeste.

A tarefa não era tão fácil quanto podar rosas, isso era certo. Os espinhos e as folhas eram como dentes e garras. Remover as folhas foi mais simples, pois elas se soltaram com alguns golpes da lâmina. Se eu tomasse o cuidado de não tocar suas bordas serrilhadas, meus dedos quase sempre escapavam ilesos. Já os espinhos deviam ser feitos de uma magia teimosa, pois não saíam a menos que eu os golpeasse com pedras que peguei na encosta da montanha. Arrancá-los dessa forma era um trabalho lento e árduo.

Mas dava para ver que eu seria recompensada. O fogo demoníaco blindava cada videira de choque-celeste, mas, quando a última folha foi cortada e o último espinho lascado, as urtigas se transformaram. O fogo demoníaco se retraiu no caule fibroso, silenciando sua luz ofuscante. Em minutos, o choque-celeste virou uma meada de fios ásperos e soltos, reluzindo violeta, azul e prata – como poeira estelar contra o céu do crepúsculo.

Era o sangue das estrelas.

Aninhei os fios em minhas mãos maltratadas, pasma e incrédula. Eu tinha levado o dia todo para produzir uma única corda, parecida com junco. Eu precisaria de mais umas cem para tecer uma rede. No ritmo atual, já seria pleno inverno quando eu terminasse.

Ainda assim, aprendi a me alegrar com a menor das vitórias. Naquela noite, quando meus irmãos voltaram, eu lhes mostrei o que tinha conseguido. Celebramos assando castanhas, comendo inhame-roxo e contando estrelas até pegarmos no sono.

Se ao menos esses momentos bons durassem...

Enquanto os dias passavam, eu me percebia voltando aos velhos hábitos. Mais de uma vez, quase gritei com Andahai, quase ri de uma das piadas de Yotan, quase murmurei ao ver os filhotes que Hasho trouxe para a caverna.

Minha voz, que tanto treinei para esquecer na Estalagem do Pardal, estava perigosamente escapando da minha garganta. Isso não podia acontecer.

Comecei a fingir que estava dormindo quando meus irmãos voltavam de noite, a fingir indiferença quando se ofereciam para me carregar pelas nuvens. Eu me retirava do jantar mais cedo, não ria das piadas de Yotan e falava para Benkai e Reiji que estava cansada demais para treinar.

Era mais fácil ficar sozinha. Era mais fácil só ficar trabalhando com o choque-celeste.

Toda noite, minhas mãos se curavam só o suficiente para que eu conseguisse trabalhar no dia seguinte. Eu manejava as urtigas com cuidado para evitar o pior de sua ira. E quando estava me sentindo corajosa, tocava nos espinhos e nas folhas para praticar conter meus suspiros e gritos.

A dor não diminui nem um pouco, eu me lembrei, estremecendo. *Só tenho que ficar mais forte.*

Lentamente, minha pele macia foi ficando mais grossa e resiliente e, no fim do mês, eu já conseguia segurar um caule inteiro de choque-celeste sem me retrair. Mas eu sabia que não era o bastante fortalecer apenas minha pele ou minha voz. Se queria quebrar a maldição, eu tinha que ser forte por completo – principalmente meu coração.

Naquela noite, fiquei fora para olhar a lua, que tinha crescido durante o mês. Logo ela estaria cheia, e eu veria Seryu de novo. Eu tinha esperanças de que ele tivesse conseguido informações úteis com seu avô.

– Você quer se encontrar com um dragão? – Andahai perguntara quando escrevi que me encontraria com ele em breve. – Esqueceu que foi um dragão que quase nos matou?

Era o avô de Seryu, falei só com a boca, mas meu irmão mais velho não entendeu. Ele não queria entender.

Tentei mais uma vez, escrevendo na lama: *Ele pode ajudar...*

Andahai tomou minha vara.

– Você não deve se encontrar com ele. Não me importo com os seus motivos. Dragões só são leais consigo mesmos. Não podemos confiar em ninguém.

Procurei quem, entre meus irmãos, poderia ser meu aliado. Mas ninguém estava disposto a me ouvir, nem mesmo Hasho.

– Minha decisão está tomada, Shiori – Andahai disse. – Você não deve sair.

– Andahai está certo – Benkai falou com gentileza. – Nossa prioridade deve ser descobrir o nome de Raikama. Mas talvez, quando voltarmos, a gente possa ir com você.

Levantei a cabeça. Por que estava parecendo que ficariam fora por mais de um dia?

– Vamos passar uma semana fora – Benkai confirmou minha suspeita. – Quem sabe mais, se acabarmos saindo de Kiata.

– Tem bastante comida pra você – Yotan falou, tentando me fazer sentir melhor. – E você tem as urtigas pra te manterem ocupada.

Onde vocês vão?

– Vamos começar pelo Sul – Andahai disse. – Cobras são criaturas de sangue frio. É improvável que Raikama tenha vindo do Norte.

Era uma boa suposição. Ainda assim, fiquei chateada por eles não terem me consultado antes. Peguei a vara para perguntar mais sobre a rota, mas Andahai imediatamente presumiu que eu ia pedir para ir junto.

– Você só vai nos atrasar. Wandei não tem tempo de fazer outra cesta pra você. Fique escondida aqui na gruta.

Escondida? Cruzei os braços, exasperada e ofendida. Bati os punhos no peito. *Eu posso me defender sozinha.*

– Talvez se lutar contra Reiji, mas Benkai sempre te deixa ganhar. Os bandidos não vão fazer o mesmo.

Hasho concordou.

– Prometa que vai ficar na gruta.

– Já preparamos tudo o que você vai precisar – Andahai falou. – Comida, água, espaço pra você trabalhar. Não saia, a não ser em caso de alguma emergência. Se encontrar com dragões *não* é uma emergência.

Eu não tinha vindo até aqui só para definhar em uma gruta, manipulando choque-celeste de manhã até de noite. Eu queria quebrar a maldição.

A raiva queimou dentro do meu peito, mas fiz uma reverência, agradecendo aos meus irmãos por sua consideração e abrindo meu sorriso mais dócil.

Nenhum deles notou que eu não havia feito promessa alguma.

De manhã, assim que meus irmãos se foram, peguei minha bolsa e saí apressada para encontrar Seryu no rio.

Você não ouviu o que seus irmãos disseram? Kiki falou, voando atrás de mim. *Fique na gruta!*

Pulei um tronco caído e saltei em uma pilha de folhas alaranjadas e amarelas. *Você realmente acreditou que eu ia obedecer? Raikama tem uma pérola de dragão, e quem melhor que um dragão pra nos ajudar?*

Pelos deuses, as coisas no Monte Rayuna tinham sido tão caóticas que eu nem tive chance de contar a Seryu a parte mais terrível da maldição: que eu tinha que pronunciar o verdadeiro nome de Raikama – e perder um dos meus irmãos.

Segui em frente. *Seryu pode nos ajudar, eu sei.*

Hoje não, Kiki insistiu. *Houve algum conflito na floresta de manhã. Os bem-te-vis me contaram. Soldados.*

Soldados? Diminuí o passo, examinando as árvores se balançando contra o vento. Seus galhos estavam ralos e cinzentos com a chegada do inverno. A percussão das folhas farfalhando era apenas dos esquilos e raposas brincando. *Homens do meu pai?*

Alguns sim, outros não.

Onde eles estão agora?

Kiki voou mais alto, piando algo para os outros pássaros. *Foram mais para o sul.*

Relaxei. *Então, se continuarmos indo para o oeste, em direção ao rio, não vamos encontrá-los.*

Não!, Kiki protestou. *Se continuar seguindo para o rio, vamos nos aproximar deles. Eles também estão se movendo, Shiori. Você devia voltar para a gruta.*

E perder o encontro com Seryu? Balancei a cabeça. Sem chance – eu tinha perguntas demais para fazer a ele. *Pare de se preocupar, Kiki. Vou tomar cuidado.*

Na última semana, as árvores haviam perdido seu esplendor – seus galhos ficaram cinzentos da geada e suas folhas caíram sobre a terra, formando camadas marrons e laranja-escuro. Isso deixava a floresta totalmente diferente, bem mais sombria, mas eu conhecia o caminho até o rio. As águas estavam ferozes, e fui seguindo o rugido das corredeiras até que finalmente alcancei suas margens.

Seryu!, gritei na minha cabeça. *Estou aqui!*

Não vi nenhum sinal do dragão. Ele não tinha especificado a hora do encontro, então me ajoelhei na terra fofa. Fiquei atirando pedrinhas no rio e olhando para os lagartos com manchas azuis empoleirados nas rochas ao meu lado. Kiki pairava acima, ansiosa.

Quer se acalmar? Não tem ninguém aqui.

Deitei na grama. Se Seryu ia demorar o dia todo, então *eu* ia tirar um cochilo e deixar meus dedos cansados tirarem uma folga.

Um lagarto rastejou sobre a minha barriga e depois pulou na minha bolsa.

Está com fome, não está?, perguntei silenciosamente. *Eu também. Eu devia ter pensado nisso e trazido um lanchinho.*

Folhas de bordo caíram sobre o meu rosto; suas bordas estavam secas e escurecidas. Eu as afastei do nariz com um sopro e comecei a virar para o lado, mas o lagarto ainda estava na minha bolsa. Seus músculos estavam tensos e ele levantou a cabeça. Foi seu último movimento.

De repente, uma cobra o atacou, engolindo-o em uma única mordida.

Me apoiei nos cotovelos e chutei o ar de medo.

A cobra avançou na minha direção. Sua cabeça manchada estava erguida, seus olhos amarelos e redondos estavam fixos nos meus.

– Shiori – ela sibilou.

No mesmo instante, fiquei imóvel.

– Então é aqui que você anda se escondendo. – A cobra mostrou a língua fina e bifurcada. Seus olhos dispararam para a bolsa encantada em meu quadril. – Sua Esplendorosa está te avisando para não interferir no feitiço que ela lançou. Há eventos em curso que você não compreende.

Eu a ataquei com a adaga e, quando ela voltou para o meio das folhas, me levantei de um salto e saí correndo.

Eu não sabia para onde estava indo; passei pelo trecho laranja, cinza e marrom. Kiki gritou algo, mas meu coração estava pulsando alto demais nos meus ouvidos para que eu ouvisse. Pensei que ela estivesse me dizendo para correr mais rápido. Só olhei para trás quando minhas pernas se cansaram e minha garganta começou a queimar.

A cobra não estava em lugar algum, graças aos deuses. Me apoiei em uma árvore para recuperar o fôlego.

Essa foi por pouco. Esperei Kiki dar risada comigo.

Mas ela não estava ali.

Kiki?, gritei, olhando ao redor. Não olhei para onde pisava e tropecei. Em um cadáver.

Recuei, horrorizada.

Dois olhos nebulosos olhavam para o céu, ainda arregalados de choque. O sangue brilhava contra um monte de folhas mortas e jorrava de um corte preciso na barriga. Era uma morte recente; os pássaros e insetos ainda não o haviam encontrado.

Shiori!, Kiki berrou. *Os caçadores!*

Galhos quebraram. Passos trituraram as folhas caídas.

Congelei. Meus joelhos travaram enquanto eu me agachava para me esconder atrás de um arbusto. Só não me dei conta que o vapor da minha respiração no ar denunciava minha presença.

– Quem está aí? – um homem gritou não muito longe.

Os gritos ficaram mais próximos. Fiquei imóvel, enquanto meu foco se aguçava. Eu tinha corrido para o lado errado. Não conseguia mais ouvir o rio e... não, não. Praguejei pelo meu terrível azar.

Uma flecha disparou de trás das árvores, passando tão perto que meus ouvidos zumbiram e fiquei temporariamente surda.

– Lorde Hasege, é uma garota!

Saí correndo, com o coração batendo duas vezes mais rápido que meus pés no chão.

Eles estão em quatro!, Kiki gritou. *Cuidado! Atrás da moita...*

Um caçador saltou baixo, com a faca apontada para a minha perna. Meu primeiro impulso foi gritar, mas, por sorte, o medo fechou meus pulmões. Desviei de seu golpe por pouco.

Mais um! Do seu lado!

Outro caçador me derrubou no chão. Tudo aconteceu tão rápido que senti o gosto de terra antes dc ouvir o ruído na minha cabeça, mas me coloquei de pé depressa.

Mergulhei nos arbustos, derrapando nas folhas e caindo nos montes. A sensação era de que eu estava correndo por horas, mas ainda conseguia ver os cadáveres debaixo da folhagem. Não devia ter se passado mais de um minuto quando ouvi passos de novo.

Eles estavam em quatro, como Kiki tinha falado. Só que não eram caçadores, não com seus capacetes de pena e armadura de couro. Eram sentinelas.

"Quando o oponente for maioria, fuja", Reiji me instruíra durante nossos treinos. "Benkai vai te falar para ficar e lutar, mas ganhar não é uma questão de honra. É uma questão de sobreviver para lutar de novo."

Eu estava tentando fugir. Mas o mais alto deles – o líder – era rápido. E forte também. Eu escapei de raspão de sua espada, que me atacou direto no rosto. Pensando que tinha ganhado, baixei a guarda, e não vi seu pé preparando uma rasteira. Caí de costas.

Senti a terra embaixo de mim e mordi a bochecha para não gritar de dor. Quando me levantei, três flechas estavam apontadas para a minha cabeça. O líder tirou o capacete.

Takkan.

O olhar cruel que ele me lançou era o mesmo de antes; seus olhos eram negros, duros e inflexíveis. Seu sorriso torto era tão frio que meu estômago congelou. No entanto, havia algo diferente. Sua armadura era simples e sem adornos – nada de malha azul profundo –, e a bainha de sua espada não tinha o brasão de Bushian.

– Não atirem – ele ordenou aos homens que me cercavam. Eram três sentinelas, mas, para a minha decepção, nenhum deles era o soldado gentil da Estalagem do Pardal.

– Eu lembro de você. Você é a garota da cozinha que não queria fazer reverência para mim – Takkan falou com desprezo. – Você é suspeita, demônio. Sabia que você não era cozinheira.

Ele me ergueu pelo pescoço e me forçou a olhar para os cadáveres na floresta.

– Olhe à sua volta. Seus companheiros estão mortos. Logo você também estará.

Flechas se projetavam de suas costelas, em brilhantes cortes vermelhos de morte. Todos os sete estavam vestidos de marrom, camuflando-se com a floresta. Sicários.

Tudo estava zumbindo; as árvores farfalhavam com o vento, minha pulsação martelava na garganta. Chutei o ar e levei os dedos inutilmente ao pescoço. *Eu não estou com eles.*

Takkan não entendeu. Tampouco seus homens.

– Não consigo nem ver a cara dela – um dos sentinelas resmungou. – Ela não consegue falar?

Takkan apertou minha mandíbula com tanta força que machucou e me sacudiu.

– Onde está meu primo, demônio? Fale, ou este será seu último suspiro.

Será que ele estava falando sobre o soldado da Estalagem do Pardal?

– Ela não parece estar com os a'landanos – um outro sentinela falou, me observando. Era o mais velho dos quatro. Seu cabelo cor de estanho estava amarrado em um coque. – Deixe-a ir.

– Deixá-la ir? Já encontrei esta ratinha antes. – Takkan me sacudiu de novo, desta vez com mais força. – Onde está Takkan?

Olhei para ele, desorientada. Eu podia jurar que ele tinha acabado de me perguntar onde estava Takkan.

Mas você é Takkan, pensei, com a mente agitada e confusa.

– Esta garota é uma selvagem, não uma assassina – o sentinela mais velho falou. – Hasege, não temos tempo pra isso. Deixe-a e vamos embora.

Hasege?

Qualquer que fosse o nome verdadeiro desse falso Takkan, não importava. Roubei uma flecha de sua aljava e arrastei a ponta pelo seu rosto.

Hasege soltou um rugido, e eu dei uma cabeçada em seu crânio. Era o melhor uso que já tinha feito da tigela na minha cabeça. Ele me largou e eu recuperei a adaga, correndo para longe dos sentinelas.

Só que eu não era rápida o suficiente. Ele agarrou meu pulso e o apertou até que meu coração deu um solavanco de dor e a adaga caiu das minhas mãos.

Ele a pegou com a outra mão. O sangue escorria até seu queixo, acumulando-se nas cerdas escuras de sua barba. Ele pressionou a lâmina no meu pescoço e soltou uma gargalhada.

– Olhe só o que temos aqui – ele disse, mostrando aos seus homens. – A adaga de Takkan.

A adaga de *Takkan*? Meus pensamentos se agitaram descontroladamente. Mas essa... isso significava que aquele sentinela na Estalagem do Pardal era... era... o filho de lorde Bushian. Meu noivo.

Minha cabeça doía tanto que nada fazia sentido, e não ajudava o fato de Hasege estar enfiando a adaga mais fundo na minha pele. A picada do metal era fria e cortante.

– Então você o *viu*.

Chutei os três sentinelas, sabendo que era inútil tentar fazê-los entender, mas estava tão desesperada que queria tentar mesmo assim. *Ele me deu.*

O mais velho, o que tinha sugerido que eles me deixassem ir, franziu as sobrancelhas.

– Ela tem o emblema de Takkan. – Ele apontou para a borla com nós da adaga, o que eu julgava ser uma decoração inútil. – Ela está sob sua proteção.

Hasege ficou sombrio.

– Por que ele se ofereceria para proteger uma espiã? Acho que não é o caso. É mais provável que ela tenha roubado o emblema dele.

– Precisamos soltá-la.

O emblema balançou diante de mim, um borrão azul, e pela primeira vez eu o vi claramente. Todas essas semanas, eu o ignorei, prestando atenção somente na adaga, e não percebi que o outro lado de sua placa de prata estava estampado com o nome de Takkan e o brasão da família: um coelho em uma montanha, cercado por cinco flores de ameixa – e uma lua cheia e branca.

Pelos deuses, era verdade. O sentinela na Estalagem do Pardal *era* Takkan! Se o filho do lorde Bushian tinha me dado sua proteção, sentinela nenhum poderia me machucar sem sofrer graves consequências.

O olhar de Hasege ficou mais duro. Um pouco tarde demais, percebi que ele não tinha intenção de me deixar ir. Quando comecei a correr, seus homens me agarraram. Tentei dar socos e chutes, mas cordas amarraram minhas mãos e alguém colocou uma mordaça na minha boca.

Os sentinelas me jogaram no chão. Bati em uma pedra dura e estremeci de dor. Enquanto o vento assobiava contra suas lâminas, fiquei imóvel feito uma presa, esperando o golpe que acabaria comigo.

E que nunca chegou. Alguém me jogou em cima de um cavalo. Antes que minhas pernas se acomodassem, Hasege bateu com o punho de sua espada na tigela da minha cabeça – e meu mundo virou esquecimento.

CAPÍTULO DEZOITO

– Você disse que a encontrou na floresta?

– Sim, minha senhora. No norte do desfiladeiro Baiyun. – Uma pausa delicada. – Ela cortou Hasege...

– No rosto. Sim, ouvi a história.

À medida que as vozes se aproximavam e passos ecoavam na masmorra, fui acordando. Já tinham se passado cinco auroras desde que cheguei a este lugar miserável, mas reconheci a voz do homem. Era o mesmo sentinela que tinha mandado Hasege e seus comparsas me soltarem na floresta.

Silenciosamente, no escuro da minha cela, pressionei a orelha na parede para ouvir melhor.

A senhora limpou a garganta, emitindo um som mais profundo que sua voz.

– Fale a verdade, Oriyu. Ela pode mesmo ser uma espiã?

– É improvável. Ela tinha o emblema de lorde Takkan...

– Sim, coisa que nenhum de vocês se deu ao trabalho de me contar! Agora vamos entrar. Quero ter uma palavrinha com ela.

A porta se abriu fazendo barulho, e dei uma olhada na senhora por baixo da tigela de madeira. Seria lady Bushian? A luz de sua vela estava fraca, de modo que eu não conseguia ver sua feição claramente, mas vi uma figura robusta em um simples brocado azul e um xale de lã grosso.

O cinza marmorizava seu cabelo firmemente encerado, e uma pulseira de jade clara brilhava em um de seus pulsos. Mas o que me chamou a atenção foi a bolsa pendurada em seu ombro.

A *minha* bolsa.

– Você não está dormindo – ela disse, vendo meus dedos se contorcerem. – Sente-se. Não finja que não está entendendo; os guardas já me informaram que você é mais esperta do que parece.

Me levantei, obediente, avançando para a bolsa.

Oriyu me bloqueou, e eu tropecei nas minhas pernas amarradas.

– Você vai ter que responder algumas perguntas antes de ter sua bolsa de volta.

Afundei contra a parede, sem forças. Esperei por dias que alguém viesse me interrogar ou me castigar por ter cortado a cara de Hasege. Mas ninguém veio. Fui completamente esquecida, e podia até me considerar sortuda se os guardas se lembrassem de me trazer uma refeição por dia. A fome era pior que a espera.

Agora, de repente, eu finalmente seria interrogada?

– Me disseram que você não consegue falar – lady Bushian disse. – Você vai responder com a cabeça. Entendeu?

Assenti uma vez. Satisfeita, ela gesticulou para as cordas em meus pulsos e tornozelos. Oriyu cortou a das pernas.

– Levante-se e me siga – a senhora falou, segurando as saias. – Este lugar não é adequado para um interrogatório.

Vendo que não tinha escolha, saí atrás dela.

– Você certamente não parece ser uma espiã – foi tudo o que ela disse antes que Oriyu abrisse a porta da prisão.

O sol ofuscou meus olhos, e meus dentes começaram a ranger. Cruzei os braços sobre o peito, assustada com o frio brutal açoitando minhas bochechas. As montanhas! Eu não reconhecia nenhuma delas. Devia estar muito mais longe dos meus irmãos do que pensei.

Comecei a vasculhar o que lembrava das minhas antigas aulas de geografia, mas, assim que vi as bandeiras bordadas penduradas nas paredes do castelo, soube exatamente onde estava. Estava no único lugar que vinha evitando por mais de uma década: o Castelo Bushian, a fortaleza imperial de Iro.

A fortaleza do Norte era exatamente como eu havia imaginado: sombria e desolada, com pátios áridos e jardins ressecados em torno de um castelo sem vida de telhados cinzentos. Até o ar era pesado, cheirando a arenito e madeira queimada. Minhas esperanças de fuga derreteram, como se feitas de gelo.

Estávamos prestes a entrar em uma das guaritas da fortaleza quando uma jovem com duas tranças e alguns caquis saindo dos bolsos correu em nossa direção com o rosto vermelho de empolgação.

– É ela, mamãe? – ela gritou, sem fôlego. – Essa é a garota que...

– Megari! – lady Bushian a repreendeu. – Lembro claramente de ter te mandado ficar dentro do castelo. Você vai pegar um resfriado aqui fora. Devia estar descansando.

– Você não pode esperar que eu descanse o dia *todo*. – Megari se virou para mim. – Eu queria conhecer a garota que enfrentou Hasege. Ela pode almoçar com a gente?

No mesmo instante, lady Bushian fez uma carranca.

– Como você ficou sabendo disso?

Megari deu um sorrisinho para Oriyu, que desviou o olhar e começou a ajeitar o capacete.

– Oriyu me contou. Ele disse que ela está com a adaga de Takkan! Por favor, mamãe, ela pode almoçar com a gente?

– Isso não seria apropriado.

– Mas ela está com fome. Não está? – Os olhos de Megari cintilaram, travessos. Ela parecia não ter mais que dez anos, e a barra de seu vestido estava suja de lama. Gostei dela instantaneamente.

Quando sua mãe não estava olhando, respondi à pergunta de Megari com um pequeno aceno. Eu não estava apenas com fome. Estava faminta.

Megari tentou enfiar um de seus caquis em meu xale, mas Oriyu nos lançou um olhar severo.

– Depois eu trago uns pra você – ela sussurrou, seguindo sua mãe e eu para a guarita antes que lady Bushian a proibisse.

Lá dentro, uma jovem estava sentada de forma afetada em um banco de madeira. Ela segurava um guarda-chuva escarlate e estava vestida inteiramente de branco, exceto por um cinto de ébano bordado com montanhas. Seu rosto redondo, cheio de pó e marcado por uma pinta na bochecha direita, parecia gentil – mas, assim que ela ergueu os olhos, vi que eles eram afiados feito espinhos.

– Zairena? – Megari soltou, se virando para sua mãe. – O que *ela* está fazendo aqui?

Lady Bushian olhou para ela.

– Tenha modos, Megari. Ou Oriyu vai te mandar de volta para o quarto.

– Esta é a ladra que você queria que eu conhecesse? – Zairena perguntou, fazendo uma reverência modesta. – A menina que roubou o emblema de Takkan?

Meus olhos se estreitaram. *Menina*? Eu não devia ser nem um ano mais nova que ela. E eu não tinha *roubado* emblema nenhum.

– Oriyu diz que Takkan o deu a ela – lady Bushian falou com firmeza. – Quando e por que é o que vamos descobrir em breve. Hasege disse que ela estava com os sicários que ele encontrou em Zhensa, mas meu sobrinho dificilmente é uma fonte confiável. Detesto ter que perguntar, Zairena, mas ela lhe parece familiar?

Zairena se inclinou para me examinar, apoiando o queixo no guarda-chuva.

– Não, não. Eu me lembraria de alguém como ela, com essa tigela esquisita na cabeça. Acredito que todos os bandidos que atacaram meus pais estão mortos. Lorde Sharima'en tem uma maneira peculiar de reivindicar os perversos. – Ela fez uma pausa. – Se bem que tem alguma coisa perversa *nela*. Hasege me falou que ela tentou matá-lo.

– Não, ela não tentou! – Megari discordou. – Mamãe, ela não é uma assassina. Ela não...

Os ombros de lady Bushian ficaram tensos.

– Vou decidir o destino da garota – ela disse, sacando uma adaga de sua cintura.

O emblema de Takkan balançou no cabo, e havia lama incrustada em seus cordões de seda.

– Duas semanas atrás, meu filho me disse que ia sair para caçar com Hasege. Ele levou cinco dos melhores sentinelas de Iro consigo. O que dificilmente seria a comitiva apropriada para uma simples caça.

– Takkan nunca foi um bom mentiroso – Megari murmurou.

– A missão deles os levou para o meio da Floresta Zhensa, onde os sicários os emboscaram. Eles se separaram, e Takkan não voltou. – Lady Bushian me fitou com seus olhos frios. – E na floresta onde ele desapareceu, meu sobrinho encontrou você. Com isso. – Ela balançou o emblema na minha frente. – Você o roubou do meu filho?

Balancei a cabeça vigorosamente.

– Devo acreditar que ele te deu isso?

Eu queria a adaga de Takkan, não o emblema. Engoli em seco.

Sim, ele me deu. Assenti com determinação.

– Quando?

Essa pergunta era mais complicada de responder sem usar a voz. Levantei os dedos. *Quatro, cinco, talvez seis semanas atrás?*

– Por quê?

Apertei os lábios e mexi uma concha imaginária no ar. *Ele gostava da minha comida.*

Lady Bushian balançou a cabeça, sem entender.

– Ela deu comida pra ele – Megari sugeriu, quando fingi beber de uma tigela. – Ela cozinhou para ele.

Lady Bushian ergueu uma sobrancelha enquanto eu confirmava com a cabeça.

– Você cozinhou para ele – ela repetiu.

Sopa, falei com a boca e fiz uma mímica.

Isso, ela pareceu entender. Ela segurou a adaga de seu filho com força.

Oriyu falou:

– Ela estava sozinha quando a encontramos. Hasege... a atacou, apesar de eu me opor. Ela o cortou em defesa própria.

– Sei. – Os olhos de lady Bushian eram como os de seu filho, profundos e fáceis de serem subestimados. – Como você disse que era o nome dela mesmo?

– Hasege a chamou de Lina.

– Lina – lady Bushian repetiu. – Um nome simples. Só não consigo me decidir se ela é uma garota simples. O tempo dirá, suponho. Oriyu, liberte-a.

Enquanto o sentinela cortava as cordas dos meus pulsos, os lábios de Zairena se franziram como se ela tivesse experimentado algo azedo.

– Lady Bushian – ela falou baixinho –, tem certeza de que é adequado permitir que ela fique? Temo que haja algo errado com ela.

Ela ficou encarando a tigela na minha cabeça, deixando claro o que havia de errado comigo.

– E se ela abrigar espíritos sombrios ou trouxer má sorte para o castelo? – Ela girou seu guarda-chuva. – Não quis dizer antes, mas Hasege avisou que ela... pode ser um demônio.

Megari bufou, nos lembrando de sua presença.

– Hasege chamaria a própria mãe de demônio, se fosse bom pros interesses dele. Não existem demônios em Kiata.

– É aí que você se engana – Zairena falou para a garota. – Todos os demônios estão presos nas Montanhas Sagradas. Apesar de não poderem sair, eles invocam os mais fracos e os obrigam a cometer suas maldades. Temo que esta garota possa estar possuída.

– Que bobagem.

– Respeite os mais velhos, Megari – lady Bushian disse, lançando à filha um olhar de advertência. Então se virou para Zairena, acalmando-a: – Confio mais no meu filho que no meu sobrinho. Takkan mencionou que tinha conhecido uma cozinheira no vilarejo Tianyi. Ele só se esqueceu de mencionar que ela não conseguia falar.

– Não consegue falar? – Zairena tocou a pinta em sua bochecha cheia de pó. Seu tom exalava pena. – Sei. É típico de Takkan se sentir mal por essa garota. Ele tem sua compaixão e generosidade.

– Sim, e pensei que ele tivesse herdado a minha honestidade também – lady Bushian respondeu secamente. – Mas parece que ele tem tido umas aulas com a irmã.

– Ele é um péssimo aluno, mãe – Megari brincou. – Não precisa se preocupar.

– Não? – os lábios de lady Bushian se comprimiram. – Vamos ver se... *quando* ele voltar.

A palavra saiu tensa e, apesar de ter escolhido permanecer indiferente, senti uma pontada de preocupação. Minha própria missão era urgente demais para que eu me preocupasse com os problemas de Takkan, mas agora que sabia que era ele, e não Hasege, o sentinela da Estalagem do Pardal, eu certamente não queria que ele morresse.

Lady Bushian se recompôs e se voltou para mim.

– O inverno está chegando, e você vai ficar até que ele passe. Na cozinha, decidi. Oriyu vai te mostrar a ala dos criados. Agora vá.

Eu não me movi. Estava esperando que ela devolvesse minha bolsa.

– A bolsa, lady Bushian – Oriyu disse. – Acho que ela a quer de volta.

– O que tem aí dentro? – Zairena perguntou.

– Nada – lady Bushian respondeu, franzindo as sobrancelhas. – Absolutamente nada.

Graças aos deuses, aquele feiticeiro não estava mentindo sobre os poderes da bolsa. Eu praticamente a arranquei dos braços esticados da senhora. Segurando-a com as duas mãos, lutei contra o desejo de me certificar de que as urtigas ainda estavam lá dentro.

– Pobre menina – Zairena disse, balançando a cabeça enquanto me via segurar a bolsa com força. – Deve ter valor sentimental... deve ser tudo o que ela tem no mundo.

Relaxei um pouco a mão. Eu precisava parecer menos apegada. A última coisa que queria era levantar suspeitas sobre a minha bolsa.

Zairena deu batidinhas no meu ombro, se aproximando tanto que senti o cheiro de incenso em suas vestes.

– Você não está sozinha, Lina. Sei como deve se sentir.

Antes que eu pudesse afastá-la, ela recuou e se voltou para lady Bushian:

– Permita-me acompanhar Lina até a cozinha e apresentá-la ao pessoal. – Ela colocou sua capa sobre os meus ombros. – Parece que ela gostaria de fazer uma refeição farta, e é o mínimo que posso fazer.

– Tem certeza?

– Não seria problema nenhum.

– Você se tornou uma jovem tão caridosa – lady Bushian a elogiou. – Megari faria bem em aprender com você.

Megari revirou os olhos, e sob o disfarce da minha tigela, eu também. Pelo menos eu não era a única que sabia reconhecer uma víbora de duas caras.

Como se quisesse aproveitar a deixa, um sorriso perverso se abriu nos lábios de Zairena quando ficamos sozinhas.

– Você encantou lady Megari – ela disse, abrindo seu guarda-chuva e erguendo-o no ar. – Mas isso não vai funcionar comigo.

Ela girou e apontou para uma estrutura de pedra em frente ao castelo. Fumaça subia de sua chaminé e o fogo brilhava nas janelas.

– Aqui é onde você vai trabalhar – ela continuou, virando-se abruptamente e me guiando para um depósito de tijolos não muito longe da masmorra.

Um criado estava esperando do lado de fora, segurando um balde de madeira, um cobertor dobrado e uma pilha de roupas – meu novo uniforme, presumi. Depois de fazer uma reverência apressada a Zairena, ele depositou os itens em meus braços e correu de volta para o castelo.

Zairena abriu a porta dos fundos do depósito e gesticulou para o porão com prazer.

– E é aqui que você vai dormir.

Minhas costas ficaram rígidas. Esta não era a ala dos criados, como lady Bushian tinha falado.

Lá dentro, uma estreita escada de madeira levava a uma câmara cavernosa cheia de sacos de arroz e, pelo cheiro, barris de peixe salgado. Não havia tapete para dormir, lareira, nem mesmo um lugar para que eu pudesse esquentar uma chaleira.

Zairena arqueou uma sobrancelha pintada bem fina.

– O que foi? Pensou que ficaria no castelo com os outros criados? Não podemos deixar que você leve má sorte lá pra dentro. Além disso, ninguém quer ficar perto de você com essa *coisa* na sua cabeça. – Ela fez uma pausa. – Exceto os ratos, claro. Eles gostam de fazer visitas agora que ficou frio.

A raiva ferveu dentro do meu coração. Eu não era boba: eu congelaria dormindo neste lugar. Provavelmente, ficaria doente e morreria.

– Se apresse e se lave – Zairena disse, batendo a ponta do guarda-chuva no chão. – Chiruan está te esperando na cozinha.

Me lavar? Com o quê?

Não havia água, somente barris de peixe recém-pescado espalhados entre os já salgados e secos. O cheiro era rançoso.

Antes de sair, ela tirou a capa que tinha colocado sobre os meus ombros.

– Você não vai precisar mais disso.

Um calafrio instantaneamente se infiltrou em meus ossos, e ela fechou a porta do porão, deixando-me ali no escuro.

Pelo menos o lugar era silencioso. E isolado.

Abri a bolsa. Uma luz brilhante escapou, iluminando o ambiente. Estava tudo lá; os fios frágeis de choque-celeste cintilavam como se tivessem sido tingidos pelo sangue das estrelas, e as urtigas selvagens ainda queimavam com o fogo demoníaco.

Desci com cuidado, um passo depois do outro. As escadas de madeira eram velhas, alguns degraus estavam rachados e lascados. Teias de aranha grudaram em minhas mãos quando toquei as paredes. Sacudi os dedos, sentindo repulsa.

Ratos guincharam, encorajados pelas sombras, e trombei em um dos barris de peixe. Que os demônios me levassem, como eu odiava ratos – não tanto quanto eu odiava cobras, mas chegava perto.

Abri mais a bolsa. Uma luz forte se espalhou, e os ratos fugiram, assustados com a magia das trevas que eu trazia. Uma pequena vitória.

Tremi enquanto me vestia. Ainda era dia e este lugar já estava congelante. Isso não era um bom presságio para a noite. Nem para o resto do inverno.

Algo fez barulho do lado de fora, arranhando a parede.

Kiki?, perguntei.

Não, era só um pássaro qualquer. Provavelmente um corvo ou uma gralha.

A preocupação se apoderou de mim. Chamei por ela a semana toda, levando minha mente tão longe quanto podia, mas Kiki nunca respondeu. Será que Hasege a teria encontrado e a matado? Ou ela teria voltado para procurar a ajuda dos meus irmãos?

Pelos cabelos de Emuri'en, eu torcia para que ela estivesse segura.

Fechei a bolsa, e enquanto a luz do choque-celeste diminuía, desci as escadas correndo antes que os ratos recuperassem a coragem de sair de novo.

No último degrau, me virei. Meus olhos foram se ajustando às sombras e meus ouvidos sentiram a presença das baratas e dos ratos. Bichos, um frio insuportável e cheiros horríveis – eu podia lidar com tudo isso. Este lugar era tão asqueroso que não haveria guardas nem criadas aqui. Ninguém entrava no porão, especialmente à noite.

Zairena nunca imaginaria, mas acabou me oferecendo um santuário, um novo local de trabalho. Até eu encontrar um jeito de voltar para os meus irmãos, teria que servir.

CAPÍTULO DEZENOVE

A promessa de calor e comida me fez sair correndo para a cozinha. A construção de madeira irradiava calor e, lá dentro, os cozinheiros gritavam por óleo de gergelim e gengibre enquanto os criados fofocavam, empilhando bandejas de laca, xícaras de porcelana e chaleiras de cobre. Quando entrei, eles ficaram em silêncio. Os servos largaram seus pratos e agitaram amuletos para afastar demônios; os cozinheiros fecharam as tampas de suas panelas de barro e pegaram suas facas.

Pelo visto, Zairena já tinha avisado a todos da minha chegada.

Ergui o queixo. *Que ela tente tornar minha vida miserável. Não vou ficar muito tempo mesmo.*

Somente o chef de cozinha falou comigo.

– Se lady Zairena não tivesse nos avisado que você é um demônio, eu teria te confundido com um peixe – ele grunhiu, atirando-me um pano. Baixinho e gordinho, ele tinha a constituição de um barril, a robustez de um tijolo e a barriga de um urso. Ele era forte também, e o pano caiu no meu braço feito um tapa. – Você fede, garota.

Cheirei minhas mãos. Ele estava certo: eu estava *mesmo* fedendo.

Depois que limpei as mãos, ele jogou para mim – mais uma vez, com força – uma bolsa de arroz embrulhada em folhas secas de junco.

– Coma rápido e depois vá trabalhar.

Recuei para um canto e engoli a refeição, saboreando os pedaços de porco salgado e repolho em conserva. Logo o arroz acabou, mas minha barriga faminta estava apenas parcialmente satisfeita. Não haveria mais comida até o jantar.

O trabalho não era tão diferente das tarefas que eu realizava na estalagem da sra. Dainan: eu tinha que varrer a cozinha e a despensa, lavar a louça e esfregar o arroz queimado do fundo das panelas. Quando Chiruan me mandou buscar lenha no depósito, aproveitei para procurar uma saída.

O Castelo Bushian era uma das menores fortalezas de Kiata – eu poderia cobrir todo o perímetro em meia hora –, mas era uma das mais bem guardadas, situado no topo de uma colina escarpada. Altas muralhas de pedra cercavam o castelo, exceto no leste, que fazia fronteira com o rio Baiyun. As torres estavam repletas de arqueiros, e os dois portões – um no lado norte e outro no sul –, guarnecidos por muitos guardas.

Não seria fácil escapar dali. Mas sobreviver na Floresta Zhensa nesse frio seria ainda mais difícil. A geada já atingia a superfície dos meus baldes de madeira.

O inverno tinha chegado.

Uma manhã, a cozinha estava praticamente vazia quando apareci para trabalhar, e Chiruan estava no fogão, fazendo um bolo. O cheiro era divino, quente e doce, e um toque de gengibre flutuava pelo ar.

– Bolo de caqui, o favorito de lady Megari – ele disse, dispondo três fatias em um prato de porcelana azul, que acomodou em uma bandeja de madeira, ao lado de uma cesta de frutas frescas lindamente decorada com um ramo de flores de ameixa.

– Ela esteve de cama nos últimos dias, mas sempre que pede bolo é um sinal de que está se recuperando. Ela pediu especificamente que você, Peixa, o levasse.

Seu tom não era de insulto ou julgamento, o que me surpreendeu. Assim como o pedido de Megari. *Ela queria que eu o levasse?*

– Não cabe a mim questionar lady Megari, apenas atender seus desejos. O quarto dela fica no nível mais alto do castelo, na ala da Montanha

Leste, corredor esquerdo. Ela deve estar praticando a esta hora, então siga o som do alaúde se você se perder.

Chiruan voltou a atenção para as panelas de ferro assobiando sobre o fogo – o jantar, presumi.

– Não demore – ele disse bruscamente. – Isso não é uma folga das suas tarefas, e se as criadas virem você no caminho de volta do pomar, não vou defendê-la.

Peguei a bandeja e assenti para mostrar que tinha entendido.

– Enrole um lenço na cabeça para que os guardas não vejam a tigela. Eles vão te fazer menos perguntas.

Chiruan estava certo. Os guardas inspecionaram minha bandeja de bolo de caqui, mas ninguém questionou minha presença dentro do castelo.

Os corredores eram estreitos, mal comportando duas pessoas lado a lado, e as paredes de madeira eram decoradas com painéis esparsos, ao contrário das molduras douradas das portas e dos murais do palácio imperial.

Enquanto eu seguia o dedilhado suave de um alaúde lunar escada acima, uma sala com portas abertas chamou minha atenção. Dentro havia dois bastidores de bordar, um tear e uma roda de fiar. Não era muito diferente da antiga sala de costura de Raikama.

– Por aqui! – Megari exclamou, espiando o corredor. – Pensei que tivesse se perdido.

Entrei depressa e coloquei a bandeja em uma de suas mesas laqueadas. Megari me observava com curiosidade, com as mãos juntas atrás das costas. Um leve rubor tingia suas bochechas, mas sua respiração estava curta e havia sombras debaixo de seus olhos. Torci para que o bolo a ajudasse a se sentir melhor.

– Espere, não vá – ela falou assim que me virei para a porta. – Passei a semana toda querendo falar com você.

Fiz uma reverência e apontei para a cozinha. *Chiruan está me esperando.*

– Sente-se, sente-se – ela insistiu. – É uma ordem.

Megari esperou que eu me acomodasse em uma de suas almofadas de seda. Eu poderia ter adormecido ali mesmo, se não estivesse tão preocupada com meu fedor de peixe.

Ela pegou a maior fruta da cesta.

– Coma um caqui. A safra deste ano é a mais doce de todas. Eu sei, porque é minha fruta favorita. Pegue um pedaço de bolo também.

Obrigada. Enfiei o caqui no bolso, mas o bolo eu devorei em três mordidas vorazes. Minha barriga roncou tão alto que fiquei aliviada que a maldição só proibisse minha língua de emitir algum som. Caso contrário, meus irmãos já teriam morrido.

– Coma mais – Megari falou. – Mamãe e papai sempre dizem que a coragem é o lema dos Bushian, mas em tempos como estes, eu gostaria que fosse algo como: "Fique na sua e beba chá". Talvez assim o imbecil do meu irmão não deixasse todos nós preocupados com o que aconteceu com ele.

Parei de mastigar. Engoli.

– Não, pode comer. Ando me entupindo de caqui e bolo pra parar de me preocupar com Takkan, mas eu não devia... Me preocupar, quero dizer. – Megari endireitou a postura, embora seus ombros ainda tremessem. – Ele prometeu que estaria de volta antes do Festival de Inverno, e ele nunca quebrou nenhuma promessa. Ele morre de medo de mim pra arriscar.

Abri um sorriso. Eu sabia exatamente como era se preocupar com irmãos.

A última vez que falei com Takkan, ele me convidara para vir para Iro. Ele disse que a cidade era linda. Sua ansiedade de voltar para casa era evidente. Ele não escolheria ficar longe por vontade própria. Não sem avisar a família.

A menos que algo terrível tivesse acontecido.

– Mas estou me sentindo melhor, agora que você está aqui – Megari disse, um pouco mais animada. Seus ombros pequenos ainda tremiam, mas ela pegou uma de suas bonecas e a abraçou. – Sinto que sei por que ele te deu esse emblema. Você parece uma das garotas das histórias dele.

Abri um sorriso curioso. Histórias? Takkan não me parecia um contador de histórias, mas o que é que eu sabia sobre meu ex-noivo? Eu nem tinha conseguido reconhecer que seu primo bronco estava viajando com seu nome.

– Acho que é meu dever cuidar de você até que ele volte – Megari falou. – Só os deuses sabem das mentiras que Hasege e Zairena espalharam sobre você, com essa tigela na cabeça. Você não consegue tirá-la, não é?

Contorci os lábios, expressando o óbvio.

– Que azar. – A garotinha suspirou. – É estranho, sabe... Zairena não foi sempre assim valentona, não como meu primo. Agora, eles são como duas flores no mesmo galho podre.

Ela se levantou.

– Pelo menos, mamãe mantém Hasege na linha. Mas esses últimos tempos, Zairena poderia botar fogo no castelo todo e ela não a culparia.

Abri os braços, perguntando: *Por quê?*

– Porque os pais dela foram mortos por bandidos na Floresta Zhensa. Mamãe ficou arrasada... lady Tesuwa era sua melhor amiga.

Isso explicava as vestes brancas; Zairena estava de luto.

– Ouvi que você foi encontrada em Zhensa também – Megari falou, abrindo a gaveta da escrivaninha. – Estava indo pra casa?

Eu não sabia como responder de forma que ela entendesse.

Ela pegou uma folha de pergaminho e me ofereceu pincel e tinta já preparada.

– Sabe escrever? Se me contar de onde é, posso pedir a Oriyu pra te mandar de volta. Ou você pode apontar em um mapa.

Hesitei. Na Estalagem do Pardal, pensei em contar a Takkan quem eu era, mas a maldição de Raikama me impediu. Minha madrasta não podia saber que eu estava em Iro. Será que eu arriscaria contar a Megari?

Meu pulso ficou tenso; as queimaduras de choque-celeste tornavam difícil segurar algo tão delicado, mas ignorei a dor e fui em frente.

Eu sou

Ergui a mão, sem coragem de continuar. Essas duas palavras inocentes eram um teste. Esperei, segurando o pincel no ar. Nada aconteceu. Nada de sombras agourentas, nada de cobras.

Será que finalmente estava fora do alcance de Raikama?

Mergulhei o pincel na tinta, ansiosa. Eu tinha tanto para falar. Eu podia pedir para que ela me levasse até meus irmãos, ou contar que minha madrasta era uma feiticeira. Ou que meus irmãos tinham se transformado em grous...

Mas, quando comecei a escrever, a tinta espirrou, se espalhando em uma forma impossível... a forma de uma serpente negra e nebulosa.

O pincel escorregou da minha mão.

Desculpe, falei com a boca, borrando as preciosas páginas com minha manga. A serpente havia desaparecido, mas a tinta se esparramou por toda a mesa.

– Só sujou um pouquinho – disse Megari.

Não era só um pouquinho de sujeira. Minhas mãos se fecharam em punhos quando uma onda de calor tomou conta do meu rosto. Não haveria como escrever para o meu pai, nem solicitar a ajuda de Megari. Em lugar algum eu estaria a salvo da maldição de Raikama.

Com a serpente ainda ardendo na minha memória, procurei a bandeja que tinha trazido, desajeitada. Eu precisava sair para voltar para a cozinha, mas as portas se abriram repentinamente do outro lado e Zairena entrou com um bule de chá fumegante.

– Comendo bolo de novo, Megari? – Ela passou direto por mim, como se eu não existisse. – Não enjoou de caqui ainda? Bolo de caqui, sopa de caqui, chá de caqui. Da última vez que comeu tanto, ficou doente por dias.

– Eu estava cansada, não doente – Megari disse, seca. – É minha fruta favorita.

– Sim, e estou dizendo que você já comeu demais. – Zairena examinou as migalhas no prato com o nariz enrugado. – Além disso, o que é que um a'landano feito Chiruan sabe de doces? As únicas sobremesas que valem a pena são de Chajinda.

Zairena apoiou a bandeja e serviu uma xícara de chá para a garotinha.

– Quem sabe quando o inverno acabar, eu mande buscar uns bolos de macaco. Seria bom sentir um gostinho de casa.

Esses bolos eram a sobremesa mais famosa de Chajinda. Até meus irmãos, que não ligavam para doces, sempre os procuravam nas barracas do Festival de Verão. Eu também gostava. Eles me lembravam dos bolos que minha mãe fazia – que eu jamais comeria de novo.

Megari baixou seu alaúde lunar com cautela.

– Vai mesmo?

– Sim, mas só se você terminar seu chá. Você está se recuperando, Megari, mas precisa comer vegetais e parar de convidar garotas selvagens pra dentro do seu quarto.

Eu tinha terminado de limpar a sujeira, e Zairena pelo menos parou de me ignorar e me lançou um olhar.

– Ela é uma adoradora do demônio. Não ouviu sua mãe?

Megari tocou um acorde alto e dissonante.

– Minha mãe não disse isso. Hasege que disse.

– Dá no mesmo.

– Hasege é um idiota. Você também pensava isso.

– Quando tinha a sua idade – Zairena respondeu, seca. – Depois, aprendi a ter mais respeito. Hasege está por aí arriscando a vida pra procurar seu irmão. Ele pode ser a única esperança de Takkan voltar pra casa vivo.

Megari baixou os ombros, e Zairena lhe serviu mais chá.

– Boa garota. Agora continue praticando. Lina vai voltar pra cozinha.

Antes que Megari pudesse protestar, Zairena agarrou minha bolsa e me arrastou para fora.

Quando estávamos no corredor, ela pegou o caqui do meu bolso.

– Não está roubando, não é?

Ela ergueu uma mão para me bater, mas eu já tinha suportado demais com a sra. Dainan. Segurei seu pulso no alto. Suas sobrancelhas se arquearam em choque.

Ficamos ali no meio do corredor apertado, presas em um impasse furioso. Levantei o queixo, desafiando-a a chamar os sentinelas.

Só que eu não esperava que ela fosse derrubar o caqui. Ele caiu pesadamente no chão de madeira e ela o esmagou com o pé, apertando-o com toda força. Quando ela se afastou, tudo o que restou foi uma maçaroca de polpa.

Atordoada, soltei sua mão e ela se virou, sabendo que, de alguma forma, havia vencido.

Nevou naquela noite – era a primeira neve que eu via, mas não a primeira da estação. Era um lembrete de que meu aniversário, no primeiro dia do inverno, tinha passado durante a semana em que estive na masmorra do castelo. Eu costumava contar os dias e semanas assim que o Festival de Outono terminava, mas este ano esqueci completamente.

Fechei os olhos, fingindo que estava em casa e imaginando o banquete de celebração – os músicos e dançarinos, o palácio todo cheirando a pinheiro e cedro, os telhados decorados com um cobertor de neve. Eu me imaginei chegando em um palanquim festivo com almofadas macias de cetim, manto escarlate com uma longa faixa de brocado e um toucado de seda feito de flores de ameixa e todas as flores do inverno. E a comida...

Abóbora refogada com carne de porco e gengibre, bolinhos de arroz com purê de feijão-vermelho, robalo marinado em vinho doce com cenoura em conserva... As imagens na minha mente eram tão reais que eu quase podia sentir o sabor dos pratos. Mas minha barriga não foi enganada, e os únicos convidados para o meu "banquete" de aniversário deste ano foram os ratos guinchando em volta dos meus chinelos.

Para comemorar, deixei os choque-celestes de lado, dando às minhas mãos um dia de descanso. Fiquei deitada ali no porão observando os raios de luar que perfuravam as lacunas entre os tijolos e pegando pedacinhos de neve derretida que deslizavam pelas ripas do telhado.

Poucos meses atrás, eu tinha que lembrar a todos de que tinha dezesseis anos e não era mais uma criança. Se algum dia eu voltasse, duvidava que alguém cometeria esse erro de novo. Esses últimos meses pareciam anos. Eu mal podia acreditar que só tinha dezessete.

No meio da noite, algo fez cócegas em meu nariz. Dei um tapa na minha própria cara, pensando que era uma mosca.

É assim que você me cumprimenta, Shiori, quando vim até aqui só pra te desejar feliz aniversário atrasado?

Kiki!

Levantei de uma vez. Ela pousou na minha mão e eu a embalei em meu peito. *Estava com saudades.*

Eu fui atrás de você, mas... Ela me mostrou a asa, que estava dobrada. *A chuva.*

Oh, tadinha. Endireitei o vinco, passando os dedos pelas gravuras prateadas e douradas em sua asa, tão delicadas que pareciam penas. *Aqui, novinha em folha.*

Kiki bateu as asas, agradecida, mas quando tornou a falar, sua voz tremeu. *Pensei que aquele sentinela bruto tinha te matado.*

Graças às Cortes Eternas, não foi dessa vez. Mas você nunca vai adivinhar para onde ele me trouxe.

Ela girou o pescoço e franziu a ponta do bico. *Pra peixaria?*

Dei risada em silêncio. *Bem-vinda ao meu banquete de aniversário atrasado*, pensei em uma voz festiva, *sediado este ano no porão de peixes mais luxuoso do Castelo Bushian.*

Este é o Castelo Bushian?, ela perguntou.

Não é irônico? Mas agradeço Emuri'en por você estar aqui. Vou precisar de ajuda pra sair deste lugar.

Sair? O frio vai te matar, Shiori. Você devia ficar aqui até o inverno acabar. Fique e termine a rede, então volte pros seus irmãos na primavera.

Ainda tenho tempo, insisti. *Zhensa fica perto de Iro. Eles não podem estar tão longe.*

Há um motivo pra Zhensa ser chamada de floresta sem fim. Kiki se escondeu no meu cabelo, e falou perto do meu ouvido: *Pense, Shiori. Pra que se juntar aos seus irmãos sem a rede?*

Eles devem estar me procurando...

Vou espalhar pras criaturas da floresta que você está bem, ela me interrompeu. *Seus irmãos devem estar procurando informações sobre o nome de Raikama, e não pensando em você. Você é uma distração pra eles, assim como eles são pra você.*

Como assim eles são uma distração pra mim?

Olhe pras suas mãos. Kiki passou uma asa nas minhas cicatrizes. Só isso já me fez tremer. *Você vai conseguir terminar a rede sem soltar nenhum som?*

Sim, assenti firmemente. *Claro que sim.*

Porque você tem uma grande força de vontade. Mas vai precisar de mais que isso pra vencer a maldição. Você vai precisar de um coração forte também. Mesmo com toda a alegria que eles te trazem, você não poderia dar risada com eles nem brincar ou conversar com eles à noite, e de dia você ficaria se martirizando quando eles se transformassem em grous. Você ficaria triste, e a última coisa que iria querer fazer seria trabalhar com o choque-celeste. Ela jogou as asas para o alto, demonstrando incredulidade. *Além disso, você realmente quer passar o inverno todo dentro daquela gruta?*

No fundo, sabia que ela tinha razão. Agora que o inverno havia chegado, a gruta estaria ainda mais gelada que este porão. Mas meu coração estava decidido a encontrar meus irmãos novamente para que quebrássemos a maldição juntos. Nada poderia me dissuadir.

Você acha que essa fortaleza não é uma prisão? Que minhas tarefas aqui não são uma distração? Argumentei. *Todo mundo me trata como se eu fosse um monstro, Kiki. Não posso nem ir ao rio procurar Seryu. Não vou ficar, não enquanto houver alguma chance.*

Kiki bufou. *Garota teimosa. É uma péssima ideia, estou te avisando. Se tentar fugir, o melhor que vai conseguir é acabar na masmorra de novo. Não diga que não te avisei.*

Não vou dizer, respondi em silêncio, envolvendo meus ombros no cobertor.

Eu tinha dezessete anos. Já tinha maturidade o suficiente para saber que a única culpada pelas minhas decisões era eu mesma.

CAPÍTULO VINTE

A sorte dos dragões não estava do meu lado. Nos dias seguintes nevou sem parar, então a chuva veio e transformou o mundo em lama enquanto os ventos uivavam pelas árvores encolhidas do lado de fora do meu porão.

Mas não foi o mau tempo que me impediu de sair. O problema real eram os portões. Tudo que eu precisava era de uma abertura mínima para poder escapar, mas as portas de ferro permaneceram impassivelmente fechadas e trancadas.

Quem você acha que vai chegar ou sair da fortaleza nessa tempestade?, Kiki perguntou.

Ainda assim, eu não queria desistir e, na terceira noite, minha paciência foi recompensada.

Eu estava trabalhando nas urtigas, lascando fora suas folhas serrilhadas e cortando seus espinhos de fogo, quando tambores explodiram.

A princípio, confundi o som com um trovão. Mas então percebi o ritmo que fazia as paredes estremecerem. Parei para escutar.

Três batidas. Silêncio. Então os tambores recomeçaram, desta vez mais rápido.

Me sentei ereta, tensionando os músculos. *Kiki, está ouvindo isso?*

Kiki saltou do meu ombro e se espremeu entre os tijolos para espiar lá fora. *Tochas estão sendo erguidas nas torres de vigia. Não sei o que significam, mas os guardas estão baixando a ponte sobre o rio. Algo está acontecendo.*

Que sorte! Se os guardas estavam baixando a ponte, significava que alguém estava chegando. Essa podia ser nossa oportunidade de escapar. Apressadamente, guardei as urtigas na bolsa, coloquei-a no ombro e saí.

Você tem um plano ou pretende vagar sem rumo?, Kiki perguntou, ácida.

Tenho um plano. Mais ou menos. *Sabe o estábulo por onde passo todos os dias a caminho da cozinha? Vou roubar um cavalo e sair enquanto o portão está aberto.*

É um plano terrível!, Kiki exclamou. *Eles vão atirar em você antes que você cruze o portão.*

Tenho que tentar.

Me mantive nas sombras enquanto corria pelos pátios vazios, mergulhando nos arbustos sempre que percebia movimentação à frente.

Bem que Kiki falou. Guardas, soldados, até sentinelas – todos estavam correndo para o portão norte. Alguns estavam até a cavalo.

Eles estavam apressados e o portão já estava rugindo; as pesadas portas de ferro rangiam contra a terra. Arqueiros brotavam das torres de vigia e cavaleiros contornavam os muros da fortaleza enquanto a chuva caía, transformando a neve derretida do solo em poças lamacentas.

Além do portão, era uma escuridão completa.

Finalmente, admiti que essa era uma ideia terrível.

Está vendo agora?, Kiki sussurrou severamente. *Você acha que pode simplesmente sair pelo portão nessa chuva? Vamos voltar pro porão antes que alguém te veja. Venha.*

Mordi o lábio, derrotada, hesitando um momento antes de caminhar pesadamente de volta para o porão de peixes.

Atrás de mim, os guardas gritavam uns com os outros, abrindo o portão.

– Abram caminho! Lorde Takkan voltou!

Minha pulsação acelerou, em contraponto aos meus passos vacilantes. Takkan estava de volta?

Flechas zuniram no céu em direção à fortaleza. Só peguei vislumbres à luz das tochas. Então elas lascaram as paredes de pedra do castelo e acertaram os telhados. Várias quicaram pelo chão, pousando não muito longe dos meus pés.

Dei um salto para trás, assustada. A fortaleza estava sob ataque!

Kiki disparou para a guarita para se proteger. Enquanto ela se escondia nas ripas de madeira acima da janela, eu me agachei do lado de fora da porta e estreitei os olhos para enxergar o que estava acontecendo.

Um cavalo avançava pelo portão; seu cavaleiro berrava palavras que não consegui entender. Havia dois homens montados e pensei ter visto Takkan de relance, mas não tinha certeza.

Conforme a tempestade se intensificava, os sentinelas trabalharam rapidamente para fechar o portão. Mas os homens do outro lado se afunilavam pela fenda, seus cavalos chapinhando no chão molhado.

Sicários.

Devia haver uma dúzia deles. Suas lâminas brilhavam.

A chuva caía em minha cabeça, abafando os sons da luta que se desenrolava adiante. Rastejei de volta para a guarita e pressionei a bochecha em um pilar. Lá fora, os homens caíam. Lampiões eram estilhaçados.

O medo foi subindo pela minha garganta enquanto Kiki se encolhia atrás do meu cabelo. *Nunca pensei que fosse dizer isso, Shiori, mas estou com saudades do porão.*

Peguei um banquinho, quebrando uma perna dele para usar como arma, e me escondi embaixo da janela. Flechas voadoras faziam os lampiões piscarem; os homens estavam tão perto que eu ouvia seus gritos cortando a chuva.

– Ajudem! – um sentinela estava berrando do lado de fora. – Oriyu? Hasege?

Seu pedido se perdeu na tempestade, nos sinos de alarme e no clamor da batalha, mas eu o ouvi. Espiei a janela, reconhecendo o cavalo do sentinela como o que tinha entrado com tudo pelo portão. Uma flecha projetava-se do flanco da montaria, e o sentinela estava tirando seu companheiro das costas do animal.

– Ajudem! Lorde Takkan está ferido.

Meus pés tensionaram dentro dos sapatos. Eu tinha que fazer alguma coisa. Eu tinha que ajudar.

Shiori, não. Kiki puxou meu cabelo.

Mas eu já estava saindo porta afora. *Aqui*, acenei para o soldado, e peguei Takkan pelas pernas. Juntos, voltamos desajeitadamente para a guarita – fugindo de flechas e dos destroços que caíam ao nosso redor.

Deitamos Takkan em um tapete. Seu rosto estava contorcido de dor. Tentei em vão perguntar o que tinha acontecido

– Não fique parada aí, garota – o sentinela vociferou. – Me ajude a tirar a armadura.

Obedeci. Tirei as manoplas, as botas e a espada dele, pousando os dedos por um segundo no entalhe de sua bainha – o brasão de sua família, percebi mesmo nas sombras. Uma lua cheia envolta em flores de ameixa.

Com cuidado, removemos a armadura de aço e o forro de couro sobre o torso de Takkan. Levei a mão à boca de susto quando vi o sangue vivo sob a luz difusa. Era tanto sangue... tanto que não consegui nem descobrir de onde vinha.

O sentinela soltou um suspiro profundo.

– É pior do que pensei – ele falou, tentando estancar o sangue com os dedos. Havia uma ferida à esquerda do coração de Takkan, uma punhalada profunda. – Vamos ter que chamar o médico. Diga a lady Bushian...

De repente, uma flecha acertou uma das vigas de madeira acima de nós, e dei um pulo de susto. Recuperei a compostura quase instantaneamente, arrancando-a dali.

– Esqueça, você vai morrer se sair. Fique aqui.

Ele também estava machucado – dava para saber pelos cortes em sua armadura e pelo sangue manchando seu couro cabeludo –, mas suas feridas não eram tão graves quanto as de Takkan. Ele o posicionou no meu colo e deixou um pequeno lampião ao nosso lado.

– Mantenha a lateral do tronco dele elevada e faça pressão na ferida enquanto eu procuro ajuda. A vida dele depende disso, está entendendo?

Sim. Nem percebi quando ele saiu. O sangue se acumulava no local onde eu fazia pressão, vermelho e vívido e infinito. O ar tinha um cheiro forte de cobre, fazendo meu estômago se revirar e se contorcer.

Ele grunhia toda vez que eu aumentava a pressão, o que era tanto um alívio quanto uma aflição. Pedi para Kiki buscar água da chuva para pingar sobre seus lábios ressecados, mas queria fazer mais por ele.

É o Garoto Rabanete, não é?, Kiki brincou. *Ele está diferente.*

Afastei o cabelo do rosto de Takkan e toquei sua bochecha molhada e gelada. Ele parecia mais novo do que eu me lembrava; seu cabelo tinha sido cortado, suas bochechas e queixo estavam lisos. Ele era indiscutivelmente bonito, embora a maioria das garotas da corte o achassem muito desleixado. Se ele fosse qualquer um que não o filho de lorde Bushian, até *eu* o acharia bonito. Mas não podíamos mudar nossas linhagens.

No vilarejo Tianyi, pensei que ele era um estranho. Um sentinela leal que tinha tomado para si a tarefa de procurar os filhos do imperador – assim como muitos outros pelo país.

Esta era a primeira vez que eu o via sabendo quem ele era: Takkan, meu noivo, o garoto que eu desprezava... simplesmente por existir.

Quantas vezes eu tinha sido horrível, rezando egoistamente para que ele morresse – para que seu navio se perdesse no mar ou que ele caísse em um poço – só para não ter que me casar?

Talvez eu merecesse *mesmo* essa tigela na cabeça, merecesse nunca mais falar de novo. Talvez eu merecesse ser mandada para longe da minha família para nunca mais poder voltar para casa.

Dei uns tapinhas em suas bochechas, tentando trazê-lo à consciência. *Vamos lá, Takkan. Você não pode morrer. Não aqui, não nos meus braços. Você tem que viver – e quando eu quebrar a minha maldição, posso pedir ao meu pai para desatar nossos fios e você vai ficar livre para se casar com quem quiser. Você não vai querer ter seu destino amarrado ao meu, aposto.*

Me inclinei para ele, pressionando a ferida com mais força. *Você vai encontrar uma garota legal que adora neve e coelhos e lobos e o que mais que vocês do Norte gostam. Vamos lá*, implorei. *Por favor, não morra.*

Nossas vidas teriam acabado ali mesmo se Kiki não tivesse notado o sicário se aproximando na escuridão.

Shiori!, ela gritou.

Procurei a espada de Takkan. Só que não tive chance de desembainhá-la, porque ele atacou.

Minhas costas bateram contra a parede e a ponta de sua espada rangeu contra minha bainha inútil. Segurei o cabo com firmeza, empurrando-o com todas as minhas forças. Meus dedos estavam escorregadios de sangue, e meus cotovelos, cravados nas paredes. Eu não conseguia ver seu rosto, mas ele devia saber que um golpe seria o suficiente para acabar comigo.

Kiki!

Minha ave já sabia o que fazer. Ela saltou sobre o nariz dele e cobriu seus olhos com as asas.

O sicário atacou ferozmente e eu me abaixei. Sua lâmina acertou minha tigela, que se provou um escudo útil. A espada cortou o ar, foi em direção à parede e se fincou entre as ripas de madeira.

Cantei vitória antes da hora. Quando Kiki voltou para o meu lado, o sicário agarrou uma das ripas e me derrubou.

Suas mãos encontraram meu pescoço e o pânico tomou meu peito. Desferi socos e chutes, mas de nada adiantou. O ar se esvaía de meus pulmões e manchas brancas dançavam em minha visão. De repente, minha mente travou – eu estava me afogando no Lago Sagrado de novo. Estava encurralada. Morrendo.

No canto, Takkan de repente gemeu. Ele chutou o lampião, que rolou no chão e veio depressa na minha direção fazendo barulho.

A alça enferrujada me pareceu a coisa mais deliciosa que meus dedos já haviam tocado. Sem pensar duas vezes, acertei o lampião no crânio do sicário.

As chamas se espalharam rapidamente sobre sua capa e ele gritou, correndo para fora na chuva. Em segundos, uma flecha atingiu suas costas. E ele desabou, morto.

Pelos deuses, eu também quase morri. Respirei fundo, tentando me recuperar. Então me lembrei – Takkan estava acordado! Rastejei de volta para ele. O terror apertou meu coração quando vi que seus movimentos tinham aberto ainda mais a ferida. O sangue se derramava pelo chão, e quando o coloquei em meu colo de novo, ele pegou minha mão, agarrando meus dedos fracamente.

– Feche – ele sussurrou. – Feche-a.

Seus olhos cederam mais uma vez, e engoli um grito mudo. O sangue não parava de jorrar, não importava a força que eu fizesse para pressionar a ferida.

Que os demônios me levem! O que eu devo fazer?

Me virei, procurando à minha volta algum jeito de ajudá-lo. Vi espadas de todos os tamanhos, uma pedra de amolar, uma pequena jarra de vinho de arroz sob um dos cobertores. O que era uma guarita sem remédios ou suprimentos? Procurei em seus bolsos. Não havia nada.

A mochila dele, Shiori!

A mochila – a mesma que eu tinha revirado na Estalagem do Pardal. Não tinha visto linha e agulha lá dentro?

Minhas mãos trêmulas estavam escorregadias de suor. Encontrei a caixa de cobre, o cantil... fui atirando as coisas para trás. Aqui! Quase não vi – uma agulha de osso enfiada em um rolo de musselina. Pela primeira vez na vida, consegui colocar a linha na agulha logo na primeira tentativa. Então a segurei entre os dedos. Meu coração acelerava conforme eu juntava as extremidades da pele rasgada de Takkan.

A chuva escorria das rachaduras no telhado de madeira, tamborilando contra minha cabeça enquanto eu arregaçava as mangas. No último minuto, meti meu avental na boca de Takkan.

Eu não tinha ideia do que estava fazendo, mas precisava dar um jeito de limpar a ferida. Abri a jarra de vinho de arroz e a despejei nela, apertando seus dedos enquanto ele se sacudia. Eu tinha certeza de que tinha lhe provocado uma dor insana, mas ele mal soltou um gemido. Como eu, ele sabia ser silencioso.

Eu só sabia que estava fechando a ferida aberta diante de mim. Nunca tive uma mão muito firme e meus dedos estavam ainda menos ágeis agora, depois de semanas lutando contra as urtigas. Mas eu duvidava que Takkan se importasse com a beleza dos meus pontos.

O primeiro foi o mais difícil. Costurar pele não era nada parecido com bordar tecidos de seda – a pele era bem mais grossa, mais escorregadia, mais macia. Os dedos de Takkan se contorciam, o que me pareceu um sinal reconfortante – eu não o estava matando.

Enquanto trabalhava, cantarolei minha musiquinha na cabeça:

Channari era uma garota que vivia à beira-mar,
com linha e agulha ela costurava.
Costure, costure, costure para o sangue parar.
Respire, respire, respire, da noite para o dia que vai raiar.

A letra que inventei na hora não era muito boa, mas o ritmo me acalmou e me manteve firme, mesmo quando meus dedos tremeram e se atrapalharam com a agulha. Perdi a conta de quantas vezes isso aconteceu.

Então terminei. O sangue manchou a linha e ainda escorria um pouco por entre os pontos, mas consegui impedir o pior.

O coração de Takkan pulsava na minha mão. A cada batida, ele foi se estabilizando.

Graças a Emuri'en, eu não o tinha matado.

Me inclinei para trás, relaxando o corpo de alívio. Lá fora, a chuva minguava. A batalha parecia ter terminado, e o silêncio tinha caído sobre a fortaleza. Eu finalmente soltei o ar que estava prendendo, só para suspirar de susto alguns segundos depois.

Ouvi passos se aproximando.

– Sicários a'landanos – uma voz rouca disse do lado de fora. Fiquei imóvel para poder ouvir melhor, com o olhar fixo na figura armada emergindo das sombras. – Eles seguiram Takkan e Pao para dentro de Iro.

Shiori, esse é...

Kiki não precisou terminar. Meu estômago se embrulhou de pavor.

Contornando a guarita com o rosto banhado pela luz de tochas, Hasege apareceu.

– Um foi capturado – ele continuou, sacudindo sua lâmina imaculada –, mas ele se comprometeu com o Senhor Sharima'en em vez de falar. Onde está meu primo?

Parei de ouvir. Já estava pegando a bolsa. Não podia arriscar ser flagrada com o choque-celeste, muito menos por Hasege.

– Você aí! – ele gritou quando disparei pela janela. – Pare!

Corri o mais rápido que consegui, saltando sobre as poças largas dos pátios de pedra. As tochas tinham se apagado fazia tempo, extinguidas pela chuva, e voltei quase na escuridão completa.

Horas depois, mandei Kiki descobrir novidades sobre Takkan.

Ela voltou sem nada.

CAPÍTULO VINTE E UM

Ele não tinha morrido. Não ainda.

Foi tudo o que descobri na manhã seguinte. A cada poucas horas, os criados levavam sopa para Takkan – grossos preparados de ervas que faziam meu nariz se franzir e meus olhos lacrimejarem. Pela expressão melancólica que eles tinham a cada vez que voltavam, entendi que não estavam ajudando muito.

Isso era tudo o que eu sabia de seu estado. A cozinha ficou silenciosa após seu retorno. Havia pouca fofoca e pouca novidade – o que era preocupante, mas também reconfortante. A falta de informações significava que ele não estava morrendo. Pelo menos, era o que eu esperava.

Para não enlouquecer, me mantive ocupada com minhas tarefas. A tempestade tinha piorado, então eu fazia menos viagens ao depósito e passava mais tempo na cozinha. Várias vezes, me ofereci para preparar minha sopa para Takkan, mas ninguém entendeu, então tentei ser útil de outras formas. Não importava quão rápido eu terminasse de passar pano no chão e esfregar as panelas, os cozinheiros de olhos cansados de Chiruan, Rai e Kenton, não me deixavam chegar perto de suas mesas de trabalho, nem mesmo para lavar o arroz.

– Esse arroz vai tocar a boca de lady Bushian e sua família – Rai vociferou. – Não podemos permitir que ele feda a peixe.

E quando tentei limpar o peixe, eles o arrancaram de mim também.

– Podiam até te deixar cozinhar no vilarejo Tianyi, mas aqui não. Esta é a mansão de um lorde, Lina. Não podemos deixar seu espírito imundo contaminar a comida.

Chiruan observava do canto, com ares de desaprovação, mas nunca dizia nada.

O pior era durante o almoço, quando todos os outros criados se reuniam na longa mesa da antessala. Todos os dias, quando eu subia para pegar minha comida, Rai afastava minhas mãos.

– Demônios não precisam comer – ele disse. – Certamente não carne ou vegetais.

Kenton era tão cruel quanto ele.

– Quer comida extra, Lina? Aqui. – Ele despejou uma concha de água na minha tigela e deu uma risadinha.

Olhei para ele, apertando os lábios e sugando as bochechas, fazendo uma careta monstruosa que parecia aterrorizar os cozinheiros. Era meu jeitinho de me vingar deles. Com frequência, eu me imaginava enrolando-os em arroz-doce e trancando-os no porão de peixes – uma oferenda aos ratos.

Estava sentada sozinha na mesa quando Chiruan colocou uma tigela de arroz cozido na minha frente junto de um pratinho de cenouras e cogumelos e uma tigela de sopa.

– Não confunda isso com pena, Peixa – ele disse com uma voz áspera.

Fiquei encarando-o, emocionada com a gentileza inesperada. *Obrigada.*

– Mas, Chiruan – Kenton protestou –, lady Zairena disse...

– Sou eu quem manda nessa cozinha! – Chiruan gritou, deixando todos perplexos. – Não Zairena. Nem Hasege. Sou eu. A Peixa está sob o meu comando. Entendido?

– Entendido – eles responderam, começando a comer.

Dei três mordidas e uma moça com um guarda-chuva escarlate surgiu do lado de fora da janela, se aproximando da cozinha. Seus cabelos estavam envoltos em um lenço para protegê-los da chuva. Prendi a respiração, torcendo para que não fosse...

Zairena.

– Fechem as janelas! – os criados sussurraram. – Rápido!

Eles se dispersaram, parecendo saber o motivo da visita. Dispararam para a despensa, escolhendo ingredientes, enquanto Rai e Kenton pegavam um bule, uma peneira e um pilão de pedra.

– Lady Megari deve estar mal de novo – Chiruan murmurou, abaixando a tigela. A fumaça começou a nublar a cozinha, e ele atiçou as chamas. – A menina anda com o estômago mais fraco que o de uma borboleta. Que pena, o espírito dela é tão forte.

Comecei a abrir uma das janelas, mas Chiruan me impediu.

– Não faça isso. Lady Zairena diz que o ar lá de fora estraga o chá. – Ele deu um suspiro forte, demonstrando irritação e respeito. – É uma mistura especial que ela aprendeu das sacerdotisas de Nawaiyi. Faz maravilhas com lady Megari.

Debaixo da minha tigela, levantei uma sobrancelha cética. Nawaiyi *era* mesmo famosa por seus templos de cura, mas eu achava difícil acreditar que suas devotas sacerdotisas tinham ensinado Zairena – entre todas as pessoas – suas artes.

Zairena entrou pelas portas de correr e seguiu direto para as chaleiras de bronze chacoalhando sobre o fogão. Ela tinha uma bolsinha pendurada no pulso, e moeu seu conteúdo no pilão de pedra antes de preparar seu chá especial. Nenhum chá que eu conhecia exigia a atenção de cinco criados.

– Leve isso para lady Megari – ela disse para um deles. – E traga outra tigela. Não, essa não, sua tola. – Ela empurrou a garota. – Uma com tampa. – Ela arrumou a bandeja afetadamente. – *Esta* é para lorde Takkan.

Para Takkan?

– Você o viu, lady Zairena? – uma das criadas perguntou, preocupada. – Ele está melhor?

– Sua consciência vem e vai – ela murmurou alto o suficiente para que eu pudesse ouvir. – A febre dele baixou, mas ele tem recusado comida. Até água. Lady Bushian está fora de si.

A preocupação perfurou meu coração e espiei por cima do ombro para ver o que Zairena estava preparando para ele. Sopa, ao que parecia.

– Chiruan, você tem mais tâmaras-vermelhas secas e raiz?

Ele desapareceu na despensa e voltou com uma grande caixa de laca vermelha que eu já tinha visto ao seu lado uma ou duas vezes. Uma nuvem de aromas levemente familiares flutuou no ar: especiarias e ervas de Lor'yan.

Cometi o erro de parecer curiosa. Rai me viu espiando e bloqueou minha visão.

– Está intrigada com a caixa de receitas do velho, pelo que estou percebendo. Devem ser as especiarias.

Kenton deu risada.

– Ele deve ter algumas que dariam um incenso perfeito para combater demônios feito você.

Ignorei os cozinheiros, me agachando perto dos baldes para terminar de esfregar o chão.

– Não preciso mais de assistência – Zairena estava dizendo para Chiruan e para os outros criados. Ela arregaçou as mangas e mexeu na panela. – Já incomodei vocês demais, podem ir terminar o almoço. – Ela fez uma pausa. – Exceto você, Lina. Venha aqui.

Me levantei devagar.

Zairena tinha um sorriso malicioso no rosto.

– Ouvi dizer que você era famosa no vilarejo Tianyi por conta da sua sopa. Estou pensando em fazer para Takkan um caldo para abrir seu apetite, algo mais leve que aquelas sopas de ervas que Chiruan tem mandado para o castelo.

Sua colher bateu nas laterais da panela, fazendo um barulho desagradável. Mas não foi por isso que vacilei. Será que ela realmente queria que eu ajudasse?

– Você sabe como a cozinha fica quente quando se está preparando uma sopa. Estou sentindo uma sede terrível. – Seu olhar pousou na minha comida esfriando na mesa, ainda praticamente intocada. – Por favor, traga-me um pouco de água fresca.

Água fresca? Me virei para o poço atrás dos fogões.

– Não, não. Essa água é quente e suja, com todos esses pedaços de carvão e arroz boiando na calha. Eu queria água limpa e gelada. O poço da ponte sudeste é o mais refrescante. Traga-me uns baldes, sim?

Será que ela estava falando sério? Estava chovendo tanto que eu podia encher baldes de água do céu antes de chegar ao poço sudeste. Mas ninguém me defendeu.

– Por que esse bico, Lina? O frio e a chuva não deveriam afetar alguém como você.

Ressentida, chutei minhas saias e obedeci.

Minhas vestes ficaram encharcadas assim que pisei para fora. Me enfiei nos estábulos quando a chuva piorou, acertando o quadril em um dos bebedouros dos cavalos. Palha flutuava em suas águas e eu bufei silenciosamente.

Deuses, quão satisfatório seria jogar um balde de água de cavalo na cara de Zairena!

Mas, enquanto me preparava para enfrentar a chuva, a água turva se mexeu, e uma voz seca e familiar ecoou:

– Só por você, princesa, eu aguentaria a indignidade de ter que ser ouvido de um cocho de cavalo.

Era a última voz que eu esperava ouvir, especialmente saindo do cocho, e dei um salto para trás de susto.

Claro, era Seryu! Seus olhos vermelho-rubi brilharam através dos pedaços flutuantes de feno. O contorno de seu cabelo verde trazia um conforto familiar.

– Sabia que é mais difícil rastrear você que os filhos do vento? – o dragão me repreendeu. – Eu estava todo preocupado que meu avô tivesse mudado de ideia e lançado um raio na gruta dos seus irmãos, e em vez disso descubro que você arranjou um castelo.

Sou engenhosa, respondi em pensamento, recuperando um pouco da minha antiga identidade. *Sempre fui.*

Coloquei o dedo nos lábios, olhando em volta para me certificar de que estávamos sozinhos. *Desculpe pelo nosso encontro no rio. Acabei encontrando soldados.*

– Eu sei – ele falou. – Primeiro, fiquei com raiva, até que ouvi seus irmãos procurando você. Quem imaginaria que seis grous poderiam guinchar tão alto sobre o Mar de Taijin?

Isso era estranho; Hasege *tinha* me levado para longe de nosso esconderijo na floresta, mas eu ainda conseguia ver Zhensa à distância pela minha janela, se olhasse com atenção. *Por que eles não conseguem me encontrar?*

– Por quê? – A tensão em sua voz era perceptível. – A magia de sua madrasta é forte, muito mais forte que pensei. Quando estão na forma humana, ela invoca serpentes para impedi-los de buscar ajuda. E, quando estão na forma de grous, sempre que chegam perto de te encontrar, fortes ventos os tiram do curso e os levam para o mar.

Cerrei os punhos. Eu já tinha visto em primeira mão o quanto os ventos poderiam ser perigosos para os meus irmãos.

– Tentei chamá-los – Seryu continuou. – Fiz contato com dois deles. O mais novo, que fala com os animais mesmo depois de voltar à forma humana...

Hasho.

– ... e com o bonito, o melhor caçador.

Benkai. Suspirei, aliviada por saber que eles estavam bem. *Você andou os observando.*

– Só quando eles atravessam o mar. Não tenho conexão nenhuma com seus irmãos, e eles não têm magia no sangue, o que torna a comunicação difícil.

Mas pode tentar de novo? Prometa que vai tentar.

– Dragões não fazem promessas para humanos – Seryu disse sem rodeios. – Especialmente àqueles que roubam choque-celeste do Monte Rayuna sem me contar.

Desculpe, Seryu. De verdade. Fiz uma pausa, tocando a borda do cocho de cavalos e me inclinando para o seu reflexo. *Mas, por favor. Se não pode fazer uma promessa pra uma humana, faça pra uma amiga.*

A água ficou imóvel. Então Seryu bufou, e eu soube que ele tinha cedido.

– Os outros devem estar certos. Imagine eu, o favorito de vovô, aguentando o peso de sua ira. Por uma humana. – A voz de Seryu suavizou. – Eu devo mesmo gostar de você.

Minhas bochechas esquentaram e uma onda de alívio me varreu. Eu teria abraçado esse dragão se ele estivesse aqui, mas ele não estava. *Obrigada.*

– Não me agradeça ainda. – Seus olhos vermelhos cintilaram. – Sua madrasta vai encontrar outras maneiras de me deter. Seu maior poder é convencer os outros a cumprir suas ordens.

Disso eu sabia. Eu me lembrava de como seus olhos adquiriam um tom amarelado quando ela usava seu poder. Eu me perguntava quantas vezes ela recorreu a isso com meus irmãos para fazê-los a amarem, ou com meu pai para fazê-lo escutá-la. Estremeci. Rezava para que nunca tivesse funcionado comigo.

– Estou começando a acreditar que ela realmente tem uma pérola de dragão – Seryu continuou.

Ela tem. Cruzei os braços. *Eu vi. Ela a guarda no coração, como você. Foi como ela transformou meus irmãos em grous...* Toquei a tigela de nogueira na minha cabeça. *E como me amaldiçoou com isso.*

– Eu estava mesmo me perguntando o que era isso – Seryu disse, seco. – Pensei que era algum tipo esquisito de chapéu humano. Bem, isso explica por que sua magia foi silenciada. Por que nossa conexão através da pérola está mais fraca.

Tem mais: eu não posso falar nem contar a ninguém quem eu sou, nem através da escrita.

– Então eu conto por você.

Não. Só você e Kiki podem saber, já que estamos conectados. Ninguém mais. Não quero correr o risco de Raikama punir meus irmãos.

A água se agitou, e Seryu mostrou uma expressão que não consegui interpretar.

– Conte-me da pérola.

Era como uma gota de noite, comecei a narrar, *escura e quebrada. Quando ela invocou seu poder, seu rosto se transformou no rosto de uma cobra.*

A água aquietou enquanto Seryu refletia.

– Então esse é seu verdadeiro rosto – ele murmurou. – Ninguém pode mentir para a pérola de dragão, especialmente se não a possui. Mas uma pérola escura e quebrada... nunca ouvi falar de algo assim antes.

Talvez seu avô saiba. Será que você pode perguntar sem dizer nada sobre a minha maldição?

– Ele não está falando comigo. Da última vez que tentei, ele cortou meus bigodes e me jogou em um redemoinho. Mas alguém vai irritá-lo logo. Enquanto isso, vou procurar seus irmãos e pedir para que venham te buscar.

Não, não faça isso. Falei sem pensar, surpreendendo-me com minhas próprias palavras tanto quanto Seryu. Nessa mesma semana, eu estava disposta a arriscar a vida só para me reunir com meus irmãos. Mas estava começando a entender a sabedoria do conselho de Kiki.

Eles têm a missão deles, e eu tenho a minha. Engoli em seco. *É melhor assim.* Essa afirmação saiu mais facilmente do que eu esperava, livre de culpa ou sofrimento. *Ou talvez seja melhor nunca quebrar essa maldição.*

– O que está dizendo?

A essa altura, eu já não sabia mais. Estava exausta. Minha mente estava enevoada de tanto me preocupar com Takkan e meus irmãos, meu corpo estava esgotado de tanto trabalhar com o choque-celeste e na cozinha. Por um bom tempo, me forcei a não pensar mais na maldição, mas agora, quase congelando na chuva, ensopada e vulnerável, acabei deixando meus medos mais sombrios emergirem.

Tenho que falar o nome verdadeiro da minha madrasta para quebrar a maldição. Mas, se eu falar, um dos meus irmãos vai morrer.

– Que dilema desagradável – o dragão comentou.

Me ajude, Seryu. Você consegue tirar essa tigela da minha cabeça? É o único jeito de eu recuperar minha magia.

A água ondulou, e senti uma força invisível tocando a tigela. Ele puxou e puxou, até que finalmente soltou um grunhido de derrota.

– Vou pensar melhor, Shiori – ele murmurou. – Termine a rede antes que meu avô mude de ideia sobre deixar você viver. Vou procurar Kiki quando tiver notícias sobre a sua madrasta. Estou confinado nas águas até a primavera, e seria melhor se desse para você ir até o rio. Você consegue?

O rio ficava fora dos muros da fortaleza. Eu não sabia se conseguiria sair, mas descobriria um jeito. Concordei.

– Tente não arranjar confusão até lá, hein?

O que faz você pensar que vou arranjar confusão?

– Você está certa, era melhor pedir a uma mariposa para ficar longe da chama.

Era uma piadinha alegre, mas eu não estava no clima.

Sem me despedir, deixei Seryu e saí correndo para o poço e de volta para Zairena, carregando baldes tão pesados quanto meu coração.

Naquela noite, depois do jantar, a sopa de Zairena retornou para a cozinha intocada.

Dado a forma como ela me tratou, eu deveria me satisfazer com seu fracasso, mas estava preocupada demais com Takkan. Ele morreria se não conseguisse recuperar a força.

A cozinha estava um alvoroço. Rai e Kenton tinham sido incumbidos de preparar todas as comidas de que Takkan gostava, e Chiruan tinha voltado a fazer suas sopas de ervas. Sempre que eu olhava para o chef, ele estava mexendo em sua caixa de laca, preparando receitas e ervas. Mas nenhuma delas parecia funcionar.

Que os demônios me levassem, eu tinha que fazer alguma coisa.

Você já fez muito, Kiki falou, quando estávamos sozinhas no porão de peixes. *E olhe, você quase se matou.*

Eu quase me matei tentando fugir, não ajudando Takkan.

Por que você se importa tanto com ele? Porque ele é seu noivo?

Olhei para a minha presunçosa ave. *Isso não tem nada a ver*, falei com firmeza. *Eu não me importo com ele. Mas se ele se machucou procurando por mim... preciso pelo menos tentar salvar sua vida.*

Você desenvolveu uma consciência nos últimos meses, Shiori.

Significa que você também vai desenvolver uma?

Minha ave soltou um trinado de desgosto, mas não falou mais nada, e saí do porão com pressa para ir à despensa. Viagens noturnas à cozinha eram a forma que eu havia encontrado para sobreviver às últimas semanas com as míseras porções de comida de Rai e Kenton. No entanto, esta era a primeira vez que eu ia lá para cozinhar.

Eu não tinha todos os ingredientes de que precisava disponíveis, pois era inverno – nada de repolho nem cebola, e o suprimento de cenouras estava baixo –, então teria que me virar. Takkan dissera que minha panela devia ser mágica, mas estava errado. Eu não tinha magia. Tudo o que eu tinha era esforço e cuidado. E precisaria dessas duas qualidades agora, mais que nunca. Um pouco de sorte também não faria mal.

Acendi uma fogueira; faíscas voaram enquanto as chamas iluminavam a cozinha. Com um estrondo, coloquei a panela sobre o fogão e comecei a trabalhar.

CAPÍTULO VINTE E DOIS

Já era a terceira vez que eu substituía secretamente a sopa de Chiruan pela minha – eu trocava somente uma tigela, para que ninguém suspeitasse. Ela seguia para o castelo em uma bandeja cheia dos pratos favoritos de Takkan. Eu ficava desanimada toda vez que as criadas voltavam balançando a cabeça por ele não ter tocado em nada, mas não desisti. Continuei preparando a sopa até que funcionou – ou até que fui pega.

Na quarta manhã, as criadas não voltaram. Em vez disso, um sentinela irrompeu na cozinha com as botas cobertas pela neve que tinha caído pela noite.

Era Pao, o soldado que tinha deixado Takkan comigo quando eles voltaram para o castelo. Seu cabelo era tão curto que ele até parecia careca, e havia arroz grudado em seu queixo pelado – sinal de que tinha sido enviado no meio do seu café da manhã –, mas ninguém ousou falar nada.

– Quem preparou a sopa de lorde Takkan? – ele perguntou.

– Eu. – Chiruan cruzou os braços, mas sua sobrancelha se franziu de preocupação. – Qual é o problema?

Pao o ignorou.

– Vou perguntar de novo: quem preparou a sopa de lorde Takkan?

O silêncio caiu na cozinha. Os lavadores pararam de sorver o mingau matinal, os cozinheiros largaram as facas e Chiruan enxugou as mãos no avental.

Lentamente, deixei o esfregão de lado e dei um passo à frente.

– Volte – Chiruan falou, abanando uma mão para mim. – Não preciso de um bode expiatório. Esta é a minha cozinha.

Eu não queria recuar. Ergui o queixo para que Pao entendesse que eu tinha preparado a sopa.

Seus olhos profundos cintilaram em reconhecimento.

– Você. – Ele não deu pista nenhuma do meu destino. – Venha comigo.

Meu coração ribombou dentro do peito. Talvez minha sopa não tivesse nem chegado até Takkan, ou talvez tivesse lhe dado uma indigestão. Será que ele tinha engasgado com um espinho e era por isso que eu estava sendo chamada? Será que eu o tinha matado?

Cenários terríveis se formaram na minha mente enquanto Pao me conduzia ao castelo. Não ajudou nada o fato de os corredores serem tão compridos, parecendo se estender infinitamente. Até que ouvi a voz de lady Bushian vindo do que devia ser a sala de jantar, e Pao gesticulou para que eu esperasse do lado de fora.

– Você não vai desistir dessa busca ridícula? – ela disse, aflita. – Você quase morreu. E não me venha falar que foi um acidente de caçada.

Ouvi um murmúrio baixo demais para que eu pudesse distinguir as palavras. Torci para que fosse Takkan.

– Se quisesse que eu ficasse calma, não teria saído sem a minha permissão! Eu estava disposta a ignorar que você roubou a armadura de Hasege para procurar nas Ilhas do Norte, só para atender a essa obsessão de encontrar a princesa Shiori. Mas daí você sai de novo, depois de pouco mais de duas semanas, sem me falar? Tudo porque encontrou uma sapatilha perto do vilarejo Tianyi?

Meu peito apertou. Era Takkan falando da *minha* sapatilha.

– Eu preferia não discutir isso no café da manhã, mãe. Por favor.

– Você acha que os sicários a'landanos seriam tão descuidados de largar uma sapatilha no campo? – lady Bushian continuou. – Eles estão tentando atrair você. Eles querem te matar, e quase conseguiram.

– Eles não têm motivos para me matar – Takkan disse calmamente –, a menos que pensassem que encontrei algo.

– Sim, Pao me falou da carta que você encontrou. Ele disse que você a encontrou com *outro* sicário que tentou te matar.

Lancei um olhar para Pao, que trocava o peso das pernas, inquieto.

– Não me importo com o conteúdo da carta. Ou quão importante foi para o imperador lê-la imediatamente.

– Mãe...

– Os príncipes e a princesa pereceram. Até Sua Majestade já aceitou isso. – Lady Bushian jogou algo na mesa. – Pode imaginar como foi vê-lo ser carregado para casa quase morto? Você não vai mais procurar a princesa, eu proíbo. Tenho a sua palavra, Takkan?

Pao bateu na porta, abafando a resposta de Takkan. Eu não teria escolhido este momento para entrar, mas o sentinela abriu a porta, e tive que segui-lo.

Lá dentro, Takkan estava sentado na cabeceira da mesa, com as mãos em volta da tigela. Seu rosto estava pálido, e ele parecia abatido e fraco. Mas estava melhor. Muito melhor.

Fiz uma reverência primeiro para lady Bushian, depois para Takkan, que abriu um sorriso caloroso.

– Reconheci sua sopa.

Megari virou a tigela de seu irmão para mostrar que estava vazia.

– É a única coisa que ele comeu a semana toda – ela disse. Em seguida, imitou a voz grossa dele: – Sooooopa. Soooopa de peeeeeixe. – Ela deu risada quando ele fez uma careta. – Espero que tenha preparado uma panelada, Lina. Nesse ritmo, ele vai devorar tudo.

Eu não tinha preparado uma panelada, mas isso poderia ser facilmente resolvido. Abaixei a cabeça graciosamente, então me virei para

Pao. Takkan estava bem de novo, minha tarefa tinha sido cumprida. Eu tinha até recebido os agradecimentos do jovem lorde em pessoa, e assumi que Pao me levaria de volta para a cozinha.

Mas ainda não era hora.

– Pedi para Pao aqui te buscar – Takkan disse, ainda sorrindo –, mas ele tem o mau hábito de levar as ordens muito a sério. Espero que ele não tenha te assustado.

Pao abriu um meio-sorriso.

– Senhor, se visse os pontos que ela lhe deu... *eu* é que me assustei. – Ele me olhou. – Acho que você cozinha melhor que sutura.

Uma bufada veio da direção de Zairena. Abaixei a cabeça.

Sim, acho que sim.

– Você também tem meus agradecimentos, Lina – disse lady Bushian, lançando-me o mais breve dos olhares. – Somos gratos por sua ajuda.

– Sim, Lina – Zairena falou. – Por que não leva uns caquis?

Era uma dispensa, que eu estava mais que pronta para acatar. Eu tinha feito o que precisava fazer por Takkan. Nossos fios podiam se desatar.

– Não precisa. – Takkan gesticulou para a mesa comprida. – Pegue quantos quiser. Junte-se a nós para o café da manhã.

Eu? Hesitei. Olhei para Pao, que ergueu o queixo um centímetro, como se dissesse "Vá em frente".

Sentei-me no lugar vazio ao lado de Zairena, tentando não tripudiar de seu sorriso tenso e forçado. Pelo menos o de Takkan era real.

– Percebi que nunca me apresentei direito – ele disse. – Sou Bushi'an Takkan de Iro.

Sim, eu já sabia que ele e Hasege tinham trocado as armaduras para confundir os sicários. O que eu não sabia era por que os sicários de A'landi estavam atrás dele. Lady Bushian mencionou que era por que Takkan estava procurando por mim, a princesa. Mas eu pressentia que tinha algo mais.

– Lina – Takkan falou, me arrancando dos meus pensamentos –, você já conheceu minha mãe e minha irmã. E Tesuwa Zairena, nossa convidada.

Zairena se levantou de repente.

– Por favor, me deem licença. Acabei de perceber que esqueci de agradecer aos deuses pela recuperação de Takkan. – Suas palavras soaram totalmente encenadas, e ela pegou o guarda-chuva. – Serei rápida. Não gosto de deixá-los sem agradecimento.

– Vá em frente, Zairena – lady Bushian disse. – Estaremos aqui quando voltar.

Mal notei sua saída. Minha atenção estava na comida, e precisei de todo o meu controle para não me atirar nela. Me servi de um pouco de cada prato: uma porção de creme de ovo cozido no vapor, uma colher de raiz de lótus refogada e cinco ou seis brotos de bambu em conserva. Fingi não notar Takkan rindo da minha gula enquanto sua mãe torcia o nariz.

– É a terceira vez que ela sai pra rezar só esta manhã – Megari observou. – Talvez fosse mais fácil ela levar a comida pro templo.

– Megari! – lady Bushian a repreendeu. – E você, Takkan, fique sabendo que foi o raciocínio rápido dela que o salvou. Ela passou a noite toda refazendo seus pontos, e de olhos fechados para preservar sua modéstia. Você não se lembra?

Eu me lembrava de ter feito pontos nas feridas de Takkan – o sangue que cobria seu peito era tão vivo e denso que eu não sabia nem onde sua carne estava. Se *eu* tivesse fechado os olhos para preservar minha modéstia, ele teria morrido.

– Com toda essa bondade, ela deveria ser princesa – Megari murmurou. – Podemos doá-la para o templo da cidade? Tenho certeza de que ela ficaria feliz de não ter que ficar indo e vindo do templo o tempo todo. E por que ela sempre tem que levar aquele guarda-chuva?

– O guarda-chuva serve para protegê-la da chuva – lady Bushian disse de forma brusca. – Se continuar falando assim, vou fazer *você* ir rezar para os deuses. Você sabe muito bem que os pais dela morreram durante uma tempestade. É perfeitamente aceitável que ela odeie qualquer coisa que a faça se lembrar daquele dia terrível.

– Mas ela leva o guarda-chuva até quando não está chovendo – Megari protestou, dando um puxão na manga de Takkan. – Você também já percebeu, não é?

– Nem todo mundo gosta tanto de sol quanto você, Megari – ele respondeu. – Se bem que ele certamente não faria mal a Zairena. Ela está bem mais pálida desde a última vez que a vimos.

– É por causa do pó – lady Bushian bufou. – E a última vez que vocês a viram, vocês todos eram crianças e ficavam correndo atrás de coelhos feito feras indomáveis. Pelo menos Zairena tem o bom senso de não fazer mais isso. – Lady Bushian limpou a garganta para eles, então concentrou sua atenção em Takkan, preocupada com sua saúde e só olhando para mim quando absolutamente necessário. Toda vez, ela evitava a tigela na minha cabeça.

Só tinha comido metade da comida quando Zairena voltou – cedo demais para ter ido ao templo e retornado. Me perguntei aonde ela teria ido de verdade.

– Você tem tanto respeito pelos deuses, Zairena – lady Bushian disse, cumprimentando-a. – Queria que meus filhos fossem tão devotos. Ashmiyu'en deve ter ouvido você e visto a rápida recuperação de Takkan.

Zairena colocou a mão na bochecha, feliz com o elogio.

– A deusa da vida é compassiva. As sacerdotisas me ensinaram a reverenciá-la acima de tudo.

– Precisamos agradecer Lina também – Takkan falou, me olhando com intensidade. – Se não fosse por ela, eu estaria morto quando o médico chegasse.

A firmeza de sua voz me fez prender a respiração. O que ele se lembrava daquela noite? Ele ficou acordado tempo suficiente para pelo menos me ajudar a lidar com aquele agressor. Será que viu Kiki voando sobre o meu ombro, falando para eu me acalmar enquanto meus dedos trêmulos fechavam sua ferida?

– Devo minha vida a você – ele completou, baixando a cabeça em profunda gratidão. Então se virou para a mãe: – De agora em diante, Lina é minha convidada aqui, sendo livre para ir e vir conforme a sua vontade.

Suspirei. O *quê?*

– Sua convidada? – Zairena repetiu, ecoando a minha própria surpresa. – Ela é... uma cozinheira. E também é prisioneira de Hasege.

O tom de Takkan endureceu:

– Eu estou no comando do castelo enquanto meu pai está na corte. Não Hasege.

– Ela vai comer com a gente – Zairena balbuciou – e dormir na fortaleza?

– Você fala como se ela fosse um sapo – Megari comentou. – Só porque ela não fala não quer dizer que ela não te entende, sabe.

– Megari – lady Bushian disse, severa.

– *Ela* que está sendo rude, não eu.

Os olhos escuros de Zairena se encheram de arrependimento.

– Perdoe minha explosão. Minha preocupação com Takkan me deixou fora de mim. – Ela sorriu tão docemente que mordi a xícara de porcelana, desejando que ela engasgasse com um osso. – O que eu quis dizer foi... talvez seja mais confortável para Lina ficar com os criados. Afinal, é com isso que ela está acostumada.

É mesmo? Eu a encarei calmamente. *Não tenho como saber, já que estou dormindo entre barris de peixe morto.*

Havia uma ameaça por trás das palavras de Zairena. Eu sabia que ela estava esperando que eu recusasse a oferta de Takkan. Qualquer criada educada teria abaixado a cabeça e afirmado graciosamente que tomar café da manhã com seus superiores já era recompensador o suficiente.

Mas eu não era criada deles. E com certeza não tinha medo de Zairena.

– Tem um quarto vazio perto do meu – Megari disse. – É o mais quentinho do castelo.

Era tudo o que eu precisava para ser convencida. Eu não queria ser uma convidada no castelo. Não queria ter que comparecer às refeições e ser observada e analisada enquanto perambulava por ali. Não queria me aproximar mais de Takkan. Mas, depois de uma semana no porão de peixes, eu me acomodaria alegremente em uma cama de brasas incandescentes se isso significasse uma noite sem dedos congelados. Assenti com a cabeça.

Em seguida, totalmente consciente de que Zairena estava me olhando de cara feia, peguei um dos caquis no centro da mesa e dei uma grande e satisfeita mordida.

Meu novo quarto ficava na esquina do quarto de Megari. Era decorado com almofadas de porcelana com bainhas de seda azul e verde, uma escrivaninha esculpida em abeto e folhas prensadas de gingko penduradas na parede em um rolo de pergaminho. A janela circular dava para a Montanha do Coelho, famosa por seus picos que lembravam orelhas de coelho quando cobertos de neve. Era um luxo esticar os braços sem bater na parede e respirar sem ficar com vontade de vomitar com o cheiro de peixe. O melhor de tudo é que não havia ratos.

A sensação era a de que eu nunca tinha visto um aposento tão grande quanto esse. Minha antiga vida – em que eu tinha três aposentos pessoais e uma sala toda só para as minhas vestes – era um sonho distante.

Não está feliz por ter ficado?, Kiki perguntou. *Imagine ter que voltar praquele porão gelado. Ou pra gruta dos seus irmãos.*

Aqui é legal, admiti.

O Garoto Rabanete é muito generoso. Já gostei dele.

Torci os lábios para ela. *Você é bem volúvel, hein. Lembro de alguém que não queria que eu perdesse meu tempo fazendo sopa pra ele.*

Kiki afundou em uma almofada, relaxando na seda macia. *Como eu poderia saber que ele é uma alma tão generosa? Talvez você devesse ter se casado com ele, no fim das contas.*

Não é generosidade, pensei, contrariada. *Eu salvei a vida dele, ele está demonstrando gratidão. Eu faria o mesmo.*

Faria? Você teria dado um makan de prata a uma desconhecida? Não *consigo te imaginar presenteando uma ladra, Shiori.*

Ele sentiu pena de mim, por isso me deu o dinheiro.

Como quiser. Só estou dizendo que ele não parece aquele bárbaro que você tinha imaginado.

Eu a ignorei, guardando a bolsa debaixo da cama, então fui dar uma olhada nos armários. Neles havia uma série de vestes que alguma criada devia ter escolhido enquanto eu estava tomando café da manhã. Coloquei um vestido azul-marinho simples e uma faixa verde-terrosa que caíram bem em mim.

Era o tecido mais macio e limpo que eu vestia em meses. Depois que me troquei, desfiz os nós do cabelo e me joguei na cadeira mais próxima. Eu adormeceria ali mesmo se um pincel fino na escrivaninha não tivesse chamado minha atenção.

Também havia bastões de tinta e uma pedra para moê-la e misturá-la com água – só não havia papel. Fiquei decepcionada, mas talvez fosse melhor assim. Depois do que aconteceu no quarto de Megari, eu sabia que não adiantava tentar pedir ajuda.

Uma silhueta surgiu do outro lado dos painéis de papel da minha porta. Assim que vi quem era, pulei de susto e comecei a fazer uma reverência.

– Nada de reverências – Takkan disse. – Por favor.

Sua bochecha estava mais corada que no café da manhã, mas ele cheirava a remédio – gingko, gengibre e casca de laranja.

Ele entrou devagar.

– Acho melhor te avisar que Megari vai vir aqui com frequência.

Esfreguei as mãos. *Porque aqui é quente?*

– Por causa da vista. – Ele se acomodou em um banco ao lado da minha lareira e olhou a montanha lá fora. O orgulho encheu sua voz de emoção. – Não é linda?

A neve tingia os picos da Montanha do Coelho, mais brancas que as nuvens pairando no céu. Parecia mais um ovo com duas orelhas do que um coelho. Mas talvez eu só estivesse com fome ainda.

– Fica mais linda ainda quando a lua surge entre os dois picos – Takkan disse, apontando para a janela. – Se tiver sorte, você vai ver a lua refletida no rio Baiyun, iluminando todo o vale. Costumamos dizer que é quando Imurinya está nos observando.

Imurinya, a deusa da lua. Diziam que ela passara a infância na Montanha do Coelho. Tínhamos algumas pinturas dela no palácio, mas Raikama as retirara. "Lendas contêm vestígios de magia, então é melhor que sejam esquecidas", ela costumava dizer.

Agora eu entendia por que ela odiava histórias. Com todas aquelas cobras e aquele poder sinistro, ela própria poderia ter saído diretamente de uma.

– Ninguém parece gostar de Iro – Takkan continuou –, especialmente no inverno. Dizem que as pessoas são hostis demais, que aqui faz frio demais, que a comida é sem graça demais. Talvez tudo isso seja verdade, mas este lugar pode te conquistar... se você der uma chance.

Sorri com educação. Todo mundo sempre pensa que sua cidade natal é a mais bonita. Mesmo que a vista do meu quarto fosse maravilhosa, ela não me emocionava nem me impressionava. Eu só via neve. Uma neve sem fim cobrindo a cidadezinha abaixo e a floresta além.

– Não está acreditando? Para uma garota do vilarejo Tianyi, você é difícil de agradar. Você não é de lá de verdade, não é? – Ele fez uma pausa. – Se me contar de onde veio, posso te ajudar a voltar para casa.

Fiquei olhando para o chão e balancei a cabeça, hesitante. Esta era a minha casa agora.

– Então fique quanto tempo quiser. Mas vou me sentir melhor se te devolver isso. – Takkan ofereceu sua adaga. O familiar emblema azul, limpo com esmero, pendia do cabo. Sua voz ficou tensa. – Me disseram que Hasege pensou que você o tinha roubado.

Sua boca se tornou uma linha dura, e sua mandíbula denunciou um traço de fúria.

– O que ele fez foi imperdoável. Ele foi mandado para longe.

Encolhi os ombros para mostrar que eu não tinha medo de Hasege. A única pessoa que realmente me amedrontava era Raikama.

Coloquei a adaga na escrivaninha enquanto Takkan me observava.

– Mais uma coisa – ele disse, enfiando a mão no bolso. Em seguida, estendeu para mim um caderno com uma costura lateral, mais novo e mais fino do que o que tinha visto em sua mochila. – É um dos meus cadernos, eu gosto de desenhar... como você notou quando invadiu meu quarto. – Ele abriu um sorrisinho. – Pensei que você pudesse achar útil ter um desses.

Peguei o caderno com as duas mãos. As páginas estavam em branco e, junto à lombada, havia uma bolsinha presa com um cordão, que servia para guardar um frasco de tinta e um pincel. Baixei minha guarda com a consideração dele. Só um pouquinho.

Obrigada.

– Lembro que você tentou escrever seu nome na Estalagem do Pardal. Pode escrever agora? Seu nome verdadeiro?

Meus ombros se contraíram e Takkan retirou rapidamente o pedido. Se ficou frustrado, escondeu bem.

– Seu passado é um segredo seu. Não vou te perguntar de novo. Mas espero que você pelo menos diga o que está pensando.

Era a minha vez de hesitar. Se eu não fizesse alusão ao meu passado, nenhuma serpente sombria surgiria na tinta – isso eu sabia sobre a maldição da minha madrasta. Todo o resto era jogo limpo.

Espere. Eu tinha um pedido a fazer.

Escrevi devagar, com letras borradas e quase ilegíveis. Nunca tive uma caligrafia bonita, não importava quantas vezes meus professores me obrigassem a praticar e o quanto meus irmãos zombassem de mim. Mas, com os dedos inchados, estava pior que nunca.

Quero trabalhar na cozinha.

– Você gostaria de continuar trabalhando na cozinha?

Assenti vigorosamente.

– E quem sou eu para impedir? – ele disse, divertido. – Tenho um pressentimento, Lina, de que mesmo se eu te mandasse comer conosco todo dia e toda noite, você daria um jeito de fazer o que quisesse.

Era verdade.

Em um lampejo da minha velha malícia, escrevi:

Cozinhar rabanete. Muitos.

Enquanto sua risada preenchia meu novo quarto, por um momento me alegrei por ter ficado em Iro.

Mas permanecer no Castelo Bushian era apenas um meio para atingir um objetivo. Assim que terminasse a rede, eu partiria. Logo a primavera chegaria, disse a mim mesma, sabendo muito bem que era mentira. Se eu conhecia alguma coisa do Norte, era que os invernos eram longos.

Muito longos.

Após ter sido recebida no castelo com um quarto bastante satisfatório só para mim, a última coisa que eu esperava era sentir falta do meu porão de peixes fedorento.

Eu tinha água quente à disposição, um braseiro que mantinha o cômodo aquecido e armários cheios de mantos e vestes.

Eu deveria estar contente com essa reviravolta.

Mas não.

Na primeira noite, quando todos já estavam dormindo, abri a bolsa ingenuamente, e foi como se eu tivesse liberado fogo demoníaco: a luz flamejante do choque-celeste se esparramou para fora, vazando pelas frestas das portas de madeira e iluminando os corredores escuros e vazios.

Fechei-a depressa, respirando forte.

No que eu estava pensando? Que ninguém veria a luz? Que ninguém me ouviria esmagar os espinhos? As paredes eram finas feito papel; dava para ouvir Megari praticando alaúde mesmo estando do outro lado do corredor.

A magia estava explodindo das urtigas, com seus raios de fogo demoníaco e lampejos coloridos do sangue das estrelas. Se alguém encontrasse o choque-celeste, eu seria presa ou, mais provavelmente, executada.

Eu tinha que voltar para o porão, percebi com tristeza.

Fugir do castelo foi mais fácil do que pensei. Pao fez vista grossa para mim. Pelo visto, eu tinha ganhado sua confiança. Ou ele achou que eu estava saindo para preparar minha sopa. Era um bom palpite, já que eu sempre voltava fedendo peixe.

Fiquei no porão noite adentro, trabalhando até meus dedos ficarem tão rígidos que não conseguia nem dobrá-los. Kiki me ajudou, bicando minhas bochechas para me manter acordada.

Meu ritmo estava melhorando. Consegui soltar quatro fios de choque-celeste naquela noite, meu máximo até aquele momento. Trancei seus fios iridescentes antes de colocá-los com cuidado de volta na bolsa. Então comecei a trabalhar no quinto fio.

Só quando o frio anestesiou minhas mãos ardidas e meus olhos não conseguiam se manter abertos nem por um segundo a mais é que finalmente voltei para o castelo e peguei no sono.

CAPÍTULO VINTE E TRÊS

No dia seguinte, os cozinheiros, as criadas e até os lavadores – que me chamavam de Demônia pelas costas – me cumprimentaram calorosamente. Rai e Kenton me recepcionaram na cozinha com um novo avental, limpo e passado. No almoço, doces e espetinhos de carne enfeitavam minha tigela.

– Então foi nossa Lina que salvou lorde Takkan.

– Mandou bem, mandou bem.

– A gente realmente pensou que você fosse uma adoradora de demônios. Lady Zairena foi tão convincente... Esperamos que não tenha ficado ofendida.

Não, eu não tinha ficado ofendida. Mas juntei seus elogios e sorrisos, enfiei em uma panela imaginária e fechei a tampa. Crescer na corte me ensinou a discernir quem eram meus amigos de verdade daqueles que me abandonariam se um dia minha sorte mudasse.

Chiruan foi o único que não disse nada. Ele me ofereceu uma tigela de repolho em conserva e arroz com carne de porco, como fez com os outros, mas ficou em silêncio até eu terminar de comer.

Consciente demais de seu escrutínio, levantei e voltei ao meu banquinho no canto para desossar uns peixes. Ele me seguiu.

– Volte para o castelo – ele falou. – Você é uma convidada de honra agora. O que está fazendo aqui? Ainda por cima mexendo nos peixes sem a minha permissão!

Sem prestar muita atenção ao que ele dizia, coloquei o peixe no balde ao meu lado e peguei mais um. Eu não podia responder essa pergunta com um gesto ou uma mímica.

Toda noite, eu trabalhava até a exaustão no choque-celeste. Mesmo quando os espinhos formavam pilhas finas de poeira cinza, de vez em quando, algumas farpas finas como agulhas grudavam nas videiras nuas, me surpreendendo dolorosamente ao toque. Eu tinha que as arrancar uma por uma antes de enfim me deitar. E quando o sono chegava, os pesadelos vinham junto. Grous com olhos e gritos humanos despencavam do céu. Garotas mostravam caras de cobra. Pérolas quebradas engoliam reinos inteiros. Todas essas imagens assombravam meu precioso sono.

Eu só me libertava delas na cozinha.

Por isso, não queria desistir.

Apesar de não conseguir ver meus olhos, Chiruan pareceu entender. Ele pegou o peixe das minhas mãos e me ofereceu um pano para que eu me limpasse.

– Você pode lavar o arroz – foi tudo o que disse.

Assim, com essa simples tarefa, iniciei meu treinamento em sua cozinha.

Se eu pudesse, teria passado todo o meu tempo aprendendo coisas com Chiruan. Nos dias seguintes, recebi outras tarefas além de lavar o arroz: picar gengibre, misturar especiarias, fazer creme de ovo e pão cozido no vapor. Na semana seguinte, eu já estava aprendendo a fazer macarrão, e descobri que trabalhar a massa aliviava a dor nas minhas mãos. Eu adorava e não conseguia parar de falar sobre isso com Kiki.

Mas a verdade é que a cozinha era uma distração da minha tarefa primordial. Já tinha removido os espinhos e cortado as folhas de metade dos choque-celestes, o que significava que logo o pior terminaria. E eu teria que começar a tecer.

Na minha primeira semana em Iro, eu tinha visto uma roda de fiar na sala de lazer de lady Bushian. Toda tarde, ela se reunia lá com algumas amigas para pintar, jogar quebra-cabeças e ouvir Megari tocar seu alaúde lunar.

Eu nunca tinha sido convidada, claro, até que comecei a fazer hora na sala de jantar depois do almoço, de forma que lady Bushian não teve outra escolha a não ser me convidar por educação.

Enquanto Oriyu abria as portas da sala de lazer, minha impaciência ficou insuportável. Quando ninguém estava prestando atenção, dei uma espiada lá dentro. A roda de fiar ainda estava lá, entre dois biombos altos com desenhos de coelhos e uma lua.

– É de Zairena – lady Bushian me pegou encarando a máquina. – É um lindo instrumento, não é? Foi esculpida em bétula e olmo. É herança da mãe dela. Zairena parece ter herdado seu talento, já eu nunca fui muito boa...

Eu também não, pensei, dando um passo para o lado para que Oriyu pudesse acompanhar lady Bushian para dentro da sala. Só que ela não se moveu. Sua mandíbula estava tensa, como quando Takkan estava prestes a dizer alguma verdade desagradável.

– Um momento, Lina – ela disse baixinho. – Fico comovida ao ver que meus filhos gostam de você, e você é muito bem-vinda no castelo. Mas fico aliviada por você entender que é mais sábio restringir suas atividades à cozinha.

Fiquei imóvel. O que ela estava tentando dizer?

– O que quero dizer é que você é minha convidada porque Takkan acredita que você o salvou. E como minha convidada, gostaria que você não se esquecesse de qual é o seu lugar.

Uma onda de calor esquentou minhas bochechas. *Eu não devia esquecer qual era o meu lugar?*

Seu tom era calmo, e a inflexão de sua voz, ensaiada demais.

– Fiquei sabendo que você visita os aposentos de Megari…

Foi só uma vez! E foi ela que me convidou.

– … e que Takkan visita os seus.

Mordi a bochecha, tentando não explodir diante de tal absurdo. Será que ela pensou que eu estava tentando seduzir seu filho? Essa ideia me fez desejar poder bufar. A última coisa que eu queria era conquistar meu ex-noivo – um mero lorde de terceira classe – e viver neste deserto intoleravelmente frígido. Eu tinha uma maldição para quebrar e um lar para onde retornar.

O que ela disse não era verdade, mas mesmo assim meu rosto ficou quente de vergonha. *Se liga, Shiori*, pensei. *Você tem sorte por esse "lorde de terceira classe" ter te aceitado aqui. Senão, ainda estaria na Estalagem do Pardal. Ou em algum outro lugar pior.*

Lady Bushian devia ter interpretado minha melancolia como uma reação à sua censura.

– Não quis parecer dura – ela falou, de um jeito menos frio que antes. – Iro é uma fortaleza pequena, e as notícias viajam depressa dentro dessas paredes. Considerando sua… situação incomum, seria bom tomar cuidado. Para o seu próprio bem. Entendeu?

Para o meu próprio bem. Na verdade, ela só não queria que seus filhos fossem vistos perambulando por aí com alguém que parecia uma adoradora de demônios.

Me esforcei para permanecer calma e assenti.

Logo Zairena chegou com um cesto de caquis e várias amigas de lady Bushian atrás de si. Pelo sorriso presunçoso que ela abriu, eu tinha certeza de que tinha ouvido tudo. Estava até disposta a apostar que *ela* é que tinha inspirado o discurso de lady Bushian.

Eu só não entendia o motivo. Ela não ficava vermelha nem sorria feito boba ao falar com Takkan, sinais que eu sempre notava nas garotas que flertavam com Yotan ou nos garotos que buscavam a atenção de Benkai. Será que ela realmente pensava que eu era uma adoradora de demônios? Algumas garotas da corte haviam partido para estudar com sacerdotisas e voltaram cegas de tão devotas. Mas Zairena parecia arrogante demais para ser excessivamente religiosa.

Talvez ela só não gostasse de mim porque não era mais a única convidada de honra da fortaleza.

– Estes são os últimos da estação – ela disse, colocando a cesta em uma mesa baixa. – Pensei que cairiam bem como lanche.

No mesmo instante, as mulheres se levantaram para pegar uma fruta.

– Quanta consideração, Zairena.

– Peguem quantos quiserem. Já separei alguns para a querida Megari.

Enquanto todas agradeciam Zairena por sua generosidade, afundei na cadeira, irritada demais para comer. Ninguém olhava para mim, o que só confirmava que tinham ouvido os comentários humilhantes de lady Bushian.

– Separei alguns para você também, Lina – Zairena falou, passando-me alguns caquis embrulhados em um tecido listrado de algodão. Seu sorriso era doce demais. – Um presente de boas-vindas atrasado.

Coloquei o presente ao meu lado enquanto lady Bushian conduzia Zairena até a roda de fiar.

– Mostre para nós no que você tem trabalhado. Estamos todas ansiosas para ver o que as sacerdotisas te ensinaram em Nawaiyi.

Me inclinei para frente, também ansiosa.

Zairena arregaçou as mangas e se sentou, girando a roda algumas vezes antes de alimentar a máquina com uma mecha cor de palha com a mão livre. Aos poucos, um fio dourado e brilhante começou a se formar.

As amigas de lady Bushian suspiraram, encantadas.

– Certamente é lindo – uma delas disse –, mas por que você não compra fio no mercado? Seria muito mais fácil.

– Seria – Zairena concordou –, mas não há fio dourado lá. Essa cor é muito difícil de ser encontrada ultimamente, dado que devemos entrar em guerra com A'landi. A carruagem do meu pai estava trazendo uma remessa dessa tinta quando fomos atacados de forma tão cruel. – Ela engoliu em seco e seu rosto redondo empalideceu. – Trabalhar o fio na roda faz eu me sentir mais perto deles.

– O que você vai fazer com o fio quando terminar?

Zairena ergueu o carretel e falou com orgulho:

– Vou mandar para a Rainha Sem Nome.

A menção de Raikama chamou minha atenção.

– O imperador ficou sabendo o que aconteceu com os meus pais. Ele deve ter se sentido mal por mim depois do que ele próprio passou, e comentou com Sua Esplendorosa sobre os meus fios. Ela encomendou quarenta carretéis para fazer novas vestes cerimoniais. É por isso que preciso trabalhar o dia todo, para poder enviá-los ao palácio antes do Festival de Inverno.

Quarenta carretéis de fio dourado para uma nova veste cerimonial? Durante todos os anos que convivi com Raikama, nunca a vi se interessar por seu vestuário, quanto mais comprar pessoalmente algum item. Fossem fios brilhantes ou não.

Zairena estava mentindo.

Eu tinha certeza, mas não falei nada. Em vez disso, fiquei observando-a trabalhar na roda, tentando memorizar seus gestos, separando a mecha com uma das mãos e alimentando a bobina com a outra, produzindo um fio fino e sedoso.

Não parece tão difícil, pensei, imitando seus movimentos discretamente dentro da manga. *Como é rápido; eu poderia terminar em algumas noites.*

– Venham, por que não tentam? – Zairena disse, se levantando para que as amigas de lady Bushian pudessem se sentar.

– Uau, é como fiar ouro!

Zairena sorriu.

– Se eu tiver algum fio sobrando, vou tecer faixas para todas.

Ela estava de bom humor. Me levantei e me juntei às outras em volta da roda.

Posso tentar?, pedi, gesticulando.

Em sua defesa, seu sorriso não vacilou.

– Eu não lhe recomendaria, querida Lina. Esta é uma arte delicada, para dedos ágeis. – Ela apontou para as minhas mãos, e até lady Bushian se encolheu ao ver minhas cicatrizes. – Prefiro poupar você da dor.

Meus dedos já tinham suportado tanto que nem *sentiriam* a dor, mas eu não tinha como comunicar isso. Zairena tinha voz; eu não.

Dei um breve aceno de cabeça, furiosa, enquanto Zairena colocava uma mecha de musselina sobre sua roda de fiar. O tempo para o lazer havia acabado quase tarde demais.

– Quando suas mãos ficarem boas, talvez você também queira fazer algo para a consorte do imperador – lady Bushian disse gentilmente. – Sua Esplendorosa passou o inverno todo de luto pelos desaparecimentos.

Quase dei risada com a ironia de seu comentário, por mais bem-intencionado que fosse. Mas me contive, balancei a cabeça vigorosamente e me levantei para ir embora.

– Lina, não esqueça seus caquis – Zairena falou, me entregando o embrulho. Ela acenou para Oriyu, esperando na porta. – Devolva a roda de fiar ao meu quarto.

Diante do seu pedido, a testa de Oriyu se enrugou feito uma ameixa seca. O sentinela não era um criado, e transportar itens de um quarto para outro não era tarefa sua. Mas tive a impressão de que Zairena percebeu que a observei fiando com bastante atenção e fez o pedido para me provocar. Eu precisava tomar mais cuidado com ela.

Enquanto o sentinela arrastava a roda, aproveitei para dar uma última olhada nela. Eu ia encontrar um jeito de usá-la em breve.

CAPÍTULO VINTE E QUATRO

Quatro caquis.

Todos estavam firmes, rechonchudos e perfeitos, mas o insulto de Zairena não poderia ser considerado discreto. Qualquer presente ofertado em quatro na verdade significava má sorte para o destinatário.

Antes da maldição de Raikama, eu costumava rir dessas superstições. Agora, eu precisava de toda sorte que pudesse conseguir.

Coloquei as frutas de volta no pano de musselina de Zairena e o joguei sobre o ombro, não querendo ter nada a ver com eles.

Vou deixá-los no templo, decidi, vendo suas telhas de cerâmica do outro lado do pátio. Ele era pequeno e não tinha vigilância; a entrada era marcada por dois braseiros de pedra e pilares escarlates emoldurando os degraus de madeira. *Ou jogá-los de volta no pomar.*

Os deuses do tempo decidiram por mim. Ouvi um trovão ribombando de longe, prometendo chuva. Corri para me abrigar sob a varanda.

Enquanto subia as escadas, a porta se abriu.

– Lina!

Tomei um susto ao ver Takkan ali. Os caquis saltaram para o ar e rolaram escada abaixo.

E lá se foi a minha oferenda. Não achei que o impacto fosse *tão* grande, mas todos ficaram machucados, e sua pele âmbar quase pretejou.

Takkan se ajoelhou e me ajudou a pegar os caquis.

– Oferenda para os deuses?

Sim, fiz com a boca, em uma expressão de humor irônico.

Apressadamente, agarrei as frutas e me curvei, então desci os degraus de pedra. Era melhor enfrentar a chuva do que ficar no templo com Takkan.

– Espere, Lina...

Agitei as mãos indicando o altar e me inclinei para mostrar deferência. *Não quero perturbar suas orações.*

Um trovão ressaltou meu gesto e Takkan ergueu os olhos. As nuvens tinham ficado subitamente mais escuras e mais pesadas, como se estivessem se preparando para a batalha.

– Os dragões saíram para brincar – ele disse, enquanto as primeiras gotas caíam do céu. – Você devia esperá-los terminarem.

Hesitei. *O que ele queria dizer?*

Ele soltou uma risada curta.

– É uma história que eu costumava contar para Megari.

Curiosa, esperei na porta e mexi as mãos. *Conte-me.*

– Todo mundo sabe que ver um dragão é um sinal de boa sorte. Eu disse a ela que raios são os dragões arranhando o céu, e trovões são seus gritos enquanto brincam. – Os olhos de Takkan cintilaram de alegria. – Pensei que isso a faria parar de invadir meu quarto no meio da noite, exigindo que eu contasse histórias e lhe fizesse companhia. Mas o tiro saiu pela culatra. Agora, sempre que chove, ela vem até o meu quarto contando trovões e relâmpagos. Está acumulando sorte para pedir um inverno mais curto.

Sorri, segurando uma gargalhada.

– Gostou da história?

Contra a minha vontade, eu tinha gostado. Parecia uma das peças que Yotan gostava de pregar em mim.

– Acho que esta é a primeira vez que vejo você sorrir de verdade, Lina. – Ele inclinou a cabeça, com um sorrisinho escapando nos lábios. – A não ser aquela vez que te dei o makan de prata.

Como você sabe?

– Aparece uma covinha no seu rosto quando você está feliz – ele disse, vendo meus lábios retorcidos. Ele tocou a própria bochecha esquerda para me mostrar.

Fiquei surpresa por ele ter notado. Será que ele sempre reparava nessas coisas?

O chuvisco logo se transformou em fartas gotas batendo contra o telhado do templo. O frio fazia as casquinhas das feridas de minhas mãos coçarem, e envolvi os dedos com o lenço para me impedir de coçá-las.

– Entre – ele falou, abrindo mais a porta –, antes que a chuva piore.

Eu não devia. Fiquei mexendo as mãos, sem saber o que fazer com elas. *Chiruan...*

– Entre – ele repetiu, não entendendo o que eu estava tentando dizer. – Já que está aqui, quero te perguntar uma coisa.

Soltei o peso das mãos, que caíram ao lado do meu tronco. A curiosidade era minha maior fraqueza.

A chuva martelava no telhado enquanto eu o seguia para dentro do templo. Incensos queimavam, e seu aroma preenchia o ar. Olhei para as oferendas no altar: garrafas caneladas de vinho, vasilhas de arroz cozido e tigelas de caquis e pêssegos verdes, moedas de cobre penduradas e amuletos bordados para afastar fantasmas e espíritos perdidos.

Em uma das mesas cerimoniais, estava a sapatilha rosa que ele encontrara perto do vilarejo Tianyi. A *minha* sapatilha. Ao lado dela, estava a tapeçaria que eu tinha bordado como pedido de desculpas para a sua família.

– Foi feita pela própria princesa Shiori – Takkan disse. – É um pedido de desculpas por ter perdido nosso noivado.

Eu sabia muito bem. Só pensava que nunca mais a veria de novo.

Senti a emoção se acumulando na garganta. Queria passar os dedos sobre os olhos dos grous que eu bordei com tanto esforço. Pareciam pequenos bulbos pretos, uns com nós muito grandes, outros muito pequenos. As cabeças com coroas vermelhas tinham tamanhos diferentes, algumas estavam inclinadas e outras apoiadas em pescoços tortos. Nunca fui uma bordadeira talentosa, o que era evidente.

Tudo o que eu pensava enquanto trabalhava nessa tapeçaria era quando veria Seryu de novo, quando teríamos aula de magia de novo.

Como eu gostaria de poder voltar no tempo... Para abraçar meu pai, apesar de sua resistência, e lhe perguntar sobre a minha mãe. Para ouvir meus irmãos rindo tão alto que o som de suas risadas vinha da outra ponta do corredor até os meus aposentos.

– E isto... – Takkan disse, pegando a sapatilha. – Era o que ela estava usando no último dia em que foi vista. Encontrei perto do vilarejo Tianyi, a centenas de quilômetros e um mar de distância do palácio imperial. Mas não muito longe da Estalagem do Pardal. – Sua voz se tornou um sussurro baixo. – Será que você não a viu... enquanto estava lá?

Perdi a compostura. Era isso que ele queria me perguntar? Mordi a parte de dentro da bochecha. Seria fácil mentir, mas eu não queria.

Olhei para o chão, me fazendo de tonta.

– Claro que não. Desculpe por ter perguntado. – Takkan soltou a sapatilha. – Só acho estranho ninguém saber o que aconteceu com ela, não saber se ela e os irmãos foram mortos ou levados de Kiata por nossos inimigos...

Por que ele se importava tanto com o que tinha acontecido comigo? Lady Bushian achava que era uma obsessão, mas a gente nunca tinha se falado antes. Eu até o tinha esnobado durante nosso noivado. Por que ele estava arriscando a própria vida para me encontrar?

Olhe ao seu redor, queria poder dizer. *Estou aqui. Estou aqui, Takkan.*

No entanto, eu conhecia o poder da maldição de minha madrasta. Mesmo se ele fosse o homem mais observador de Kiata, tudo o que veria seria uma garota com uma tigela de madeira cobrindo metade do rosto.

Peguei o pincel e descobri as mãos só o suficiente para escrever:

Por que os sicários te machucaram?
Foi porque você estava procurando a princesa?

Ele me encarou com os olhos mais frios que já tinha visto nele.

– Lembra daquela carta que você achou na minha mochila?

Como eu poderia esquecer? Ele quase cortou minha garganta por causa dela. Fiquei mexendo na ponta do meu lenço enquanto ele explicava o que eu já sabia: que ele a tinha encontrado com um espião a'landano, alguém que queria fazer mal a mim e aos meus irmãos.

– Consegui rastreá-la – Takkan finalmente falou. – Era para o lorde Yuji.

Lorde Yuji! Meus joelhos cederam de surpresa, e se eu não estivesse me apoiando na mesa do altar, poderia ter caído.

– Deixei Iro para avisar Sua Majestade – Takkan continuou. – Foi quando os sicários de Yuji vieram atrás de mim. Foram eles que me encontraram em Zhensa e quase me mataram. Eles *teriam* me matado, se não fosse por você e Pao.

Enquanto absorvia as informações, a raiva invadiu meu peito. Então era por *isso* que Yuji queria Takkan morto. O chefe militar sempre me pareceu uma raposa, assim como Raikama parecia uma cobra. Que os demônios me levassem, se esses dois estavam conspirando juntos contra meu pai...

– Logo Kiata toda vai saber da traição de Yuji – Takkan disse com uma voz pesada. – E Shiori...

Ergui a cabeça. *O que tem Shiori?*

– A carta que encontrei era só um trecho, mas Yuji dizia que os príncipes e a princesa tinham partido. Não morrido. *Partido.*

Sim, eu me lembrava também.

– É por isso que acredito que ela está viva – Takkan falou baixinho, se virando para as estátuas dos sete grandes deuses. – Todos os dias, rezo para que Shiori e seus irmãos estejam bem. O desaparecimento deles já destruiu Sua Majestade. Então estou rezando para que eles sejam encontrados antes que Kiata também seja destruída.

Assenti para mostrar concordância, mas, debaixo da minha tigela, o calor pinicava meus olhos. Imaginei meu pai meio atormentado pela dor, meio enfeitiçado pela minha madrasta. Só de pensar nisso, meu coração doía.

Deuses, protejam meu pai, rezei. *Deuses, protejam Kiata. Mantenham-nos seguros e inteiros. E se alguém deve sofrer, que seja eu. Não minha família. Nem meu país.*

Um manto de escuridão tinha caído sobre o templo. Não havia muitas horas de luz em Iro, e o crepúsculo já estava sobre nós.

– Parece que os dragões finalmente voltaram para o mar – Takkan murmurou, ao perceber que a chuva minguava.

Eu tinha me esquecido completamente da chuva. Comecei a recolher meus caquis machucados, mas o frio tinha anestesiado as partes mais sensíveis dos meus dedos e não tomei cuidado. Um espasmo de dor subiu pela minha mão e eu estremeci, cerrando os dentes até passar.

– O que foi? – Takkan perguntou, preocupado. – Está ferida?

Não. Não. Escondi as mãos nas costas. Fingi tremer enquanto as envolvia com o lenço. *Só estou com frio.*

– Não precisa cobrir as mãos, Lina. Já vi as queimaduras.

Claro que sim.

Takkan inclinou a cabeça.

– Posso?

Hesitei, com a zombaria de Zairena ainda fresca na memória. Se Takkan recuasse...

Então o quê?, me censurei. *Por que se importa com o que ele vai pensar? Por que se importa com o que qualquer um pensaria?*

Eu não me importava. Provei a mim mesma arrancando o lenço das mãos.

Indiferente. Sou indiferente a Takkan, cantarolei o mantra em minha mente. Enquanto isso, meus olhos percorreram seu rosto conforme ele inspecionava meus dedos, um emaranhado prateado de cortes e queimaduras. Dava para ver que ele havia ficado perturbado ao ver minhas mãos machucadas desse jeito – mais do que ficara ao ver a tigela na minha cabeça ou ao saber que eu não podia falar. Uma dúzia de perguntas se insinuavam em suas sobrancelhas erguidas. No entanto, seus lábios não se torceram de desgosto, e seus olhos não demonstraram pena. Pensei que não suportaria sua pena.

– Seus dedos não vão se curar direito – ele comentou –, não quando ainda há farpas na sua carne. Eu poderia removê-las agora, mas se quiser ver um médico...

Não. Eu não queria ver médico nenhum. Não queria ver ninguém.

Takkan franziu as sobrancelhas.

– Lina – ele falou com firmeza –, você pode escolher eu *ou* o médico. Senão, não vai poder trabalhar na cozinha. Não com as mãos desse jeito.

Senti uma pontada de irritação e cruzei os braços. *Você manda em mim agora?*

– Não me olhe assim. Não vai te fazer bem cozinhar com as mãos desse jeito. Quanto mais tempo demorar para procurar ajuda, mais as feridas vão demorar para sarar.

Sua expressão era inflexível. Uma sobrancelha grossa estava erguida, como se ele me desafiasse a discordar.

Por mais que eu detestasse admitir, ele estava certo. Todas as noites, eu me esforçava para tirar as farpas, mas meus dedos estavam duros demais para realizar um trabalho tão preciso, e algumas farpas teimosas não queriam sair. Elas incomodavam mais que os cortes e as queimaduras.

Torci os lábios e estendi a mão aberta para ele. *Vá em frente.*

– Quer algum lenço ou algo para morder?

Fiquei com vontade de rir. Algumas farpas mal seriam suficientes para me fazer gemer, quanto mais gritar. Balancei a cabeça.

Ele segurou minha mão e removeu as farpas devagar e com calma. Seus dedos eram tão gentis que quase faziam cócegas.

Desviei o olhar e fiquei observando o incenso queimar ao lado do altar. Normalmente, o aroma de sândalo misturado com jasmim me deixava com sono, o que não aconteceu dessa vez – não enquanto ele queimava na frente da minha sapatilha e da minha tapeçaria. Não enquanto Takkan segurava minhas mãos. Eu me virei para ele, tão focado em sua tarefa que mal me notou.

Era engraçado, eu costumava flertar com os garotos da corte me sentando assim perto deles. Abrir sorrisinhos tímidos e roçar o cotovelo nos deles era uma espécie de jogo para mim nos festivais e nas cerimônias chatas que meu pai me obrigava a ir. Eu gostava de ver a reação que eu causava – respirações encurtadas e orelhas vermelhas, imediatas declamações de poesia ou tentativas de pegar na minha mão. Mas, com Takkan, eu não ousaria. Com ele, não era um jogo.

Quando ele enfim terminou, enfiou a mão no bolso para pegar um frasco de madeira contendo bálsamo, o mesmo que usava para tratar seus ferimentos. Um cheiro forte e familiar de remédio à base de ervas fez meu nariz pinicar.

– Experimente isso – ele disse, solícito. – Passe um pouco nas suas mãos todas as manhãs e de noite, quando não conseguir dormir de dor.

Obrigada. Me virei para a porta, ansiosa para finalmente sair dali.

Lá fora, a chuva havia se transformado em uma neve fofa e pulverulenta, e tochas iluminavam a fortaleza enquanto suas chamas tremulavam contra o vento feito vaga-lumes.

– Espere, Lina – Takkan disse, segurando a outra ponta da porta de correr. Todos os traços de seu orgulho tinham desaparecido, e sua voz tinha um tom solene. – Me contaram que você foi encontrada no meio da Floresta Zhensa. Eu prometi que não ia te fazer perguntas sobre o seu passado, mas se alguém tiver te machucado ou se você estiver com problemas… pode me contar. Por favor, não esconda nada. Sou seu amigo.

Meu coração ficou subitamente pesado, e fiquei aliviada por ele não poder enxergar meus olhos. Eles teriam me denunciado. Devagar, bem devagar, dei um aceno breve.

Corri para fora, sentindo a neve caindo silenciosamente no topo da minha tigela. Se Takkan me chamasse, eu não ouviria. Tudo o que ouvia era a neve sob meus sapatos.

Durante todo o caminho até a cozinha, a promessa de Takkan me assombrou. Se ele fosse aquele simples sentinela na Estalagem do Pardal, eu teria confiado nele em um instante. Eu ia querer ser sua amiga.

Era tarde demais para sair e procurar meus irmãos. Fosse lá o que os deuses estivessem tramando – me trazendo para o Castelo Bushian e me juntando ao meu ex-noivo – me deixava sem escolha a não ser descobrir.

CAPÍTULO VINTE E CINCO

Uma nevasca assolou Iro, atrasando meu trabalho em uma semana. Enlouqueci esperando a neve parar, tentando lutar contra as urtigas em meu quarto. Cobri o papel leitoso das portas e janelas com um pano escuro e envolvi as pedras em um tecido para abafar o som. Mas logo desisti. Eu não podia arriscar ser pega.

– Ninguém tem permissão para sair do castelo – Oriyu disse quando fingi que precisava ir para a cozinha. Seu nariz se contraiu. – Nem você.

Você viu como ele te farejou?, Kiki comentou quando voltamos para o quarto. *Como se você fedesse peixe.*

Geralmente eu estou fedendo a peixe, pensei, esfregando as mãos.

O que aconteceu com aquele outro mais legal?

Assim que ela perguntou, vimos Pao no portão sul, parecendo infeliz por ter que ficar lá fora durante a tempestade. A neve tinha se transformado em granizo e um trovão reverberou pelo céu.

Eu estava com tanta pressa de voltar para o quarto que não reparei na luz fraca do lampião oscilando através dos painéis de papel até estar diante das portas entreabertas.

Tem alguém aí dentro!, Kiki me avisou, voando para seu esconderijo atrás do meu lavatório.

Cerrei os dentes, furiosa por não conseguir impedir o calafrio descendo pela minha espinha. Pelos deuses, rezei para que não fosse Zairena.

Levei uma mão à adaga e abri a porta com a outra.

Uma figura agachada na janela se levantou de uma vez.

– Lina!

Estava escuro, mas reconheci a voz. *Megari?*

– Você voltou! – ela gritou. – Eu queria ver a neve na Montanha do Coelho, e você tem a melhor vista, mas você não abriu a porta, e daí a nevasca piorou...

Outro trovão explodiu tão alto que as janelas tremeram. Megari berrou, tampou os ouvidos e enterrou o rosto em minhas vestes. Seus ombros tremiam.

– Os dragões devem ter saído pra brincar – ela murmurou quando um relâmpago brilhou.

Sorri. Estava contente por Takkan ter me contado aquela história.

Os dragões saíram pra brincar, repeti. Me perguntei o que Seryu acharia disso.

Gentilmente, retirei as mãos de Megari dos ouvidos e ergui seu rosto para que ela pudesse ler meus lábios.

Está tudo bem. Você está segura. Peguei um papel e comecei a fazer uma dobradura à luz do lampião.

Megari observava, encantada, meu grou tomando forma.

Então coloquei o pássaro de papel na palma da minha mão. *Gostou?*

– Sim! Vai me ensinar como fazer?

Ela aprendeu a dobradura depressa e bateu palmas de alegria ao ver seu próprio grou pronto. Mais um trovão ribombou, mais longe desta vez, e Megari olhou para a janela.

– Não tenho medo de todas as tempestades – ela disse, invocando seu orgulho. Sua voz vacilou. – Só das feias de verdade. Takkan e eu ficamos juntos na última, e eu contei todos os relâmpagos. Nem tampei os ouvidos quando ouvi os trovões.

À menção de Takkan, me desconcentrei e errei uma dobra. Tinha sido fácil evitá-lo nos últimos dias. Às vezes, eu o via durante as refeições, mas, assim como eu, ele estava sempre calado. Engraçado, ele parecia ser mais falante quando estava sozinho comigo. Pelo visto, devia considerar educado preencher o silêncio. Ultimamente, eu não andava muito a fim de papo.

Fiquei sentada com Megari na janela, olhando os raios. Apostamos para ver quantos grous conseguíamos fazer antes do próximo trovão e contamos os relâmpagos no céu.

Lentamente, suas pálpebras começaram a se fechar e as asas de seu último pássaro também caíram, pois ela se esqueceu de levantá-las depois de fazer a última dobra. Passei a mão sobre os olhos dela, como minha mãe fazia para me ajudar a dormir.

Nunca tive uma irmã, mas se tivesse, desejaria que fosse como Megari.

Dei um beijo em sua testa e a deitei na minha cama. Enquanto ela dormia, apoiei a cabeça na janela e procurei a constelação do Grou no céu, nublado demais para que eu pudesse vê-la. Então decidi contar seis raios – um para cada irmão. Meus olhos se fecharam quando cheguei em Hasho.

Quando acordei, meu cobertor estava ajeitado em cima do meu corpo, cobrindo até meus pés.

Megari se assomava sobre mim, totalmente vestida.

– A tempestade passou! – declarou, com o alaúde lunar balançando em suas costas. – Acorde! Já perdemos o café da manhã.

Quando virei para o lado, ela abriu as janelas. A tempestade *tinha* mesmo passado, mas nuvens pesadas ainda pairavam no céu, cinzentas e devastadoras.

– Olhe, olhe o que sobreviveu à nevasca! – ela disse, apontando para algumas árvores com flores rosas à margem do rio. Tive que estreitar os olhos para conseguir enxergar; elas se destacavam contra a neve derretida.

– Está vendo? São flores de ameixa! Aposto que acabaram de abrir. A tempestade deve ter trazido sorte, afinal de contas. Vamos lá, Lina! É bem perto de Iro, descendo a colina. Estaremos de volta antes do almoço.

Inclinei a cabeça, preocupada. *E sua mãe?*

– Não podemos contar pra ela. Ela não vai deixar porque está muito frio, porque há sicários e lobos e mil outros motivos...

Hesitei. *Lobos?*

– Não vamos tão longe assim. – Megari deu risada de mim e jogou minha capa em meus ombros. – Vamos, Lina – disse, puxando-me pela mão em direção à porta. – Nós vamos ser as primeiras a ver as flores. Vou levar meu alaúde e tocar até meus dedos congelarem. Vai ser lindo e romântico.

Toquei as tranças dela. Alguns meses atrás, eu era exatamente assim: jovem, querendo aproveitar cada momento como se fosse o último. Eu também era impaciente, pois um ano parecia uma eternidade. Agora, me sentia mais velha que a lua.

Vá com ela, Kiki incentivou, me espiando atrás de um vaso. *Você poderia aproveitar o passeio.*

Você também vem?

Pra ficar no seu bolso o dia todo?, Kiki reclamou. *Acho que não.*

Megari ainda estava puxando minha manga. *Tudo bem*, falei sem emitir som, empurrando a bolsa para debaixo da cama.

– Oba! – ela soltou um gritinho que aqueceu meu coração.

Pao nos deixou sair. Descemos a colina saltitando desajeitadamente e escorregando no gelo. Perdi as contas de quantas vezes caímos no chão e desviamos de poças congelantes. Fazia tanto tempo que eu não desfrutava de um momento despreocupado como esse. A alegria de Megari era contagiosa, e eu não conseguia parar de sorrir.

– Não apareço em Iro há meses – Megari falou, apontando para a cidade abaixo. – Tem uma estrada que liga o castelo a Iro, mas está coberta de neve e gelo. Espero que ela esteja acessível antes do Festival de Inverno.

Alguns acampamentos de soldados podiam ser vistos pela encosta, logo abaixo da fortaleza, mas Iro em si era menor e mais silenciosa do que eu imaginava. Vi comerciantes carregando mercadorias ao longo das estradas geladas e um homem vendendo castanhas tostadas, mas as ruas, brancas de neve, ostentavam pouco tráfego. Não havia mansões ou vilas, feiras, pontes nem barcos sobre o rio. Só havia um punhado de portões vermelhos sob o sol aquoso.

Eu teria detestado tudo, como princesa Shiori.

Mas agora me parecia um cenário paradisíaco.

Estiquei a mão para pegar tufos de neve que caíam dos galhos das árvores. Enquanto derretiam, observei as crianças com varas, cutucando o rio congelado que cruzava a cidade. A vista do rio Baiyun me fez parar no lugar. Será que Seryu tinha finalmente se entendido com seu avô? Já fazia semanas que eu não tinha notícias dele.

– Aquela é a Montanha do Coelho – Megari disse, apontando para os picos cobertos de neve. – A lenda diz que qualquer coelho que conseguir subir até o topo pode viver na lua com Imurinya. Na primavera, o vale fica cheio de centenas, *milhares* de coelhos. Takkan e eu sempre tentávamos pegá-los, mas minha mãe nunca nos deixava ficar com eles. Ela dizia que era trabalho demais e que só ficaríamos tristes se Chiruan fizesse ensopado de coelho um dia.

Ela continuou tagarelando:

– Ela também não nos deixava subir a montanha. Uma vez, tentamos arrastar Zairena com a gente quando ela veio nos visitar, mas ela gostava tanto de ficar olhando os coelhos que nunca chegamos lá em cima. Quem imaginaria que ela se tornaria a tigresa que é agora? Eu a teria convidado hoje se ela fosse mais como a garota de antes. Mas acho que ela é mais feliz agora, fiando com sua roda, produzindo aqueles fios estúpidos para a imperatriz.

Consorte do imperador, corrigi automaticamente na minha cabeça. Mas, sim, eu estava aliviada por Megari não ter convidado Zairena.

– Além disso, você é muito mais divertida que ela – Megari declarou, prendendo o braço ao meu. Estávamos perto das ameixeiras. – Posso até ver os coelhos correndo pra você e tentando pular no seu chapéu, Lina. Deve ser ótimo pra se proteger da neve e do sol.

Sorri, emocionada com a animação dela. *Sim, é ótimo.*

– A Montanha do Coelho fica ensolarada na primavera, e às vezes também fica bem lotada, quando todo mundo vai apreciar a vista. É meu lugar favorito em Iro. Você vai ver. Quando as árvores florescem e a montanha verdeja, parece um sonho. Só Takkan parece gostar mais de Iro no inverno.

Por quê?

– Porque é quando ele consegue trabalhar nas histórias que ficam espalhadas em sua escrivaninha. – Ela ergueu uma sobrancelha de forma conspiratória. – Estou tentando convencê-lo a contar uma delas no Festival de Inverno deste ano, mas ele é tão teimoso quanto seu cavalo. Aposto que *você* conseguiria convencê-lo… já que salvou a vida dele.

Endireitei a postura. Eu conhecia esse tom. Eu tinha praticamente o inventado quando queria algo dos meus irmãos.

– Ah, todo mundo adoraria ouvir. A tradição é que alguém da família abra o festival com alguma *performance*. É nosso jeito de alegrar o povo de Iro. Meu pai costumava recitar poesia e minha mãe costumava dançar. Agora eu toco alaúde, e se tivermos sorte, Takkan…

A voz dela falhou. Ela estava olhando para as árvores, nervosa. Também olhei ao redor. O que ela estava procurando?

Megari agarrou meu braço.

– Ali! As flores!

O bosque era pequeno, com cerca de uma dúzia de árvores, mas era mesmo *lindo*. Pétalas cor-de-rosa voavam, carregadas pelo vento, pousando na neve macia e intocada. Não muito longe, ouvi o gorjeio do rio – e o relincho de um cavalo.

– Você está atrasada – Takkan disse, fechando o caderno. – Você falou que estaria aqui tocando alaúde antes que eu chegasse.

– Takkan! – Megari pulou nos braços abertos de seu irmão. Ele a girou no ar e parou ao me ver.

– Eu trouxe Lina comigo, tudo bem? Ela não tinha visto as flores.

Takkan me cumprimentou com um sorriso.

– É mesmo?

Não sorri de volta. Não estava descontente por vê-lo, mas fiquei me perguntando o que Megari estava tramando.

Atrás das árvores, seu cavalo relinchou e resmungou, lançando neve em nossa direção.

– Calma aí – Takkan falou, tentando tranquilizar o animal. – Almirante, o que deu em você?

Almirante bufou e piscou, assustado. Dei um passo para trás. Tinha a sensação de que ele estava reagindo a mim.

– Eu devia ter trazido uns caquis – Megari disse, fazendo carinho na crina grossa do cavalo. – Isso, isso, bom garoto. – Ela o abraçou. – Ainda estou tentando fazer meu irmão mudar seu nome para Macarrão. Almirante é um nome tão velho e chato.

– Ele é um cavalo-sentinela, Megari, não um coelho.

– Cavalos-sentinelas também podem ter personalidade. Está vendo? Ele gosta.

– Acho que ele só gosta de você.

– Então ele tem bom gosto.

Com uma risada, Takkan se virou para Almirante, e Megari se segurou em uma das ameixeiras e girou, pegando algumas pétalas no ar. Ela quebrou um raminho e me entregou.

– Uma lembrança, Lina. Da primavera.

Levei as flores ao nariz, inalando sua doce fragrância. Guardei o raminho com cuidado no bolso.

– Às vezes, eu queria que o Festival de Inverno fosse aqui, e não na cidade. – Megari suspirou. – Imagine os lampiões iluminando as árvores! Acho que seria um cenário deslumbrante perto do rio. Ah, você vai adorar, Lina. Vai estar tão frio que você não vai nem sentir seu nariz, mas não há noite mais maravilhosa que essa. E também tem fogos de artifício.

– Pensei que você não gostasse de fogos de artifício – seu irmão disse.

– Não gosto mesmo. Eles fazem um barulho muito alto e todo mundo adora. Mas estou disposta a enfrentar meus medos, pelo bem do festival. Ao contrário de você, Takkan. E lá se vai o lema da nossa família.

– Isso não tem nada a ver com coragem – Takkan falou com severidade. – Não importa quantas vezes você peça, não vou mudar de ideia.

Mudar de ideia sobre o quê?, gesticulei.

Antes que Takkan pudesse impedi-la, Megari girou dramaticamente e pulou em um toco de árvore.

– Veja, minha amiga Lina: meu irmão, Bushi'an Takkan de Iro, que escapou de sicários e bandidos e lutou bravamente em nome do imperador Hanriyu, é tímido. Ele é assim desde criança. Ele não tem amigos, Pao não pode ser considerado seu amigo. Ele subiria nas árvores só pra se esconder das multidões...

– Megari! Desça daí! – Takkan passou uma mão pelo cabelo, constrangido.

Queria poder dar risada. Uma gargalhada começou a subir da minha barriga, fazendo cócegas enquanto eu tentava segurá-la. Mas me contentei com um sorriso, o maior que eu dava em muito tempo.

– Ele também tem medo de monstros de oito cabeças e pelo listrado e branco. – Megari saltou do toco, sorrindo maliciosamente quando as bochechas de seu irmão adquiriram um tom intenso de vermelho. – Lembra quando Hasege disse que viu um desses no telhado? Você ficou de guarda por semanas, procurando um monstro que você mesmo inventou pra sua história!

– Foi uma pegadinha cruel – Takkan falou, exasperado. – Não tenho medo de monstros.

– Mas tem medo de cantar no festival.

Megari era descarada, pensei, rindo de como Takkan parecia mortificado, como se quisesse que o rio o levasse embora.

Você canta?

– Se ele canta? – Megari repetiu. – As sacerdotisas diziam que Takkan poderia convocar as cotovias e as andorinhas com a voz dele, assim como eu posso acalmar os ventos furiosos com meu alaúde lunar.

– Coincidentemente, essas mesmas sacerdotisas também dizem que mamãe solta diamantes pela boca sempre que doa makans de ouro – Takkan falou, seco. Ele me encarou. – Elas exageram, Lina. Muito.

Balancei a cabeça e enfiei a mão no bolso, procurando meu pincel e caderno.

Quero ouvir. Nunca conheci um
chefe militar que cantasse.

Takkan abriu um leve sorriso.

– Quantos chefes militares você conhece, Lina?

Abri as duas mãos para indicar que conhecia vários. Centenas. Era verdade, mas claro que ele pensou que eu estava brincando.

Nenhum deles canta. Nenhum tem
uma dívida comigo.

Ele soltou um muxoxo. Era um golpe vergonhoso – até eu sabia disso. Felizmente, ele levou na esportiva.

– Megari te colocou nessa, não é? – ele disse, se virando para a irmã de olhos brilhantes.

A menina encolheu os ombros.

– Você está sempre falando que a história ignora Iro. Alguém tem que cantar sobre as batalhas que lutamos, para que elas sejam lembradas.

– Você pode cantá-las, Megari. Você é a musicista, não eu.

– Vamos, Takkan, parece que você prefere ir pra batalha a cantar uma mísera música comigo. Lina não espera que um bando de cotovias e andorinhas venham pro templo, sabe. Não durante o inverno.

Assenti para tranquilizá-lo.

– Certo – ele finalmente concordou. – Se passar um pouco mal na frente de centenas de pessoas vai te fazer feliz, então é um preço pequeno que vou pagar. Uma música.

Megari saltitou, batendo palmas alegremente.

– Vamos ter que praticar, pra você não fazer papel de bobo na frente de Lina.

– *Você* devia praticar antes que fique frio demais – Takkan disse. – Você não falou que queria tocar no meio das flores de ameixa ou foi só um truque pra nos fazer te acompanhar até aqui?

– Foi um truque pra fazer você concordar em cantar no festival, irmão. Eu sabia que você não negaria, não na frente de Lina.

Megari pegou seu alaúde e pulou em um tronco caído. Seu rosto se iluminou de alegria assim que ela começou a dedilhar.

Eu me apoiei em uma árvore e fiquei escutando. A música nunca esteve no topo da minha lista de prazeres da vida. Praticar cítara era uma tarefa que eu considerava um pouco mais agradável que costurar.

Mas eu estava errada. Tinha subestimado a música.

Megari tocou um acorde melancólico e meu coração sentiu intensamente, como se suas próprias cordas tivessem sido puxadas. Eu daria qualquer coisa para dançar ao som da flauta de Yotan de novo ou para cantar com minha mãe na cozinha. Foram tempos felizes, como este momento. Logo a música de Megari também se tornaria apenas uma lembrança.

De repente, notei a presença de Takkan, apoiado do outro lado da árvore, ouvindo sua irmã. Ele estava ali o tempo todo?

Quando ele percebeu que eu o estava olhando, desviei o olhar. Mas era tarde demais. Ele deu a volta na árvore e se colocou ao meu lado.

Comecei a me mover para a outra árvore, mas Takkan sussurrou:

– Há uma história por trás dessa música. Percebe que Megari está imitando o rio?

Ela corria os dedos pelas cordas. Sim, parecia água fluindo.

– A música é sobre uma garota descendo o rio Baiyun em uma casca de castanha – Takkan explicou. – Ela tinha o tamanho de uma ameixa. Era tão pequena que enfrentava as cigarras com agulhas e pulava em milhafres para voar para longe de seus inimigos. Ela usava um dedal na cabeça para que ninguém soubesse que ela era, na verdade, filha da Senhora da Lua.

Um dedal na cabeça? Mostrei meu ceticismo torcendo os lábios. *Você inventou isso?*

– Não gostou?

Dei de ombros. Não fazia o menor sentido. Por que ela tinha um dedal na cabeça se era filha da Senhora da Lua?

– Não é minha melhor história – Takkan deu uma risadinha. – Mas às vezes me pergunto se você não é uma delas, Lina. Uma das filhas da lua. Pensei que deve ser por isso que você não quer que ninguém veja seus olhos. Eles vão nos cegar com o seu brilho.

Ele estava me provocando, usando suas histórias para me fazer sair da concha. Que os demônios me levassem, estava funcionando. Peguei uma flor na minha manga e soprei as pétalas na cara de Takkan. Ele deu risada, e eu sorri. Percebi as manchas de tinta e carvão em suas mangas enroladas, o cabelo bagunçado pelo vento e cuidadosamente penteado em sua nuca, seus olhos escuros, de alguma forma mais brilhantes a cada vez que os via. Kiki estava certa. Ele não era o bárbaro que eu tinha imaginado.

O que não significava que eu gostava dele, claro.

Mas não me faria mal gostar de suas histórias.

Estava começando a nevar quando vimos os lobos. Eles estavam descendo a colina, espreitando pelas saliências brancas de neve com seus olhos claros e implacáveis.

Megari apertou meu braço com mais força. Mudamos a trilha, mas o resto do bando estava a caminho, nos esperando na direção para a qual estávamos indo. Logo estaríamos cercados.

– Lina – Takkan disse entredentes, me passando as rédeas de Almirante. Ele pegou seu arco e sua aljava com quatro flechas de penas azuis. – Leve minha irmã de volta para o castelo.

– De volta para o castelo? – Megari repetiu, soltando-me. – Não, você não vai ficar pra...

Takkan a interrompeu, pegando-a no colo e colocando-a no lombo de Almirante.

Pelo bem de Megari, subi no cavalo, enfiando os calcanhares em seus flancos para fazê-lo se mexer.

– Lina! Não podemos deixar Takkan aqui. Ele está machucado. Temos que voltar...

Minha mente estava gritando o mesmo. Eu nunca tinha visto Takkan em combate. Não tinha dúvidas de que ele era habilidoso e que homem nenhum gostaria de tê-lo como inimigo. Mas não importava que ele fosse um guerreiro competente, estava vulnerável por conta de sua ferida. Ele não poderia vencer uma matilha de lobos sozinho.

Saltei do cavalo, dando tapas em Almirante para que ele levasse Megari de volta para o castelo se mim. Ela iria mais rápido sem o meu peso, e sabia o caminho. Caí na neve e Takkan me ajudou a levantar. Pelo brilho desesperado de seus olhos escuros, entendi que ele me achava uma tola por ter ficado.

Pelo menos, eu era uma tola corajosa.

Os lobos nos cercaram, encorajados por minha pequena adaga e pela respiração pesada de Takkan. Eles rosnaram, e seus pelos cinzentos cintilaram com a neve. Suas presas eram tão grandes que se projetavam de seus lábios.

– Fique perto – ele disse, pressionando as costas contra as minhas. O ar estava pesado e ameaçador, tão tenso quanto a corda do arco sob seus dedos. Mordi o lábio, com mais medo de gritar que de ser estraçalhada por aqueles dentes brancos.

Um uivo veio de além da colina. Em seguida, os lobos atacaram.

Takkan lançou suas flechas com a precisão de um atirador talentoso. Cada flecha acertou a barriga ou o peito de um lobo. Se houvesse apenas quatro lobos, a batalha teria acabado ali. Mas outros se aproximavam, vindos de trás das árvores, subindo a colina.

Ele sacou a espada.

Eu era a presa mais vulnerável, mas os lobos me ignoraram completamente. Eles uivavam, esquivando-se de meus ataques e me chutando. Só se importavam com Takkan.

Queriam matá-lo.

O sangue latejava em meus ouvidos enquanto a luta seguia morro acima, em meio à vegetação rasteira. Avancei em um dos lobos que perseguiam Takkan, mas suas patas poderosas me chutaram para o lado e eu caí, impotente.

Abaixo, um lobo se esgueirava pelas bordas da colina. À primeira vista, ele se parecia com os outros: seu pelo era cinza-claro, eriçado, suas orelhas estavam eretas e alertas. Mas ele era menor que os outros lobos e estava observando a luta de longe. Cada vez que Takkan matava um membro de sua matilha, ele soltava um grito terrível. Era dele o uivo que iniciou a ofensiva.

Eu rastejei na direção dele, me escondendo na vegetação rasteira. Havia uma espécie de pulseira dourada em uma de suas patas dianteiras, o que era bastante incomum para um lobo.

Pulei em suas costas, derrapando contra a neve enquanto ele tentava me lançar para longe. Suas presas se fincaram no meu rosto. O mundo girou e o céu virou um borrão azul-acinzentado enquanto o lobo tentava me jogar colina abaixo. Mas aguentei firme.

Ele cheirava a fumaça e seus olhos eram amarelo-escuros como os dos outros lobos, mas capturavam a luz de uma forma que me fazia olhar duas vezes. Ele rosnou, tentando se livrar de mim, mas eu me segurei, brandindo cegamente a adaga.

Ele me prensou contra a neve, e estava prestes a acabar comigo com suas garras, mas eu cravei a lâmina em sua carne, torcendo profundamente até perfurar o osso. O lobo soltou um grito ensurdecedor. O sangue jorrou do corte em seu pelo cinza.

Pensei que ele iria atacar novamente por vingança, mas seus olhos amarelos me varreram, me estudando. Seu olhar era ameaçador até para um lobo. E estranhamente calculista.

Com um movimento do rabo, ele se virou e disparou colina acima, uivando, pedindo para que o resto da matilha recuasse.

Takkan correu para mim, ofegante. Havia sangue em seu rosto, e sua capa estava toda rasgada. Mas nem ele nem eu estávamos feridos.

Ele soltou a espada, aliviado.

– Isso foi... a coisa mais imprudente, mais estúpida... e corajosa que já vi.

Pare de falar. Eu o puxei para a neve e ficamos ali deitados por um momento, em parte recuperando o fôlego, em parte rindo por estarmos miraculosamente vivos.

Logo percebemos um cavalo vindo em nossa direção. Era Megari no Almirante. O laço de sua faixa se desfez enquanto ela disparava para nós.

Seu rosto estava coberto de lágrimas, mas ela tinha uma carranca mais feroz do que um lobo. Ela saltou do cavalo e atirou um punhado de neve em seu irmão.

– Não ouse me dispensar daquele jeito de novo!

– Pra deixar você ser comida por lobos? – Takkan usou os braços como escudo contra os ataques de sua irmã. – É melhor ser comido por eles que pela mamãe. Você é a favorita, você sabe.

– Eu sei. – Megari envolveu os braços na cintura do irmão. – Mas só porque você é burro demais. – Ela deu um soco em suas costelas, brincando. – Enfrentar uma matilha de lobos quando qualquer pessoa sensata teria fugido...

Os irmãos deram risada.

O fantasma de uma risada também escapou dos meus lábios. Foi apenas um fiapo de som. Mas uma sombra pavorosa se contorceu no topo da minha tigela, uma serpente invisível que deslizou para dentro do meu bolso.

Enfiei minha mão lá dentro, pegando o ramo de flores de ameixa que Megari havia me dado. Suas folhas e flores estavam pretas.

De repente, toda a alegria que eu tinha experimentado se dissipou. Meu coração afundou. Por um instante precioso, tinha esquecido a obscura maldição pairando sobre mim.

Sem que Takkan e Megari percebessem, deixei o raminho murcho cair na neve.

E não sorri mais durante o caminho de volta para a fortaleza.

CAPÍTULO VINTE E SEIS

Fiquei surpresa por ver Hasege de volta à fortaleza. Ele estava ao lado de Pao, vigiando os portões, e recebeu Takkan, Megari e eu com uma carranca.

– Então é verdade. Você se envolveu com a garota-demônio.

A resposta de Takkan foi a mais gélida que já tinha ouvido:

– Você voltou cedo, primo.

– Perdeu o juízo, Takkan? Estamos quase em guerra, e você me manda embora quando eu deveria estar defendendo o castelo? E tudo por esse demônio?

– Chame-a de demônio mais uma vez e você não será mais bem-vindo em Iro. Nunca mais.

Hasege comprimiu os lábios. Ele não olhava para mim, como se estivesse perturbado com a minha presença. A cicatriz que eu lhe dei brilhava na luz violeta do crepúsculo, torta, sem cor e feia.

– As pessoas vão comentar, estou te avisando. Iro já caiu em desgraça depois do fracasso do seu noivado. Por que você acha que os soldados estão sendo enviados para o Forte Tazheni, em vez de para cá? E você nos humilha mais ainda ao convidar esta... este espírito maligno para dentro da fortaleza! Não me surpreende que a princesa morta tenha te rejeitado por achar que você não tinha valor.

Minha respiração ficou entrecortada, e uma mistura de raiva e vergonha agitou meu peito. Não foi por isso que eu tinha fugido da cerimônia! Seria realmente o que todos estavam dizendo?

Ao meu lado, Takkan ficou visivelmente rígido.

– Não ligo para as fofocas de Gindara. E você deve mais respeito por Shiori'anma.

– O mesmo respeito que ela teve por você? Só espero que, enquanto estive fora, você tenha parado de fazer todos perderem tempo procurando por ela. Seu pai teria concordado comigo. Até lorde Yuji desistiu.

– É mesmo? – Takkan perguntou sombriamente. Ele pegou a mão de sua irmã e passou reto por Hasege, virando-se para Pao: – Encontramos lobos voltando para casa. Quero que a área seja vigiada.

– Lobos? – As sobrancelhas escuras de Pao se franziram. – Lobos não são vistos perto de Iro há anos.

– Eles nos atacaram na colina, não muito longe da margem oeste da foz do rio.

Hasege deu risada.

– Agora você está achando que lobos são como os sicários de Yuji, Takkan? São só feras, e você escapou intacto. Você *realmente* perdeu o juízo.

Fiquei olhando Takkan, me perguntando se ele tinha reparado naquele lobo pequeno com a pulseira na pata...

O olhar de Takkan foi duro.

– Não podemos descartar a possibilidade de que lorde Yuji os tenha enviado. É possível que ele tenha desistido de encontrar Shiori'anma, mas ele continua sendo um traidor. E bem perigoso.

– Hasege e eu vamos sair para investigar – Pao disse depressa, cutucando o outro. – Vamos.

– Não – Hasege falou. – Eu vou sozinho. Você acompanha as mulheres.

Não era necessário. Lady Bushian já estava no portão, correndo em direção à filha.

– Mamãe! – Megari gritou. – Foi ideia minha. Eu queria ver as flores e...

– Não diga nem mais uma palavra – lady Bushian interrompeu, me lançando um olhar que faria até os lobos chorarem.

Voltei para o meu quarto meio entorpecida. Minhas vestes estavam rasgadas e minhas saias encharcadas, e eu não conseguia parar de pensar no ataque dos lobos e nas flores murchas. Eu mal conseguia enxergar direito. Percebi tarde demais que meus passos me levaram em direção ao quarto de Zairena em vez do meu.

– Hasege voltou, ficou sabendo? – a criada estava dizendo. – Você vai cumprimentá-lo? Ele está conversando com Takkan lá fora...

– Hasege pode esperar.

Zairena me viu parada ali e abriu a porta.

– Veio se despedir, Lina?

Me despedir?

– Acha que pode colocar Megari em perigo e continuar sob as graças de lady Bushian? – Zairena deu risada. – Eu não me surpreenderia se ela te mandasse embora.

Minha mandíbula ficou tensa. Continuei caminhando, mas Zairena bloqueou meu caminho.

– Para onde está fugindo? Não precisa se esconder, não com essa tigela na cabeça. – Ela segurou as laterais da tigela, tentando puxá-la.

Eu me desvencilhei dela, amaldiçoando aqueles corredores estreitos. Não estava com a menor vontade de lidar com ela. Minhas vestes estavam encharcadas e meus dedos precisavam desesperadamente de uma nova bandagem.

Zairena deu um passo para o lado.

– Ah, descobri seu ponto fraco, não é? – Ela inclinou a cabeça, tocando a pinta em sua bochecha. – O que você está escondendo debaixo dessa tigela, Lina? Espero que seja algo que valha todo esse trabalho.

Deixei-a para trás. *Trabalho* era um eufemismo.

Parei de participar das refeições no castelo. Perdi até minhas aulas com Chiruan. Ele tinha prometido fazer tofu com especiarias e caranguejo em creme de ovo de seda – dois pratos que acabaram se tornando os meus favoritos. Mas, desde o passeio para o bosque, não tive coragem de aparecer.

O desespero me consumia. Enterrei o rosto nas mãos. Incontáveis noites trabalhando nas urtigas encantadas de folhas afiadas feito facas e espinhos escaldantes não me fizeram emitir um som, mas um momento fugaz com Megari e Takkan foi o suficiente para eu quase estragar tudo.

Quase matei meus irmãos.

Quando me cansei de ficar andando de um lado para o outro em meus aposentos e me lamentando sozinha perto da janela, passei a perambular pela fortaleza. Até que encontrei um pavilhão no meio dos jardins e me consolei na aconchegante e isolada varanda. Com toda a agitação e o falatório sobre a guerra com A'landi, o pavilhão parecia esquecido, com seus degraus de pedra que conduziam às portas cobertas de neve. Acendi o fogo no braseiro e me aninhei ao lado dele, observando os lampiões balançarem nos beirais cheios de gelo.

Para matar o tempo, fiquei fazendo pequeninas dobraduras de grous. Eles tinham uma fração do tamanho de Kiki, já que papel era um item precioso.

Fazia tempo que você não ficava tão pra baixo assim, Shiori. Kiki bateu as asas, derrubando um pouco de neve em meu nariz. *Não aconteceu nada. Ninguém se feriu. Por que está tão triste?*

Não olhei para ela.

Anime-se. Cante aquela sua musiquinha boba. Você não pode ficar nessa o dia todo. Você tem uma maldição para quebrar.

A rede de choque-celeste era a última coisa em que eu queria pensar. Dispensei Kiki abanando a mão, ela resmungou e saiu voando. Depois de meia hora, fiquei preocupada e comecei a guardar as dobraduras para procurá-la. Então, de repente, Kiki disparou na minha direção, mergulhando na cesta. Logo uma figura familiar dobrou a esquina.

– Vejo que encontrou o famoso pavilhão do musgo – Takkan disse, tirando as folhas que se prendiam ao banco. – Por isso não estava te encontrando, escondida nos fundos do jardim. Pensei que estaria na cozinha, mas Chiruan disse que não te vê desde ontem.

Ele estava me procurando? Minhas sobrancelhas franziram, mas não olhei para ele. Fingi me concentrar nos meus grous, tentando sinalizar que queria ficar sozinha.

– Este lugar era para ser uma casa de chá – Takkan falou –, mas minha mãe desistiu da ideia. Agora é um bom local para ficar em paz, refletindo ou cantando, já que só os pássaros ouvem. – Ele deu um sorriso abatido. – Ou para fazer umas dobraduras. Vai fazer um pedido quando completar mil?

Engoli em seco com força, respondendo à pergunta somente em pensamento. Até agora, eu já tinha provavelmente feito mais de quinhentos pássaros. Antes, eu planejava fazer um pedido. Um pedido bobo e fantasioso. Agora, sabia que não podia contar com as lendas.

Não, eu estava fazendo as dobraduras para mim mesma. Tinha virado um hábito, que oferecia às minhas mãos algo para se ocuparem e fazia eu me sentir menos solitária quando Kiki estava fora, levando notícias minhas para os meus irmãos.

Não respondi, mas meu silêncio não deteve Takkan. Ele pegou em sua mochila um bolinho de arroz pegajoso enrolado em folhas de bambu e barbante.

Levantei a cabeça.

– Você sempre escolhe esses durante o jantar – ele disse, desembrulhando um. Era um dos que eu tinha feito; o barbante estava cruzado nos lugares errados, apertando as folhas com força demais. Por mais que eu gostasse da receita, ainda não a tinha dominado.

Minha barriga roncou, revoltando-se contra a minha decisão de ignorá-lo. Redobrei a atenção em meus grous, e nem ergui os olhos quando ele ofereceu o bolinho mais uma vez.

Kiki saiu de dentro da cesta, rastejando até meu cotovelo e mordendo meu braço. *Coma, Shiori.*

Não estou com fome.

Não está com fome? Depois de todo o trabalho que tive para encontrá-lo e trazê-lo aqui? Ele quase me viu!

Você o trouxe aqui? Fingi espanar a neve das minhas mangas. *Pensei que você me aconselharia a ignorá-lo.*

Quando eu te falei isso? Ela mordeu meu braço de novo, como se isso fosse me trazer algum juízo. *Você me conjurou com esperança, Shiori. Acha que vai conseguir quebrar a maldição dos seus irmãos a partir do desespero? Vá em frente, passe um tempo com ele.*

– O que você está escondendo na sua manga, Lina? – Takkan perguntou, bem-humorado. – Se forem doces, vou levar este bolinho embora.

Minha resistência derreteu, principalmente porque eu estava com fome. Aceitei o bolinho, devorando-o em três mordidas. O arroz grudou em meus dentes enquanto eu mastigava. Limpei a boca e soltei um suspiro satisfeito.

– Chá?

Não. Só me permitiria ceder uma vez.

Cruzei os braços e olhei para ele. Takkan também estava comendo um bolinho, com um cantil de chá ao seu lado no banco.

Ele estava diferente. Em vez de armadura, usava um longo casaco azul-marinho que eu nunca tinha visto antes, com gola cruzada, calças cor de trigo-sarraceno e uma faixa preta e fina. Isso o fazia parecer menos com um sentinela de dorso rígido, e mais como um amigo. Eu me perguntei se ele me considerava sua amiga.

– Eu teria te procurado antes – ele disse de repente –, mas estive fora com os sentinelas... caçando lobos.

Esmaguei as folhas do bolinho. *Lobos?*

– Encontramos a toca deles. Concluíram que eram apenas lobos e que não tínhamos motivo para suspeitar que se tratava de um ataque coordenado pelo lorde Yuji e seus aliados. Mas eu não estou tão convencido disso.

Ele tirou o capuz e deu um passo à frente, falando baixinho:

– Você estava comigo, Lina. Notou algo estranho naqueles lobos?

Apertei os lábios com força, aliviada por ele também ter percebido. *Um deles era estranho mesmo: o menor, de olhos amarelos.* Apontei para o meu tornozelo, indicando que ele tinha uma pulseira dourada na pata.

– Eu vi – Takkan murmurou –, e não consigo parar de pensar nisso. O aliado do lorde Yuji tem um feiticeiro chamado Lobo, que está ligado a ele por um amuleto.

Feiticeiros, Seryu me dissera, tinham que servir a quem possuía seu amuleto.

– Quando mencionei isso aos outros – Takkan continuou –, acharam que eu estava maluco por pensar que... havia algo estranho no lobo que vimos. Por pensar que ele podia ser... – ele hesitou.

Mágico?, escrevi na minha palma.

– Sim – ele sussurrou. – Mágico.

Takkan respirou fundo.

– Não sei muito sobre magia, Lina, mas ouvi histórias de fora de Kiata. Em todas elas, feiticeiros são astutos, muitas vezes mais do que seus mestres. Acho que esse Lobo não seria diferente.

Ele deu risada de si mesmo.

– Olhe só para mim, contando com rumores para definir minha estratégia. Todo mundo está focado em derrotar os a'landanos, mas aqui estou eu, preocupado com o Lobo. Que bom que não sou conselheiro do imperador nem comandante do exército. Não é de admirar que os outros pensem que fiquei maluco.

Me aproximei dele para mostrar que eu não pensava assim. Não mesmo.

Ele baixou a voz:

– Às vezes, acho que a magia nunca foi embora de Kiata. Não completamente. Estou até me perguntando se os próprios filhos do imperador não foram enfeitiçados... é a única coisa que explica como é que ninguém os conseguiu encontrar. – Ele apertou os lábios. – Mas talvez eu só esteja me iludindo. O inverno aqui confunde nossos sentidos.

Estremeci, sentindo um frio súbito. Takkan estava tão perto da verdade... e nem desconfiava. Apertei o grou inacabado ainda na minha mão.

Fiz uma última dobra nele, abri suas asas e o mostrei para Takkan.

– O que é? Uma pomba?

Não.

– Um cisne?

Bati na cabeça do pássaro.

– Um grou?

Sim. Fiz mais um. E mais um e mais um, até ter seis, dispostos em um círculo disforme. Era o máximo que eu ousava lhe dizer.

– Seis grous – Takkan falou. – Acho que não entendi.

Claro que não. Era injusto fazê-lo brincar de adivinhar e incentivá-lo a continuar, como se houvesse uma recompensa esperando-o no final.

A culpa e a frustração me dominaram. Juntei os grous e os lancei para o alto. Eles voaram pelos degraus da escada, balançando ao vento até pousarem na neve. Um deles ficou no meu braço. Peguei uma asa, Takkan pegou a outra. Nossos dedos estavam tão próximos que quase dava para sentir o calor de sua pele.

Afastei a mão e me virei para o chá que eu tinha recusado antes. A bebida já estava fria, mas não estava amarga ao descer pela minha garganta. Ainda estava perfumada, e o que restava de seu calor me acalmou.

Takkan segurava o último grou na sua palma.

– Eles são importantes pra você, não são? Esses grous.

Isso, pelo menos, eu podia responder. Fiz que sim.

– Você sabe como eles adquiriram a coroa vermelha?

Não. Conte-me.

– Todo mundo sabe que Emuri'en era a maior dos sete deuses – Takkan começou. Sua voz ficava mais profunda conforme ele contava a lenda mais amada de Kiata. – Ela fez um oceano com suas lágrimas e pintou o céu com seus sonhos. Seu cabelo ofuscava todas as luzes e estrelas do universo. Tão radiantes eram suas tranças que o sol lhe pediu uma mecha, que usou como um colar para iluminar o mundo.

A voz de Takkan vibrava, como as notas mais complexas e baixas da cítara.

– Quando a terra ficou brilhante, Emuri'en observou os humanos que fizeram dali sua morada e passou a amá-los. Mas ela via que eles eram fracos, suscetíveis à ganância e à inveja. Todas as manhãs, ela cortava seu cabelo, embotando seu resplendor e tingindo-o de vermelho, a cor da força e do sangue, para prender diferentes mortais juntos, unindo seus destinos com amor. Mas, a cada fio que cortava, seu poder diminuía, então ela atraiu as nuvens para forjar mil grous, pássaros sagrados, para ajudá-la em seu trabalho.

Ele pegou os dois fios de barbante usados para embrulhar nossos bolinhos de arroz e segurou um sob o bico do grou.

– Com o tempo, ela doou tanto de seu poder que não pôde mais ficar no céu e caiu na terra. Seus grous tentaram pegá-la, mas acabaram derramando a tintura vermelha em suas têmporas, criando a coroa escarlate que têm até hoje. – Sua voz ficou mais suave. – Quando Emuri'en viu, abriu seu último sorriso e os fez prometer que continuariam sua tarefa, conectando destinos.

"Os mil grous voaram até o céu, torcendo para que ela revivesse. Os deuses também queriam que sua irmã retornasse, mas não podiam trazê-la de volta. Então eles pegaram o último fio de seu cabelo e o plantaram na terra, na esperança de que ela um dia renascesse. E ela realmente renasceu, mas esta é uma outra história."

Ele pegou mais um grou do chão e enfiou outro fio de barbante sob seu bico.

– Até hoje, grous carregam os fios do nosso destino. Dizem que, toda vez que os caminhos de duas pessoas diferentes se cruzam, seus fios também se cruzam. Quando eles se tornam importantes um para o outro ou fazem uma promessa um para o outro, um nó é amarrado, conectando-os.

Ele fez um nó nas pontas dos barbantes e baixou a voz.

– Mas, quando eles se apaixonam, seus fios são unidos nas duas pontas, virando um fio só. – Ele amarrou a outra extremidade do barbante, que se transformou em um círculo. – E seus destinos acabam irreversivelmente unidos.

Ao chegar ao fim da história, ele ofereceu os barbantes para mim.

Hesitei. "Se o destino é um monte de fios, então vou carregar tesouras comigo", era o que eu costumava dizer aos meus professores sempre que eles falavam sobre Emuri'en. "Minhas escolhas são minhas. Vou fazer o que eu quiser."

Era fácil uma princesa dizer isso. Só que eu não era mais uma princesa.

Aceitei a oferta de Takkan tarde demais. Uma rajada de vento levou os barbantes embora.

Eles caíram na neve, e avancei para pegá-los antes que o vento os roubasse. Mas fui lenta demais, ou o vento, rápido demais. Nossos fios do destino subiram e saíram flutuando pelos telhados, para longe, muito longe.

Só os céus saberiam o que seria deles.

CAPÍTULO VINTE E SETE

Estava na cozinha quando ouvi os gritos. O som agudo cortou o barulho de Chiruan picando vegetais, o assobio constante da chaleira e o ruído das panelas dos cozinheiros preparando o almoço.

Baixei a faca e a limpei em meu avental, olhando para Chiruan. *O que está acontecendo?*

– Vá dar uma olhada.

Peguei minha capa e saí correndo. Já havia uma multidão no jardim em frente ao portão norte.

Primeiro vi Hasege, acompanhando Zairena em meio às pessoas. Um leque de seda preta com borlas de contas cobria todo o seu rosto, menos seus olhos.

Será que o grito tinha sido dela? Não, não podia ser. Seu queixo estava erguido, suas mangas estavam dobradas cuidadosamente nos punhos, e ela caminhava lentamente, como se estivesse indo para alguma cerimônia no templo.

O que ela está fazendo aqui? O que está acontecendo?

Zairena fechou o leque e se ajoelhou; suas vestes brancas se camuflaram na neve. Fiquei na ponta dos pés, de olho em Kiki, que tinha saído da minha manga para descobrir o que estava acontecendo.

Foi então que vi.

Um sentinela jazia na neve. Sob o débil sol do inverno, sombras se prendiam em sua figura imóvel. Alguém tinha colocado uma faixa fina sobre seus olhos, mas o reconheci no mesmo instante.

Meu coração deu um solavanco. *Oriyu.*

Suas veias estavam azuladas sob a pele pálida, seu cabelo grisalho estava bagunçado em suas têmporas. Mas foram seus lábios que chamaram minha atenção.

Os lábios, Kiki falou. *Eles estão... estão...*

Escuros. Cruzei os braços, tremendo. Eu não precisava ter estudado com as sacerdotisas de Nawaiyi para saber qual era esse veneno: Quatro Suspiros.

Erguendo o leque novamente, Zairena deu a Takkan um aceno solene.

– Quatro Suspiros – ela falou, em tom grave. – Uma hora depois de ingerido, os lábios da vítima ficam escuros e a morte é rápida.

Zairena se virou para a criada ao seu lado, que devia ter sido quem descobriu o guarda morto.

– Vá já para o templo para se purificar desse assassinato terrível. Eu vou com você. Precisamos rezar para que a alma de Oriyu fique em paz e não nos assombre.

A multidão abriu caminho, e aproveitei a oportunidade para me aproximar do cadáver.

Mantive a cabeça baixa enquanto caminhava entre as pessoas, até ver Hasege e Takkan.

– Ele será enterrado hoje à noite – Hasege anunciou com a voz rouca. – O sicário será encontrado. Agora, voltem ao trabalho.

A multidão se dispersou, mas eu fiquei. Os sentinelas estavam revistando Oriyu, e eu queria ver o que eles iam encontrar.

Hasege agitou uma tocha na minha cara.

– Você não é bem-vinda aqui.

– Deixe-a – Takkan disse, se colocando entre nós. Ele estava abatido, e seus movimentos normalmente leves estavam pesados pelo luto. Fiquei triste por ele. Oriyu era seu amigo. – Talvez ela veja algo que não vimos.

– Ela pode ser a assassina – Hasege afirmou duramente. – Ela não é daqui, não tem família para protegê-la. Olhe essa tigela. Ela está escondendo algo...

– Já disse que ela está sob minha proteção.

Hasege baixou a tocha para me deixar passar, mas um silêncio desconfortável caiu sobre nós. Eu sabia que muitos daqueles homens concordavam com ele e não gostavam de mim. Eles me lançaram olhares desconfiados e suas mandíbulas se tensionaram enquanto eu me aproximava de Oriyu.

Apenas Pao abriu espaço para mim.

– Duas noites atrás, Oriyu estava designado como vigia de incêndios – ele estava dizendo –, mas fazia dias que ele não dormia, então assumi seu turno e falei para ele descansar. Quando ele não apareceu para o turno seguinte, pensei que ele tinha sido enviado para procurar lobos de novo.

Enfiei os dedos na neve enquanto observava os lábios pretos de Oriyu, suas vestes amassadas e a armadura que Pao e os outros tinham retirado. Não vi nada.

Suspirei. O cheiro de incenso em suas roupas era forte e estranhamente doce.

Acenei para Pao, então farejei e fingi dormir. Estava tentando explicar que Quatro Suspiros podia ter sido inalado.

Respirar veneno para dormir, escrevi na neve. *Então comer. Morrer.*

Pao franziu as sobrancelhas.

– Você acha que o sicário fez Oriyu comer enquanto dormia?

Eu não tinha certeza, então encolhi os ombros. Era só uma hipótese.

Havia centenas de soldados nas tendas do lado de fora, mas os sentinelas controlavam cada pessoa que entrava e saía da fortaleza. Seria fácil chegar ao sicário. A não ser que...

Ele não saiu, escrevi.

Enquanto Pao repassava minha suposição, os outros me lançavam olhares e faziam carrancas. Ouvi claramente o que discutiam: o que eu, "uma garotinha de nada", sabia sobre assassinatos e venenos? Eles me chamaram de outras coisas mais criativas, até que Takkan os silenciou com um olhar severo.

Ele estava calado. Seus olhos escuros cintilaram à luz da tocha, e ele ficou olhando o cadáver do amigo.

Debaixo das minhas mangas, eu estava toda arrepiada. Eu sabia que ele estava pensando na carta que tinha achado perto do vilarejo Tianyi. Se lorde Yuji tinha mesmo encontrado uma forma de produzir Quatro Suspiros, ele ainda causaria muito estrago.

Takkan se ajoelhou para retirar o cachecol de Oriyu, dobrando-o com cuidado ao seu lado. Então começou a tirar as luvas e as vestes internas.

– Takkan, o que está fazendo? A gente já...

Takkan ignorou os sentinelas.

– Pao, segure o lampião.

Takkan revistou o cadáver de seu amigo minuciosamente, virando-o para o lado.

– Aqui – ele disse por fim, correndo um dedo por uma teia de veias douradas debaixo dos braços de Oriyu. Havia mais na sua nuca, mas quase totalmente desbotadas.

– Lina está certa. Parece que Oriyu inalou *mesmo* Quatro Suspiros antes de receber uma dose fatal.

– E como isso pode nos ajudar?

Takkan se levantou.

– Vamos fechar a fortaleza – ele disse, decidido. – Ninguém entra e ninguém sai até que a gente descubra quem é o sicário.

– Fechar a fortaleza? – Hasege questionou, sem acreditar. – Está dizendo que acredita nessa garota? Só um tolo ficaria aqui.

– Um tolo ou alguém muito esperto. Alguém que conhecemos e em quem confiamos. Não podemos arriscar.

– Mande alguns de nós para fazer uma busca fora da fortaleza – disse

Hasege. – Ou você não confia nem em seus próprios homens? Em seu próprio parente?

A resposta de Takkan foi fria:

– Se algum parente meu tem um histórico de desonras ao nome Bushian, não é merecedor da minha confiança.

Hasege me lançou um olhar cruel. Ele estava se esforçando – sem sucesso – para conter a raiva.

– Como é que podemos saber que o sicário estava *dentro* da fortaleza, para começo de conversa? – ele grunhiu. – Oriyu pode ter sido envenenado quando estava fora caçando lobos. Uma missão estúpida que *você* mesmo inventou, acreditando que lorde Yuji tinha enviado os animais para te matarem.

A expressão de Takkan ficou sombria.

– Está sugerindo que eu sou o culpado pela morte de Oriyu?

– Calma, calma, primo. Não estou querendo jogar pedras em você. Só estou considerando todas as possibilidades. Como você mesmo gosta de fazer.

Takkan sustentou o olhar do primo.

– Então vamos considerar todas as possibilidades. Por que alguém envenenaria Oriyu duas vezes? Primeiro, fazendo-o dormir profundamente, depois, fazendo-o ingerir uma dose letal? – ele falou devagar, pronunciando cada palavra com intenção. – Eu apostaria que o sicário tinha outro alvo em mente, e Oriyu foi exposto ao veneno por acidente. Quando o sicário descobriu, resolveu matá-lo, torcendo para que o frio apagasse qualquer traço do Quatro Suspiros de sua pele.

– Acho que o sicário o confundiu com você – argumentou Hasege –, e agora está voltando para os acampamentos de Yuji enquanto nós estamos aqui hesitando, perdendo tempo em vez de ir atrás dele.

– Esta não foi uma tentativa frustrada de acabar com a minha vida – Takkan disse, pegando o cachecol de Oriyu. – Estamos assumindo que o sicário *é* um sicário. Existem maneiras mais fáceis de matar alguém do que com Quatro Suspiros. Há outros venenos igualmente letais e rápidos. Não, Quatro Suspiros é único porque pode fazer suas vítimas dormirem como uma lua entorpecida, tornando-as vulneráveis à captura.

– Alguém como o imperador? – Pao arriscou.

– Ou os príncipes.

Enquanto um calafrio me tomava, a boca de Hasege se abriu em um sorriso cínico.

– Sério, Takkan? Você não está ligando a morte de Oriyu com aquela carta que encontrou, está?

– Não pode ser uma coincidência.

– Vamos dizer que o sicário está mesmo dentro da fortaleza – Hasege disse. – Quem ele iria tentar machucar, se não você?

– Não vamos saber enquanto não o encontrarmos – Takkan respondeu sombriamente, erguendo o cachecol de Oriyu. – Oriyu não costumava acender incensos. Podemos começar por aí, descobrir de onde ele veio, interrogar todos na fortaleza.

Takkan virou as costas para Hasege a fim de falar com os outros sentinelas.

– Quaisquer que sejam as associações do sicário, temos que encontrá-lo... antes que ele tire outra vida. Entenderam?

Um por um, os sentinelas fizeram uma reverência, murmurando em concordância. Fiquei observando Hasege: ele tinha os lábios comprimidos, olhos ardentes, e não fez reverência.

Os sentinelas saíram, três carregando Oriyu, e os outros seguindo Takkan para o castelo. Hasege foi para os portões sozinho, para avisar que eles seriam fechados até segunda ordem.

Vi seus passos afundando na neve. Algo tinha mudado no ar. Um véu de mal-estar e desconfiança tinha se instalado no castelo.

Havia um traidor entre nós.

Naquela noite, eu estava tão brava que mal senti o frio. Abri a bolsa e retirei as urtigas, espalhando-as diante de mim como mechas de fogo. Depois de todas essas semanas, meu corpo desenvolveu uma tolerância inesperada aos espinhos, e, embora minhas mãos queimassem e fizessem bolhas sob o calor escaldante, pelo menos a dor tinha se tornado suportável.

O que significava que agora minha mente conseguia se concentrar em outras coisas – o traidor que estava no castelo, por exemplo. Ou minha madrasta.

Você acha que sua madrasta tem algo a ver com a rebelião de Yuji?, Kiki perguntou.

Ela tem que estar envolvida, pensei, cortando um espinho de choque-celeste. *Por que ela mandaria meus irmãos e eu para longe? Ela só pode querer derrubar meu pai. Talvez Yuji seja seu amante, e esse tempo todo ela esteja tramando um plano para colocá-lo no trono.*

No entanto, assim que cogitei isso, uma incerteza se agitou em minhas entranhas. Muitos homens cobiçaram Raikama ao longo dos anos, mas ela sempre foi ferozmente leal ao meu pai.

Ou será que eu pensava isso porque ela tinha me enfeitiçado?

Claro que sim, disse a mim mesma com desdém. Ela provavelmente tinha enfeitiçado todos nós para que agíssemos feito marionetes, para que a amássemos.

Senti uma pontada no peito. Era como um fantasma dentro de mim, a superfície de um sentimento que emergia pelas fendas da minha memória para me lembrar de que eu tinha amado Raikama de verdade – mesmo que não conseguisse lembrar por quê.

Porque era parte do feitiço, me repreendi, irritada por ter deixado minha raiva por Raikama se dissipar, mesmo que por um instante. Cerrei os punhos.

Ela é uma cobra, disse para Kiki, furiosa. *Ela mesma me falou isso uma vez. Naquela época, eu não entendi, mas agora, sim. Ela é venenosa, e está tentando destruir Kiata.*

Minha ave de papel me olhou de soslaio. *Então por que dar atenção a você e seus irmãos? Por que ela simplesmente não matou vocês e destronou seu pai de uma vez? Ela com certeza tem poder para fazer isso.*

Essa era uma questão que me incomodava havia meses. Como uma farpa na minha mão, que continuava afundando cada vez que eu tentava retirá-la.

Ela é venenosa, repeti, me recusando a continuar a discussão.

Mas, por dentro, comecei a me questionar. Por um breve momento, deixei meu ódio por Raikama para lá – pela primeira vez desde que tinha sido amaldiçoada. E eu podia jurar que, nesse instante, qualquer feitiço que estivesse nublando minhas lembranças pareceu enfraquecer.

Não. Devia ser minha imaginação. Por que Raikama usaria sua magia em minhas lembranças? Que respostas meu passado poderia conter?

Não fazia sentido, mas, mesmo assim, eu continuava duvidando. Eu não conseguia parar de vasculhar os buracos na minha memória. E naquela noite, durante o sonho, comecei a me lembrar.

– Andahai disse que alguém tentou envenenar papai na semana passada – eu disse para Raikama. Estávamos sozinhas em seus aposentos. Ela estava penteando os cabelos e murmurando para si mesma, até que me viu. – Ele falou que você preparou um antídoto que o salvou. Como você fez? Usou suas cobras?

Ela ficou refletindo – daquele mesmo jeito que eu fazia quando estava decidindo se ia mentir ou não.

– Sim, usei minhas cobras. De vez em quando, só de vez em quando, o veneno é a cura para o veneno. É um remédio disfarçado.

– Posso ver? Por favor. Hasho traz sapos e lagartos pra casa o tempo todo, mas nunca encontra cobras. E eu nunca entrei no seu jardim.

– Seria perigoso, Shiori – Raikama disse. – Algumas delas são venenosas. Elas podem querer morder uma encrenqueira feito você.

Era uma brincadeira afetuosa, mas seu tom saiu meio forçado. Uma criança mais cuidadosa teria mudado de assunto. Mas eu não.

– Você nunca se preocupa que elas possam te morder? – perguntei.

– O veneno não faz efeito em mim. Minhas cobras sabem muito bem.

– Por que não?

Ela deu risada, me provocando.

– A sua curiosidade vai ser sua desgraça um dia, querida.

– Por quê? – pressionei.

Ela fez uma pausa.

– Porque eu sou uma delas – ela finalmente disse, baixando a escova. Seus olhos estavam redondos e cintilantes. E quando ela piscou, eles ficaram amarelos. Como os olhos de uma cobra.

Acordei, quase pulando para fora da cama. A lembrança deveria me acalmar, mas, de uma forma estranha e incompreensível, não foi isso que aconteceu.

Porque pelo mais breve dos instantes, eu senti saudade dela.

CAPÍTULO VINTE E OITO

No final da semana, levantei a pedra uma última vez, segurando-a bem alto e cerimoniosamente acima das urtigas. Então acertei o último espinho até que ele se quebrou com um estalo.

Enfim, eu tinha terminado. O pior tinha passado. Não havia mais folhas serrilhadas nem espinhos de fogo para eliminar. O fogo demoníaco ainda emanava do choque-celeste, como o efeito colateral de um raio, mas não me cegava mais a cada clarão. Agora, cada fio reluzia com um brilho efervescente, um caleidoscópio de luzes e cores.

Eu poderia ficar olhando para eles o dia todo. Mas tinha que trabalhar.

De volta aos meus aposentos, testei as fibras do choque-celeste em meus dedos. Eram mais ásperas do que pareciam, quase como palha. E estavam soltas como palha também. Sem a cobertura de fogo demoníaco, os fios se separavam facilmente. Eles precisavam ser torcidos juntos.

Precisavam ser girados.

A princípio, pensei que era inteligente o suficiente para montar meu próprio fuso com um pincel de escrita. Enrolei as fibras do choque-celeste várias vezes, tentando imitar Zairena com sua máquina. Mas era impossível. A linha saiu irregular e áspera, e eu levaria semanas, se não meses, para terminar o trabalho assim.

Eu precisava da roda de fiar dela.

O problema era que, desde que ela me viu encarando a roda na sala de lazer de lady Bushian, ela a mantinha em seus aposentos privados.

Não há nada que ela adoraria mais do que me pegar fiando urtigas encantadas, murmurei silenciosamente para Kiki. *Ela já acha que meu lugar é na masmorra. Imagine como ficaria feliz com a perspectiva de ver minha cabeça em uma lança.*

Que outra alternativa você tem?, Kiki perguntou.

Não muitas, admiti, me vestindo para ir à cozinha. *Vou começar fazendo uns bolos pra ela.*

Bolos?, Kiki repetiu, *franzindo o bico. Sério, Shiori?*

Sim. Sempre que eu metia Hasho em problemas, eu fazia um bolo pra compensar. Comida é a melhor oferta de paz.

Talvez pra você, Kiki falou, cética. *Alguém como Zairena preferiria joias.*

Bem, eu não tenho dinheiro pra comprar joias. Mas tenho acesso à cozinha, e Zairena disse que tem saudade dos doces de sua cidade.

Então você vai fazer bolos.

Não é qualquer bolo. É bolo de macaco.

A sobremesa tinha esse nome porque os macacos da neve eram conhecidos por sair das florestas para roubá-los. Eram redondos, cor de laranja e recheados com amendoim, geralmente servidos em palitos porque lembravam pés peludos em bambus. Passei vários Festivais de Verão assistindo aos vendedores de Chajinda fazê-los, e estava confiante de que poderia replicar suas receitas.

Bem, talvez eu estivesse um pouco confiante demais.

Usei cenouras para tingir a farinha de arroz, que ficou mais cor de pêssego do que laranja. Depois de bater a massa e o amendoim com um martelo de madeira, alguns bolos ficaram com muito amendoim e outros com pouco. Fritar os bolos também foi complicado. A massa ficou grudando na frigideira e eu queimei as bordas em vez de deixá-las crocantes.

Tentei novamente, procurando aprender com meus erros e prestando mais atenção ao processo. Minha mãe fizera um doce semelhante para mim uma vez, usando coco junto com o amendoim. Ela segurou minhas mãos com uma colher de pau sobre o fogo.

"Cante nossa música uma vez, depois vire", ela dissera. "Cante de novo, depois vire."

Channari era uma garota que vivia à beira-mar,
sempre no fogo – esperando pela irmã.
Mas o que ela fazia para ter um sorriso feliz?
Bolos, bolos com coco e de tâmara um triz.

Eu estava quase terminando o segundo lote quando Takkan e Pao entraram na cozinha. Havia neve em suas capas, e o frio trouxe um rubor ao nariz e às bochechas de Takkan – uma visão que achei mais adorável do que eu queria.

– Está um pouco cedo para sobremesa, não? – ele me cumprimentou. – Como é que Pao e eu podemos procurar sicários quando você fica nos tentando com esse aroma?

Ele se aproximou, mas dei uma batidinha de leve em sua mão. *Ainda está quente.*

– Posso comer um? – Pao perguntou, apontando para os bolos queimados.

Eu lhe ofereci o prato todo, e sua expressão séria quase se abriu em um sorriso. Quase.

– Você acabou de se tornar uma aliada para toda a vida – brincou Takkan enquanto Pao se dirigia para o canto da cozinha para comer. Ele estava começando a me lembrar meus irmãos. Suas orelhas se projetavam como as dos gêmeos, e seu sorriso era conquistado com dificuldade como os de Andahai.

E quanto a Takkan? Eu ainda não tinha decidido o que achava de meu ex-noivo. De alguma forma, não me parecia certo compará-lo aos meus irmãos.

Ele se aproximou, pairando sobre a frigideira, e de repente fiquei feliz com o fogo crepitando sob os meus bolinhos, pois eram uma explicação aceitável para a onda de calor que tomou conta do meu rosto.

Já encontrou o sicário?, perguntei depressa só com a boca, apontando para o cachecol de Oriyu que Takkan carregava dobrado no braço.

– Não, Pao e eu ainda estamos procurando. Estamos interrogando todos em Iro, mas ainda não descobrimos nada. – Ele acenou para os bolos. – É muita consideração sua fazer esses bolinhos pra gente.

Não são pra vocês, comecei a dizer, mas Takkan pegou um bolo na grelha.

Ele soltou um grito.

– Está quente.

Cruzei os braços, contendo uma risada. *É isso o que ganha por ser impaciente.*

Takkan ainda estava segurando o bolo, atirando-o de uma mão para a outra para esfriá-lo. Até que finalmente deu uma mordida.

Agitei as mãos, ansiosa. *E aí?*

– Quem é que está sendo impaciente agora? – ele brincou, falando com a boca cheia e a voz abafada. – Mal terminei de engolir a primeira mordida. Preciso de uma segunda para formar uma opinião.

Ele deu outra mordida, mantendo uma expressão perfeitamente neutra, sem manifestar qualquer opinião.

Então sorriu.

– Sempre adorei bolo de macaco.

Relaxei. *Dá pra reconhecer a receita? Não está doce demais? Massudo demais?*

Ele não entendeu minhas perguntas, mas aliviou minhas preocupações ao pegar mais um pedaço. Depois, empurrei-o para longe e apontei para Pao. *Divida com ele.*

– Para quem está guardando o resto?

Abanei as mãos com um leque imaginário para indicar que era para Zairena.

Takkan ergueu uma sobrancelha.

– Zairena? Ela te pediu para fazer o bolo?

Não. Levantei um ombro. *Por quê?*

– Ela disse que o bolo fica mais gostoso quando neva. – Takkan levou seu pedaço para fora da janela, e quando a neve caiu sobre ele, um filete de vapor subiu da crosta do doce. – Rabo de macaco.

Sorri. O vapor parecia mesmo o rabo de um macaco.

Era difícil imaginar Zairena como uma criança divertida, mas eu sabia muito bem – por experiência própria – o quanto era possível alguém mudar depois de uma grande perda. Talvez realmente houvesse uma chance de nos tornarmos amigas.

Takkan me ofereceu o bolo fumegante. Quem poderia imaginar que Zairena estava certa? A neve fez a crosta do bolo endurecer mais rápido, tornando-o ainda mais crocante.

Assenti em aprovação.

– Vou levar uns pedaços comigo. Para Pao, claro. – Ele piscou, enfiando os bolos no bolso. – Venha, vou te acompanhar até o castelo.

Eu temia ver lady Bushian ainda mais do que temia ver Zairena. Desde que Megari e eu escapulimos para a Montanha do Coelho, eu fazia de tudo para evitá-la. Eu sabia que ela me culpava pela quase morte de seus filhos.

Então, quando ela me cumprimentou na sala de lazer, eu não poderia ficar mais surpresa.

– Você tem me evitado, Lina – ela disse com firmeza. – Tem fugido das refeições e se escondido nas sombras ao cruzar comigo nos corredores.

Debaixo da minha tigela, pisquei. Será que eu estava sendo assim tão óbvia?

– A coragem é o lema dos Bushian.

– Mamãe... – Megari interveio –, ela enfrentou os lobos com Takkan! Acho que você não precisa dar sermão sobre...

– Fique quieta, Megari. A não ser que você também queira receber um sermão. – Lady Bushian endireitou a postura, recuperando a elegância e voltando a atenção para mim. – Da próxima vez que me desobedecer, venha falar comigo imediatamente. Minha raiva não passa com o tempo, pelo contrário. E você tem *muita* sorte por Takkan ter ido junto. Se ele não estivesse lá quando os lobos atacaram... bem, nenhuma de vocês duas estariam debaixo deste teto agora. Estou sendo clara?

Abaixei a cabeça. Pelo visto, Takkan não tinha contado à mãe sobre o lobo com a pulseira dourada.

– Que bom. O que é que você tem aí? Bolo? Está tentando me agradar?

Apenas sorri, satisfeita por não poder responder.

– Venha, entre.

Zairena estava em seu tear. Seus lábios estavam um pouco contraídos, provavelmente de insatisfação por lady Bushian não ter decidido me expulsar, afinal. Coloquei a bandeja na frente dela, me obrigando a sorrir.

– Bolo de macaco! – Megari exclamou. Ela pegou um, enfiando na boca de um jeito parecido com o do seu irmão. – Hummm.

Zairena pegou um pedaço e o cheirou.

– Parece bolo de macaco mesmo. Mas ainda falta um pouco para você dominar a receita, Lina. As bordas estão queimadas. E que cor é esta? Macacos da neve são cor de laranja, não cor-de-rosa.

Abri as venezianas. A luz iluminou o aposento e uma brisa fresca entrou pela treliça de ferro. Zairena levantou-se de um salto, abrindo o leque para cobrir o rosto no mesmo instante.

– O que é que você está fazendo? – ela questionou. – Está congelante lá fora. Megari vai ficar gripada.

Inclinei a cabeça, confusa. Eu estava segurando os bolos para fora da janela, assim como Takkan fizera.

– Rabos de macaco! – Megari gritou.

O vapor subiu em espiral dos bolos cor de laranja. Megari pegou dois e passou um para a mãe e outro para Zairena.

– Comam rápido, antes que o vapor vá embora!

O bolo de macaco estava crocante sob os dentes de Megari, mas Zairena não tocou no dela.

– Prefiro não abusar dos doces – disse, finalmente abaixando o leque.

– Não é seu doce favorito? – Megari falou.

Zairena manteve a compostura, bebericando seu chá calmamente.

– As pessoas mudam. Além disso, eles já estão frios. – Seu nariz franziu bem de leve. – Olhe pra eles, queimados e desiguais. Eu não serviria isso nem pro meu cachorro.

– Você não tem cachorro – Megari retorquiu. – E você costumava comer mesmo quando os derrubava na neve.

Lady Bushian lançou um olhar de advertência à filha.

Megari bufou.

– Bem, vai sobrar mais pra gente então. Obrigada, Lina.

Me forcei a abrir um sorriso para a menininha. Mas, assim que levei um pedaço à boca, de repente perdi o apetite. Zairena tinha mentido sobre os bolos, assim como mentira sobre os fios para Raikama.

Era estranho mentir sobre essas coisas. Quando eu mentia, era para esconder a verdade. O comportamento de Zairena quase me fazia pensar que ela não sabia a verdade.

Como se fosse uma impostora.

Era apenas uma pontada no estômago, nada mais. Não seria sábio tirar conclusões precipitadas, mas eu nunca fui uma pessoa muito sábia.

Eu já te falei que nem todo mundo é tão louco por comida quanto você, Shiori, Kiki disse, pulando no meu ombro para me acompanhar enquanto eu caminhava pelo corredor em direção ao quarto de Zairena. Ela mordeu meu cabelo, tentando me refrear antes que eu agisse precipitadamente. *Não acha que você devia pelo menos esperar até de noite?*

Daí ela vai estar dormindo no quarto!

Ela não dorme lá todas as noites. Não desde que Hasege voltou.

Parei de chofre e pisquei. Que bisbilhoteira ela era! *Tem certeza disso?*

Mais certeza do que você tem sobre ela ser uma impostora.

E você não ia me contar?

Eu só ouvi os guardas comentando, Kiki disse perto do meu ouvido. *Não passo o dia todo ouvindo fofocas dos humanos.*

Talvez você devesse fazer isso, pensei, mudando a rota e seguindo para o meu quarto. *Está sendo útil.*

Kiki me lançou um olhar descontente, mas seu peito se inflou de orgulho.

Naquela noite, enquanto Kiki conduzia o guarda em uma alegre perseguição pelos terrenos da fortaleza, entrei no quarto de Zairena. O cômodo era o dobro do tamanho do meu, mas tinha apenas uma vista parcial para a Montanha do Coelho. Uma de suas vestes brancas estava secando sobre um biombo, e sua faixa preta estava jogada descuidadamente sobre um banquinho. Um incenso forte queimava em frente a um altar junto de frutas e vinho de arroz, e os nomes de seus pais estavam em placas de madeira.

Abanei a mão no ar e me plantei na frente de sua cômoda. Nos baús, havia cartas, a maioria da mãe de Zairena para lady Bushian, e pergaminhos do Templo de Nawaiyi, elogiando Zairena por seus estudos diligentes. Havia também uma pintura dela.

Kiki se aproximou. Inclinei a cabeça para ela, querendo saber sua opinião. *Não é estranho? Carregar por aí uma pintura de si mesma.*

Kiki zombou. *Ela se ama. Está mesmo surpresa?*

Não, mas ainda assim era suspeito. Fiquei olhando a pintura. Não havia dúvidas de que era Zairena. O desenho mostrava o mesmo queixo arredondado e o nariz pontudo, a trança descendo pelas costas, a pinta na bochecha direita.

Sem dúvida, era ela.

Guardei a pintura, um pouco desanimada. Mas continuei investigando.

Segui para as gavetas. Havia frascos com cascas de salgueiro para ajudar Megari com seus problemas estomacais, talismãs e amuletos para afastar demônios e assegurar viagens tranquilas, um pote de incenso, uma variedade de cosméticos e muitos lenços e leques.

Nos outros baús, havia fios, fios e mais fios. Os dourados já tinham sido enviados a Raikama – Zairena embrulhou a caixa com espalhafato e não falou sobre outra coisa por dias –, mas sobrara um frasco de tinta dourada.

Segurei-o contra a luz. A cor *era* luminosa, o que não mudava minha opinião sobre Raikama. Minha madrasta passava seus dias bordando, mas ela adorava costura tanto quanto eu adorava cobras.

Com cuidado, abri a rolha da garrafa e cheirei. O aroma era pungente, como tinta concentrada com uma forte dose de chá amargo. Não era nem um pouco doce. Rasguei uma página do meu caderno e depositei um pouco no papel.

Se for veneno, ela vai ficar preta rápido, falei para Kiki. *Mas o calor vai acelerar o processo.*

Levei a folha a uma vela e esperei. A tinta secou e brilhou, tornando-se lisa e mais dourada. Não preta.

Não é veneno?, Kiki perguntou.

Não, disse, em parte decepcionada, em parte aliviada.

Então Zairena não era a assassina. Talvez minha antipatia por ela estivesse nublando meu raciocínio.

Ao menos minha invasão não foi em vão. A roda de fiar de Zairena estava no canto, coberta pelo tecido de musselina.

Me aproximei cautelosamente. Se ela me pegasse usando-a para fiar choque-celeste, eu seria jogada na masmorra de novo. Escorraçada por ser uma feiticeira. Queimada na fogueira, para que minha alma nunca encontrasse paz.

Mas, se eu não fiasse as urtigas, meus irmãos continuariam sendo grous para sempre.

Se eu tivesse que escolher entre morrer ou permitir que meus irmãos morressem, eu escolheria morrer sem hesitar.

Que bom que estava com a minha bolsa. Tirei o lençol e procurei a bobina vazia.

Fique de olho, pedi a Kiki.

A última coisa de que eu precisava era Zairena me flagrando em sua roda fiando choque-celeste em seu quarto.

CAPÍTULO VINTE E NOVE

Noite após noite, eu entrava sorrateiramente no quarto de Zairena para trabalhar. No final da semana, eu estava tão cansada que meus olhos ardiam e eu oscilava a cada passo. Mas estava quase terminando. Eu *terminaria* esta noite.

O choque-celeste dançava em meus dedos; suas fibras grossas deslizavam pela roda e eram torcidas pela bobina, transformando-se em algo mais fino e mágico.

Enquanto as fibras se fundiam em um fio contínuo, um fio vermelho era trançado no choque-celeste – o fio do destino de Emuri'en. Meu coração cantarolou na primeira vez que o vi e, mesmo depois que voltei para o quarto, não consegui dormir de tanta empolgação. Agora, nesta última noite de trabalho, meu coração estava pesado por razões em que eu não queria pensar. A maldição de Raikama estava começando a me oprimir, e eu só queria acabar logo com tudo isso.

Fui mais descuidada que de costume. Esqueci de trocar o carretel por um vazio e meus dedos ocasionalmente escorregavam da roda enquanto meu pé se movia um pouco vacilante. Meus olhos se cansaram com o brilho das urtigas, mas meus dedos continuaram trabalhando mesmo enquanto minha mente vagava. Quando finalmente esvaziei a bolsa com a última videira e a bobina estava cheia de choque-celeste espesso e brilhante, soltei um suspiro de alívio, e me permiti admirar meu trabalho por um momento.

Então cobri a roda de Zairena e limpei todos os sinais da minha presença. O incenso não ajudou; ele era tão forte que me deixou sonolenta. Esfreguei os olhos. *Me ajude, Kiki.*

Quando Kiki voou para pegar um fio de choque-celeste que tinha caído, ela soltou um gemido baixo. *Minha asa! Olhe, está destruída.*

A tinta dourada manchou a asa de papel de Kiki, estragando seus padrões prateados e dourados ao longo das bordas de suas penas.

Vem aqui, não é o fim do mundo. Vou limpar. Abri a janela para pegar um pouco de neve e estava esfregando-a na asa de Kiki quando ouvi passos no piso de madeira do lado de fora.

Peguei Kiki e pressionei as costas contra a parede. Quando os passos se afastaram, corri para fora do quarto, amaldiçoando os corredores da fortaleza por serem tão estreitos.

Zairena estava na escada e se virou assim que me ouviu. Uma carranca escurecia sua expressão.

– Por que você está se escondendo?

Seu cabelo estava solto, sem a trança de sempre; suas mangas estavam amassadas e seus lábios, ligeiramente inchados. Ergui o queixo, questionando sua aparência desalinhada. *Eu poderia perguntar o mesmo a você.*

Segui para as escadas, mas Zairena não se moveu.

– Você não tem por que estar na ala do Jardim Norte. Estava no meu quarto?

Ela agarrou meu pulso e o sacudiu, como se eu tivesse roubado joias e escondido nas mangas.

– Mostre o que tem dentro da bolsa.

Ouvi meu coração pulsando. *Aqui, abra você.*

Zairena escancarou a bolsa. Estava tão vazia quanto o lado oculto da lua.

Pensei que isso fosse satisfazê-la, mas Zairena pareceu mais furiosa ainda e atirou a bolsa de volta para mim.

– Tome cuidado – ela sibilou. – Aqui, enforcamos ladrões, mas eu prefiro ver você queimar.

Enquanto ela se afastava, ajeitei minha faixa calmamente.

Quer que eu cutuque os olhos dela pra você?, Kiki perguntou, saindo debaixo da tigela.

É tentador, respondi. *Mas não. Ela não vale a pena.*

Ela não é tão assustadora quanto sua madrasta. Mas tenho um mau pressentimento, Shiori.

Bocejei, cansada demais para me importar. Zairena tinha passado o inverno todo fiando. Era como uma cobra sem veneno. Sua picada não mataria.

Mas poderia machucar.

Na manhã seguinte, quando cheguei na cozinha pronta para trabalhar, como sempre, Rai e Kenton me bloquearam na porta. Eles se amontoaram como um par de bagres, com seus bigodes longos e irregulares e suas mentes vazias demais para pensarem por si mesmos.

Nas últimas semanas, desenvolvemos uma forma cordial, se não amigável, de trabalhar juntos. Rai estava até me deixando atacar seu estoque de açúcar e Kenton tinha enfim admitido que a minha sopa de peixe era melhor que a dele. Por que estavam me olhando desse jeito agora?

– Não precisamos de você hoje, Lina – eles disseram cruelmente. – Vá pra casa.

Eles começaram a fechar a porta, mas me abaixei entre eles e saí correndo para os fundos, onde Chiruan estava cozinhando ovos.

Ele me cumprimentou com um de seus grunhidos habituais.

– Você devia ir embora – ele falou sem levantar a cabeça. – Volte em uma semana, quando as coisas estiverem mais calmas.

Quando o que estiver mais calmo? Expressei minha confusão agitando as mãos.

Ele soltou mais um grunhido e suas narinas dilataram.

– Claro que você não sabe o que aconteceu. – Ele baixou a voz. – A mocinha ficou doente ontem. Zairena está colocando a culpa nos seus bolos. Você não pode entrar na cozinha até que Megari se recupere.

Ela estava pensando que eu tinha envenenado Megari? Balancei a cabeça com força. *Isto é ridículo.*

Chiruan se virou para a caixa de laca ao seu lado, onde ele guardava suas especiarias e receitas, e polvilhou uma pitada de grãos de pimenta no prato fervendo com os ovos.

– Não fique assim, Lina. Lady Bushian e Takkan também comeram o bolo. Tenho certeza de que pelo menos o jovem vai te defender.

Chiruan gesticulou para que eu saísse, mas não me mexi. Eu não estava triste, estava furiosa! E preocupada. *Como ela está?*, perguntei, dividindo meu cabelo em dois para indicar as maria-chiquinhas de Megari.

– Ela vai ficar bem. O estômago dela é fraco, essas indisposições vêm e vão. Lady Bushian vai entender que você não teve nada a ver com isso.

Eu estava fervendo de raiva. Tudo isso porque Zairena achava que eu tinha entrado no quarto dela?

– Vai passar em alguns dias, Lina – Chiruan disse, confundindo minha raiva com medo. – Vá pedir desculpas para Zairena pelo que quer que tenha feito para ofendê-la.

Pedir desculpas? Será que essas especiarias todas haviam subido à cabeça dele?

– Sim, pedir desculpas. Essa gente da nobreza precisa de alguém fazendo cócegas nos dedos dos pés e acariciando seu ego. Principalmente lady Zairena.

Apertei os lábios com força. *De jeito nenhum.*

Em uma demonstração incomum de simpatia, ele disse:

– Você trabalha duro, Peixa. Vou garantir que ninguém pegue seu lugar de lavadora de arroz enquanto estiver fora. Agora preste atenção no que estou dizendo e vá. Não faça de Zairena sua inimiga.

Tirei meu avental e saí apressada. Não para pedir desculpas.

Chiruan estava errado – eu tinha muitos inimigos. Uma a mais não seria nada.

Os talismãs pendurados nas portas de Megari balançaram e tilintaram quando entrei.

Takkan estava lá, rabiscando em um de seus cadernos. Ele me olhou e levou um dedo aos lábios para indicar que Megari estava dormindo.

Me aproximei dela na ponta dos pés e mordi o lábio ao ver seu rostinho tão pálido. Seus dedos estavam espalmados sobre as dobras de seu cobertor, sua respiração era lenta e suave. Debaixo de seu braço, com a cabeça para fora do cobertor, havia uma boneca de olhos redondos com flores de seda no cabelo. Não importava para onde eu fosse, ela parecia sorrir para mim, assim como sua dona.

– Ela está descansando – Takkan sussurrou. – Ela ficou ruim do estômago, mas já está se recuperando.

Assenti, mas meus ombros ainda estavam pesados. Me virei para a porta. Takkan me seguiu.

– Você parece chateada, Lina – ele falou depois que saímos. – É por causa dos boatos?

Olhei para ele e abri a boca, surpresa. Então ele tinha ouvido?

– Eu sei que não é verdade. Minha mãe também. – Ele enfiou o caderno debaixo do braço. – Venha comigo. Quero te mostrar uma coisa.

Quando nos aproximamos, Pao estava vigiando as portas de correr decoradas com uma lua cheia dourada e a Montanha do Coelho em marfim.

A cabeça do sentinela inclinou-se de curiosidade quando ele me viu, e um segundo depois entendi o porquê.

Takkan tinha me trazido a seus aposentos. O cômodo era organizado, com poucos móveis, ao contrário do quarto de Megari. Sua espada estava pendurada em um suporte, sua armadura e capacete estavam em um armário aberto. À esquerda, perto das janelas, havia uma escrivaninha rodeada de livros e altas pilhas de papel.

– Era isso que eu queria te mostrar – ele disse, me conduzindo até a escrivaninha. – Pensei que você iria gostar.

Havia quase uma dúzia de pinturas em cima da mesa baixa, todas assinadas com sua elegante caligrafia. Elas retratavam os principais momentos das lendas mais queridas de Kiata.

– Vou presentear Megari quando tiver histórias suficientes – ele disse timidamente. – Só temo que, quando terminar, ela esteja velha demais.

Ninguém é velho demais para isso, pensei, correndo o dedo pela pintura de Emuri'en. Pelos grous de coroas escarlates parecidos demais com meus irmãos. Pelos cabelos impossivelmente longos que entrelaçavam destinos e às vezes os mudavam.

As pinturas eram lindas.

Ajoelhei para observar melhor cada uma. Ali estava a Senhora da Lua com seu marido caçador, e o Senhor Sharima'en, o deus da morte, com sua esposa, Ashmiyu'en, deusa da vida. Havia histórias sobre dragões que perseguiam tartarugas, e sobre cortadores de bambu que encontravam espíritos mágicos nas árvores. Mas uma delas destoava das outras.

Estava no final da pilha. Peguei-a com cuidado enquanto Takkan abria mais as janelas.

Ele tinha desenhado uma garota com longos cabelos negros e ricas vestes vermelhas. Ela carregava um vaso de orquídeas e, acima dela, havia uma pipa azul feito porcelana pintada. Algo na cena fez a tristeza desabrochar em meu peito, embora eu não conseguisse entender por quê. *O que é isso?*

Uma sombra cruzou o rosto de Takkan.

– Esta não é para Megari.

É para quem?, gesticulei.

Ele respirou fundo antes de responder.

– Para a princesa Shiori.

O nome ficou reverberando nos meus ouvidos. *Ah*.

A garota se parecia *comigo*. Até meus irmãos estavam ali, seis pequenos príncipes no fundo. Peguei um pincel em sua escrivaninha e escrevi no meu caderno:

Você a conhecia?

– Eu não tive escolha – Takkan disse, rígido. – Nosso noivado foi arranjado quando éramos crianças. Papai sempre disse que era uma grande honra para nossa família, já que nunca fomos tão poderosos quanto os que moram perto de Gindara. A oferta foi uma surpresa que nós não podíamos recusar.

Será que ele gostaria de ter recusado? Eu também tinha ficado surpresa. "Terei que me casar com um lorde de terceira classe?", eu reclamei mais de uma vez. "Se tenho que viver em Iro, ele não pode pelo menos ter uma casa em Gindara para que eu possa visitar?".

Afastei a lembrança, envergonhada.

Takkan continuou:

– Ouvi muitas coisas sobre ela. Que ela era rebelde e impaciente, maldosa e mentirosa. Mas todo mundo que a conhecia a adorava. Disseram que ela era corajosa e tinha uma risada contagiante. Então escrevi cartas para ela. Eu queria conhecê-la, mas como é que você se apresenta para uma princesa?

Ele deu risada, porém não havia humor em seu tom.

– Mamãe sugeriu que eu escrevesse histórias para ela, e foi o que eu fiz. Escrevi sobre mim, sobre a vida em Iro, e também desenhei um pouco. Os invernos aqui são longos, então tive bastante tempo. Como me falaram que Shiori era curiosa, tentei terminar cada história em um tom de suspense, na esperança de que ela me respondesse perguntando o que aconteceria em seguida. – Takkan tinha enrijecido, até que seus ombros finalmente se curvaram e ele se dobrou sobre os joelhos. Calmamente, ele disse: – Mas ela nunca fez isso. Acho que ela nunca nem abriu as cartas.

Fiquei aliviada por ter uma tigela na cabeça, pois não consegui encará-lo.

Eu me lembrava dessas cartas. A cada poucos meses, minhas criadas traziam uma. Cada envelope era mais grosso que o anterior.

– Pelo menos, a letra dele é bonita – falei da primeira vez, vendo meu nome na caligrafia de Takkan.

Eu não tinha lido nenhuma carta. Nem as abri. Em parte, foi por petulância, mas principalmente porque eu não queria encarar meu futuro – meu futuro deprimente e horrível, casada com um lorde horrível e deprimente.

Se eu pudesse voltar para o palácio, essas cartas seriam a primeira coisa que eu procuraria.

Que mal-educada, falei com a boca, batendo o punho na palma da minha mão. *Você deve ter ficado bravo.*

– Eu fiquei bravo – Takkan admitiu. – Estava até pensando em falar para ela isso quando nos encontrássemos, mas... – Ele suspirou. – Ela me fez mudar de ideia.

Franzi as sobrancelhas. Por mais que eu me esforçasse, não conseguia me lembrar de ter me encontrado com Takkan – exceto quando éramos crianças, e mal tínhamos idade suficiente para guardar essa memória.

Quando você a conheceu?

– Um ano, minha família foi para o Festival de Verão em Gindara. Tentei encontrar Shiori para me apresentar, mas os príncipes estavam todos ocupados. Havia um concurso só para eles, organizado pelo lorde Yuji. – Takkan ficou tenso ao mencionar o lorde. – Ele tinha dado a cada um deles um vaso com terra no mês anterior, e sementes de orquídeas foram plantadas em cada um.

Eu lembrava disso. Era um teste de nossas "disposições morais", Yuji dissera. Andahai, Benkai, Wandei e Hasho passaram; eles regaram a planta todos os dias, mas nem um botãozinho surgiu. Yotan quebrou o vaso em uma briga com Reiji, e ambos confessaram, então também passaram – por conta de sua honestidade. Já eu... não passei porque meu vaso ficou cheio de orquídeas.

As flores eram roxas, da mesma cor que as caras tinturas que os comerciantes enviavam para as nossas vestes de inverno. Eram tão vibrantes quanto um pingo de crepúsculo. Eu me lembrava de ter ficado surpresa – e encantada – com sua beleza. Eu deveria ter questionado por que elas floresceram tão rapidamente, e por que as flores tinham assumido exatamente a cor e a forma que eu imaginei.

Agora eu sabia que era por causa da minha magia.

– Não havia sementes no vaso – lorde Yuji disse, mostrando seus dentinhos enquanto sorria –, apenas pétalas de orquídea esmagadas no fundo do solo. Era um jogo, Shiori'anma. Não vou julgá-la por ter plantado uma nova flor em seu vaso.

– Mas eu não plantei – protestei.

– Confesse que trapaceou, Shiori – Reiji falou. – Sabemos que você é a princesa das mentiras.

– Eu não trapaceei! – gritei. Meu rosto estava quente pela humilhação. Todos estavam me encarando. – Não estou mentindo.

Nenhum dos meus irmãos acreditava em mim. Nem mesmo Hasho.

Me virei para ir embora, me recusando a ser injustamente acusada na frente de toda a corte. Corri para o fundo do pátio e me escondi atrás de uma magnólia, e fiquei mordiscando os bolos que tinha escondido nas mangas.

Logo, um garoto que eu não conhecia me ofereceu um lenço. Ele era magro e desengonçado, suas vestes eram curtas demais e seu chapéu estava escorregando de seu cabelo preto excessivamente encerado. Devia ser o filho de algum cortesão que tinha recebido ordens de me procurar para conseguir favores de meu pai.

Ele parecia estar achando graça – e também estava um tanto aliviado por eu estar comendo, e não chorando.

– Bolo de macaco? – ele falou. – Estão excepcionais este ano, mas um pouco bagunçados. – Ele tocou a boca, indicando educadamente que eu tinha migalhas por toda parte.

Arranquei o lenço de sua mão e me limpei. Estava prestes a mandá-lo embora quando ele se ajoelhou ao meu lado e disse, solene:

– Acredito em você... sobre as flores.

Ele tocou no meu ponto fraco. Meus ombros cederam.

– Eu regava o vaso todos os dias. Eu conversava com ele, assim como o chef fala com as ervas para fazê-las crescerem mais rápido.

– Foi um truque cruel de lorde Yuji.

– Lorde Yuji? – repeti, girando uma mecha de cabelo enquanto refletia. – Por que ele faria isso? Ele quer que eu me case com um de seus filhos.

O garoto se encolheu e perguntou, hesitante:

– Você quer se casar com o filho dele?

– Não quero me casar com ninguém – afirmei. – Mas é melhor que seja um dos filhos dele do que aquele idiota bárbaro do Norte. Pelo menos, vou estar mais perto de casa, para poder passar o mínimo de tempo possível com meu marido.

– Entendi. Então não é porque você não gosta do seu noivo.

– Eu não gosto que ele exista. – Bufei, dobrei seu lenço e o devolvi. – Obrigada... não sei seu nome.

O garoto sorriu, estranhamente mais alegre.

– Meu nome não é importante. – Uma pipa flutuou sobre seu ombro, primorosamente pintada com um bando de grous voando acima de uma montanha com dois picos. Ele a estendeu para mim. – Gostou? Eu mesmo pintei.

– É linda, quase tão linda quanto as de Yotan. Vai inscrevê-la na competição?

– Não dá tempo. Meu pai e eu temos que ir embora antes do anoitecer. Moramos longe.

– Para quem é?

Ele pegou um pincel e começou a escrever. Sua caligrafia era elegante e precisa, mas eu não tive paciência para esperá-lo escrever o nome de alguém na pipa. Minha cabeça estava quente por conta do teste de lorde Yuji, então peguei sua pipa e saí correndo.

Para um garoto com pernas tão esguias, ele corria rápido. Ele me alcançou depressa e, para minha surpresa, eu soltei a pipa, que saiu voando alto.

Disparei atrás dela, mas ele me segurou.

– Deixe-a.

Ficamos observando-a voar acima das árvores. Meu coração apertou conforme a pipa ficava cada vez menor, até virar apenas um pontinho no céu. Lágrimas encheram meus olhos, e me odiei por chorar na frente de um menino que eu não conhecia. E por perder sua pipa também. Por estragar tudo o que eu tocava.

– Desculpe – disse, me sentindo péssima.

Seus olhos escuros estavam sérios.

– Não precisa pedir desculpas. Pipas foram feitas para voar, e algumas voam mais alto que outras.

– Então esta tem sorte, porque o resto de nós está preso por nossos fios. – Soltei um suspiro triste e enxuguei os olhos. Em seguida, me virei para ele. Eu pretendia falar em um tom imperioso, mas minhas palavras saíram vacilantes e cheias de culpa: – Você ia presentear alguém com ela. Posso te ajudar a pintar outra. Não sou muito boa com essas coisas como Yotan...

– Seria ótimo – o garoto disse, ansioso, abandonando um pouco de sua estranha formalidade.

Ele sorriu de novo, mais alegre ainda que antes, e, apesar das minhas lágrimas, não pude evitar sorrir de volta. Cruzei os braços no colo e estava prestes a me sentar na grama para começar nossa pintura quando alguém se aproximou por trás.

O garoto ficou rígido no mesmo instante, se retraindo e ficando tímido.

– Pensando bem, não se preocupe com isso. – Ele fez uma reverência e pediu licença enquanto Hasho aparecia. – Estou feliz por finalmente ter te conhecido, Shiori'anma.

Depois de todo esse tempo, agora eu descobria que esse garoto era Takkan! Ele estava bem diferente agora – não era mais um menino desengonçado e tímido com cera demais no cabelo. Mas eu também já não era mais a mesma garota.

Prendi a respiração, corando de vergonha. Nem meus irmãos tinham acreditado em mim. Por que Takkan acreditou, sendo que mal me conhecia? Takkan, que escreveu as cartas que dispensei sem nem abrir. Cuja amizade eu rejeitei.

– Depois que a conheci – ele falou –, nunca mais escrevi para ela.

Por que não?

– Porque eu recebi a resposta que estava procurando.

Fiquei tensa, certa de que Takkan tinha me detestado. Eu sabia que iria machucar ouvi-lo dizer, mas não pude evitar perguntar:

E qual foi?

– Meus pais consideram o casamento um dever para com a família e o país – disse Takkan. – Já eu considero o casamento um dever para com o coração. A comida alimenta nossa barriga, os pensamentos alimentam nossa mente, mas é o amor que alimenta o coração. Com as cartas, eu esperava que Shiori e eu pudéssemos preencher o coração um do outro, que pudéssemos ser felizes. Depois que a conheci, pensei que sim, havia uma chance.

Meu coração acelerou, batendo tão forte dentro do meu peito que parecia fazer acrobacias que eu jamais imaginei serem possíveis.

– Talvez eu estivesse me iludindo. – Takkan segurou a pintura que mostrava minha imagem segurando a pipa. – Eu ia presenteá-la com isso depois do nosso noivado, mas ela quis pular no Lago Sagrado em vez de me conhecer.

Era a primeira vez que eu via Takkan realmente triste.

Seus ombros ficaram tensos.

– Minha família virou a piada de Gindara, e falei pro meu pai que a gente devia ir embora imediatamente. Princesa ou não, ninguém de bom caráter agiria de uma forma tão desrespeitosa.

A pintura se soltou de suas mãos, e meu estômago afundou com ela. Eu feri Takkan quando fugi do noivado. Não pensei uma vez sequer em como ele se sentiu, tendo atravessado o país só para me conhecer. Ele deve ter ficado tão decepcionado... e chateado.

– Depois que voltei pra casa, me arrependi por não ter dado nem chance para que ela se explicasse – Takkan confessou. – Gostaria de não ter ido embora tão bravo. Mas não quis escrever por orgulho.

Ele colocou a pintura de lado, de costas para mim.

– Então ela desapareceu – ele disse baixinho –, e vou me arrepender para sempre de não ter ficado lá. Talvez as coisas fossem diferentes para ela se eu tivesse ficado.

Minha respiração ficou curta e, antes que eu pudesse evitar, as lágrimas inundaram meus olhos. Enxuguei-as apressadamente, mas Takkan percebeu e me ofereceu seu lenço. Assim como ele fez tantos anos atrás.

– Está chorando pela princesa, Lina? – ele perguntou com gentileza. – Ou por você mesma?

Olhei para ele. O pincel escorregou de meus dedos, e nos abaixamos para pegá-lo. Nossos dedos se tocaram na extremidade da vareta.

Ele olhou para as nossas mãos. A minha estava tremendo, e ele a cobriu com a sua para me acalmar.

– Queria que você falasse comigo. Às vezes, pela forma como você move seus lábios, eu poderia jurar que você conseguiria. Mesmo se eu estiver errado, gostaria de poder pelo menos ver seus olhos.

Seus olhos me assustaram, tão penetrantes que pareciam ver através da minha tigela de madeira. Por um momento, tive certeza de que ele sabia a verdade – que eu *era* Shiori.

Mas então ele desviou o olhar, e o momento passou.

A decepção deu uma pontada no meu peito. Ele não sabia. Como poderia? Eu não parecia em nada com aquela princesa despreocupada que ele conheceu uma vez, tantos anos atrás.

Ele largou o pincel e baixou a cabeça.

– Eu não devia ter dito isso. Não é justo com você. Só saiba que eu me preocupo com você, Lina. Não consegui estar ao lado de Shiori, mas estarei ao seu lado... Quer você precise de mim ou não.

Engoli em seco e fiquei olhando para as nossas mãos. Eu devia ter balançado a cabeça e falado que eu não queria que ele estivesse ao meu lado.

Mas não fiz nada disso. Mesmo que meus fardos fossem meus, e apenas meus, me senti acalentada por ter Takkan comigo.

Entrelacei meus dedos com os dele e estreitei o espaço entre nós – o tanto quanto ousei.

E desejei nunca termos que nos separar.

CAPÍTULO TRINTA

Ansiosa para voltar ao trabalho, fui para a cozinha, ignorando os olhares hostis de Rai e Kenton. Por volta do meio-dia, eles já tinham esquecido as fofocas de Zairena e eu estava preparando a massa do macarrão, com a sopa já fervendo no fogão.

Tudo ia bem, até que Hasege irrompeu pela porta brandindo a espada.

Ao contrário de Zairena, ele nunca tinha aparecido na cozinha, então me preparei, certa de que ela o tinha enviado para tornar minha vida insuportável. Esperei ouvir mais histórias sobre eu ser uma feiticeira e ser humilhada por conta da tigela na minha cabeça – o que quer que ele tinha a me dizer, eu estava preparada.

Só que Hasege não tinha vindo atrás de mim. Vi o desprezo cintilando em seus olhos quando ele me notou, mas seu olhar severo passou reto e se concentrou nos cozinheiros. Em Chiruan.

– Seu tempo acabou, meu velho. Venha comigo.

O rosto largo do *chef* se contorceu em confusão.

– Meu senhor, sei que o jantar está atrasado hoje e que o frango de ontem estava passado, mas...

O aço cortou o ar e a espada de Hasege pousou na garganta de Chiruan.

– Já disse, venha comigo.

Chiruan colocou seu cutelo de lado.

– Pelo menos, me dê a dignidade de saber o que fiz de errado.

– O que fez de errado? – Hasege repetiu, dando risada. – Certo, se é para o bem de todos aqui... Você, Chiruan, é culpado pela morte de Oriyu, o honrado sentinela do Castelo Bushian.

Levei a mão à boca. Chiruan, um sicário? Era impossível.

– S-s-senhor, Chiruan é o *chef* do Castelo Bushian há mais de trinta anos – Rai disse, tão surpreso quanto eu. – Ele...

– Ele é a'landano – Hasege nos lembrou.

– Meio a'landano – Chiruan balbuciou. – Isto não faz sentido. Oriyu morreu com Quatro Suspiros. Eu não...

– Isto foi encontrado no seu quarto. – Hasege ergueu uma garrafinha que tinha a forma de uma cabaça comprida e despejou seu conteúdo em uma das panelas ferventes. Em instantes, um cheiro adocicado e enjoativo impregnou a cozinha, e o conteúdo da panela escureceu como se alguém tivesse jogado fuligem ali dentro.

Quatro Suspiros.

– O que estava dizendo, meu velho?

Chiruan tossiu e virou a cara.

– Isso não é meu. – Ele vacilou. – Não é.

– Foi encontrado junto de uma mala de ouro – Hasege declarou enquanto um dos sentinelas mostrava um saco de makans de ouro. – É bastante dinheiro para um cozinheiro honesto e trabalhador como você.

– Nunca vi essa mala antes...

– Se disser mais uma palavra, vai perder a língua. O mesmo vale para qualquer um que tentar defender este homem. – Hasege apontou sua lâmina para cada cozinheiro antes de pousá-la novamente na garganta de Chiruan.

Todos se encolheram, enrolando-se feito centopeias enquanto Hasege e seus sentinelas vasculhavam a despensa. Estremeci quando garrafas e potes de vidro se estilhaçaram e os molhos cuidadosamente preparados por Chiruan e os vinhos para cozinhar eram descuidadamente jogados no chão.

Então eles encontraram a caixa de laca.

– Abram isso – Hasege ordenou para Rai e Kenton, apontando para a tranca.

– Só Chiruan tem a chave.

– Não é nada – Chiruan disse, implorando. – Só especiarias e receitas. Está na minha família há anos...

– Leve para o lorde Takkan inspecionar – Hasege falou, cortando a chave que estava pendurada no pescoço do *chef*. – E leve Chiruan para a masmorra.

Quando os sentinelas fizeram o que ele pediu, comecei a protestar. Hasege me empurrou contra a parede.

– Fique fora disso, Demônia – ele avisou. – A não ser que queira ser a próxima.

Tentei controlar meus pensamentos agitados, certa de que Chiruan estava encurralado. Depois de um silêncio longo e frágil, Hasege finalmente saiu. Tirei meu avental e corri para o castelo.

Pao não me deixou entrar nos aposentos de Takkan.

– O senhor está ocupado. Ele acabou de voltar do vilarejo de Iro, e não deve ser incomodado...

Estiquei a mão e bati na porta. Era o cúmulo do atrevimento, mas eu não me importava.

Enquanto Pao me afastava, Takkan apareceu.

Ele ainda estava com sua capa. As dobras do tecido azul-escuro caíam sobre seus ombros; as sombras estavam agarradas a seu corpo, e seus olhos, geralmente atentos e gentis, pareciam cansados.

– Deixe-a entrar.

Pao me lançou um olhar exasperado antes de recuar. Eu precisaria de uma montanha de bolos de feijão doce para conquistar suas graças de novo.

Chiruan!, gesticulei ferozmente. *Ele está...*

– Sei que está chateada, Lina – Takkan falou, com a voz mais tensa que já tinha ouvido. – Mas as evidências são tão claras quanto o dia. Chiruan matou um homem e cometeu uma traição contra o imperador e contra Kiata. Sei que ele era um professor para você, e sou grato pela bondade dele, mas esta guerra dividiu muitas pessoas. Às vezes, a verdade é o veneno mais difícil de engolir.

Tudo o que ele dizia fazia sentido. Era exatamente o que Andahai ou Benkai teriam feito se alguém em quem confiassem os tivesse traído. Mas, mesmo assim, eu não podia acreditar.

Estava procurando um pedaço de papel para escrever isso quando vi a caixa de Chiruan.

Estava na escrivaninha de Takkan e tinha acabado de ser aberta. Reconheci a laca vermelha lisa, as gravuras de criancinhas brincando, as manchas de óleo e molho que Chiruan limpava meticulosamente todas as noites. Só que, desta vez, ele não teve chance.

A tampa estava no chão, sem o invólucro de seda. Takkan a pegou para posicioná-la ao lado de um lampião.

– O que está escrito, Lina?

Engoli em seco com força, me aproximando da tampa.

Do lado de dentro, havia uma lista de ingredientes e uma indicação do tempo de cozimento e as temperaturas. E algumas variações.

Eu li:

DOURADO, PARA FAZER DORMIR.

E abaixo:

PRETO, PARA MATAR.

O sangue se esvaiu do meu rosto enquanto minha visão entrava e saía de foco. Fechei os olhos com força. Então era isso a que Takkan se referia ao mencionar “evidências”.

– Nós vamos adiar o julgamento até que haja uma confirmação da receita – Takkan falou, fechando a caixa. – Mas as coisas não parecem muito promissoras, Lina. Um homem bom está morto. Vamos nos consolar com o fato de termos encontrado o sicário e rezar para que tenhamos mais respostas.

Senti uma pontada de dor diante de todo esse horror, mas assenti sem dizer mais nada.

Ninguém mexia naquela caixa a não ser Chiruan, nem mesmo Rai ou Kenton, nenhum dos outros criados. Queria perguntar a Chiruan por quê. Por que Oriyu? Por que ele tinha traído Kiata dessa forma?

Os sentinelas logo teriam as respostas. Talvez *fosse* um motivo tão simples quanto dinheiro. Pensei nos makans de ouro tilintando naquela bolsa de cânhamo – a recompensa de Chiruan. Talvez houvesse mais – uma posição no palácio, se Yuji subisse ao trono. Eu não conseguia pensar em mais nada.

Faz alguma diferença?, falei para mim mesma. *Faz alguma diferença saber por que alguém em quem você confia te traiu?*

Estava pensando em Raikama, não em Chiruan.

Não, falei. Mas, ainda assim, eu queria saber.

"Tome cuidado com essa curiosidade, pequena", Raikama costumava dizer para me provocar quando eu era criança. "Se chegar muito perto do fogo, você vai se queimar."

Era irônico que minha madrasta tivesse me dado esse conselho. Eu já estava queimando, e era ela – Raikama – quem tinha ateado o fogo.

Depois da prisão de Chiruan, todos na cozinha viraram fantasmas, meio presentes, meio ausentes. Ajudei Rai e Kenton a limpar a bagunça dos sentinelas e me tranquei em meu quarto. Por mais que eu quisesse, eu não podia mais me envolver nos assuntos da fortaleza. Meu tempo em Iro estava chegando ao fim, e eu ainda tinha uma última tarefa para completar antes de ir embora.

Cobri os painéis de papel das minhas janelas e portas e espalhei o choque-celeste no meu colo. Os fios eram extraordinários, uma trança lustrosa e dourada, violeta e vermelha, assim como as três magias que os forjaram: fogo demoníaco, sangue das estrelas e fios do destino de Emuri'en. Eu precisava tecê-los bem para controlar a magia de dragão da minha madrasta.

Não deixe os buracos muito frouxos, Kiki disse enquanto meus dedos dançavam pelo choque-celeste, nó atrás de nó.

Pare de se preocupar. Os buracos eram tão largos quanto meu mindinho, pequenos o suficiente para Kiki passar, mas não uma das cobras de Raikama. Eu estava prestando atenção nisso.

Não sou eu quem está com as sobrancelhas franzidas. Qual o problema, Shiori? Você não deveria estar feliz por estar quase acabando? Em breve você vai voltar para casa.

Sim, eu deveria estar contente por estarmos tão perto de encerrar essa jornada terrível. Mas, sinceramente, eu teria preferido que ela nunca se encerrasse.

Eu não tinha esquecido o preço que teríamos que pagar para quebrar a maldição. Durante todo o inverno, tentei bloquear isso na minha mente. Mas, agora que a rede estava quase terminada, essa fatalidade estava sempre habitando meus pensamentos.

Um dos meus irmãos teria que morrer.

Fiquei me torturando sem parar, considerando diferentes possibilidades. Que eu talvez nunca mais precisasse ouvir Andahai brigando comigo ou Benkai me tranquilizando. Que eu nunca mais construiria pipas com Wandei ou daria risada com Yotan ou discutiria com Reiji. Nunca mais confiaria meus segredos para Hasho.

A cada nó meu coração doía um pouco mais. Enquanto minha rede aumentava de tamanho, a minúscula pérola em meu peito brilhava e latejava, às vezes doendo tão intensamente que eu precisava parar para recuperar o fôlego.

Será que a pérola de Raikama também doía? Eu ficava me perguntando como foi para ela deixar seu país para viver no palácio – solitária e melancólica, carregando segredos que ela não podia dividir com ninguém.

Cerrei os dentes. Eu estava mesmo sentindo pena de minha madrasta?

Um pouco. Ela ficava tão feliz quando eu corria para dentro de seus aposentos, como se eu fosse sua única amiga no mundo. Por que será que as coisas mudaram? O que a fez passar a me odiar?

Pense, Shiori, murmurei silenciosamente, pegando minha rede de novo. *Raikama é cruel, e isso é tudo. Não há nada para entender.*

Foi o que eu disse a mim mesma noite após noite enquanto trabalhava na rede. Até que amarrei as pontas do último fio de choque-celeste.

Finalmente, a rede estava pronta.

Ela era magnífica, longa e larga o suficiente para alcançar os cantos mais distantes do meu quarto. O fogo demoníaco lhe conferia uma luz cintilante, como faíscas, e o sangue das estrelas a tornava vibrante, como se de alguma forma tivesse capturado todas as cores do universo. Se eu dissesse que esmaguei mil rubis para fazê-la, as pessoas acreditariam, pois essa era a única maneira de descrever os fios do destino de Emuri'en. Com as três magias juntas, a rede brilhava com uma luz que poderia me enfeitiçar por toda a eternidade.

Mas mesmo que fosse linda, olhar para ela não me trazia alegria nenhuma. Enfiei-a na bolsa, sem querer vê-la de novo até o terrível dia em que eu teria que usá-la contra Raikama. Até lá, eu nem queria pensar na minha madrasta.

Mas eu parecia não ter escolha. Naquela noite, uma lembrança enterrada havia muito tempo emergiu sem ser convidada.

– Por que você colocou a cobra na cama de Reiji? – minha madrasta perguntou. – Ele ficou nervoso.

– Ele mereceu. Ele quebrou minha boneca favorita.

– Só porque Reiji foi malvado não significa que você precise ser também. Pense na cobra... você poderia tê-la machucado.

– Ou ela poderia ter mordido Reiji – falei com crueldade.

– Shiori!

– Não gosto de Reiji – disse, teimosa. – E não ligo para as cobras. Elas são predadoras naturais dos grous.

Raikama deu risada.

– São os grous que comem cobras, não o contrário. Cobras são minhas amigas. Elas já foram minhas únicas amigas.

– Mesmo as víboras? – perguntei. – Hasho disse que elas são venenosas.

– Especialmente as víboras. Elas praticamente me criaram.

Ela estava tão séria que eu não sabia se era brincadeira.

– Bem, então você é a única cobra que eu gosto, madrasta.

Raikama bagunçou meu cabelo. Seu rosto emitiu um brilho dourado e tão luminoso quanto a lua. Comecei a apontar para ele, mas Raikama tirou a mão do meu cabelo. E em um piscar de olhos, o brilho se foi, como se eu o tivesse imaginado.

Seu bom humor também se fora, e sua voz ficou séria.

– Um dia, você não vai mais achar isso. Um dia, você vai me odiar.

– Eu nunca vou te odiar.

– Vai, sim – ela falou devagar. – Víboras são venenosas, quer elas queiram ou não.

– Mas nem todo veneno é ruim. Às vezes, é um remédio disfarçado.

Raikama piscou, pega de surpresa.

– O quê?

– Você que me falou isso, quando alguém tentou envenenar

papai com uma carta. Não se lembra? Você preparou um antídoto com o veneno de suas cobras.

Ela ficou me observando, com um meio-sorriso nos lábios.

– Você tem uma ótima memória.

– Você o salvou. É por isso que nunca vou te odiar. – Fiz uma pausa, querendo experimentar uma palavra: – Mamãe.

Seu sorriso logo se desfez.

– Não sou sua mãe, Shiori. Você não é minha filha. Nunca vai ser.

Antes que eu pudesse impedi-la, ela tocou meus olhos, e esqueci a cena por muitos e muitos anos.

De manhã, Kiki dançou em meu nariz, me acordando com a neve que caía de suas asas. *Seryu quer que você o encontre esta noite no rio. Ele tem novidades.*

CAPÍTULO TRINTA E UM

A lua solitária pairava redonda e brilhante feito o olho de um dragão. A neve recente tinha resfriado o ar, deixando pouco tempo para dúvidas enquanto eu seguia para os fundos da fortaleza.

– Está um pouco tarde para sair, Lina – Pao disse, sem querer me deixar passar. – Já está escuro.

Antes, tudo o que eu precisava fazer era dizer que Chiruan tinha me mandado buscar alguma coisa, e Pao me deixaria ir a qualquer lugar. Mas Chiruan estava na masmorra agora. Levantei minha tocha e meu balde, balbuciando um monte de bobagens*: cogumelos, gelo, truta, rio.*

– Mais devagar, mais devagar – Pao falou, se inclinando para frente e grunhindo: – Não sei como Takkan consegue. Não entendo uma palavra que está dizendo.

É por isso. Balancei o balde e gesticulei para a cozinha. *Preciso ir.*

Pao limpou a garganta.

– Certo, vá, pode ir. Mas não demore, ou vou contar para lady Bushian.

Sem que ele precisasse me avisar duas vezes, saí correndo.

Vaga-lumes dançavam sobre o rio; eram tantos que pareciam faíscas de uma fogueira. Kiki se acomodou no meu ombro enquanto eu me agachava na margem, tremendo de frio.

Na água, a lua cheia ondulou, fazendo o gelo cintilar com sua luz prateada. *Seryu, estou aqui.*

Bati com a ponta da tocha no rio congelado e fiquei observando a superfície rachar e formar milhares de linhas interconectadas. Esperei. O gelo se partiu e, enquanto as correntes se agitavam e rodopiavam lá embaixo, dois olhos vermelhos do tamanho de ovos de codorna cintilaram debaixo da tempestade aquosa.

– Você parece mais bem alimentada que da última vez – Seryu falou ao me ver, assumindo sua forma humana na água.

Como de costume, guelras iridescentes cintilavam em suas maçãs do rosto e escamas verde-jade despontavam de suas vestes de seda. Mas ele estava diferente. Seu cabelo estava mais curto, indo até o queixo e, pela primeira vez, seus olhos não brilhavam travessos.

– Mais bem alimentada e mais quente, pelo visto. Uma passarinha fofoqueira me contou que você está ficando no castelo, protegida pelos melhores sentinelas de Kiata. Você não me contou que um deles era seu noivo.

Senti uma certa irritação em sua voz e não entendi. *Que diferença faz? Até onde ele sabe, eu não sou ninguém.*

– Você pode até ter uma tigela na cabeça, mas até um tolo feito Bushi'an Takkan percebe que você dificilmente não é ninguém.

Olhei feio para o dragão. *Ele não é um tolo. Se eu não te conhecesse, diria que você está com ciúme.*

– Eu? Com ciúme de um mortal? – Seryu zombou. – Dragões não ligam pra essas emoções mesquinhas. Além disso, eu sou o neto do Rei Dragão. Tenho vários admiradores.

Como assim?, perguntei. *Pensei que você raramente aparecia.*

– Vocês humanos não são os únicos capazes de apreciar minha grandeza – Seryu falou. Sua expressão se fechou em uma carranca. – Lá de onde venho, só minha reputação atrai dúzias, não, centenas de admiradores!

Ele soltou um suspiro triste.

– Mas você sempre foi uma das minhas favoritas, Shiori – ele admitiu, de repente se acalmando. – Se você não fosse tão... tão humana, eu...

Você o quê?

– Deixa pra lá.

O dragão estava estranho hoje. Irritadiço em um momento, melancólico no seguinte. Fiz uma careta, prevendo que não ia gostar das notícias.

A rede está pronta, contei, indo direto ao assunto. Estava frio ali perto do rio, e eu não queria congelar. *Kiki disse que você tinha novidades.*

– Dois dias de dragão dificilmente serão o suficiente para eu recuperar as graças do meu avô – Seryu disse, irritado.

– O que está dizendo?

– Não tenho novidade nenhuma, Shiori. Só trago uma mensagem do meu avô.

Virei-me para o gelo. *O que é?*

– Ele lamenta não ter esmigalhado seus ossos sobre o Mar de Taijin – Seryu falou baixinho. – E ele garante que o único motivo para seus irmãos, que estão atravessando os oceanos à procura do nome da sua madrasta, não terem sido reduzidos a espuma do mar é por causa da pérola dela.

O que é que tem essa pérola de Raikama?

– Ele me mandou te dizer que, se você sobreviver ao encontro com a Rainha Sem Nome, ele vai querer a pérola de volta. Ela pertence aos dragões.

Muito bem, vou devolvê-la – se ele me contar como posso quebrar a minha maldição.

– O Rei Dragão não barganha – Seryu disse, rosnando. – Da próxima vez que a gente se encontrar, você deve trazer a pérola.

Sua imagem começou a ondular, até que desapareceu na água.

Espere, Seryu!

Eu só via seus olhos, mais embotados que nunca, e ele disse:

– Não posso te ajudar a quebrar a sua maldição. Já tentei. Mas você é esperta. Tenho certeza de que vai descobrir um jeito.

Eu estava cansada de ter que ser esperta. De ter que descobrir coisas.

Só queria ir para casa ficar com a minha família, acordar e perceber que isso tudo não passou de um sonho horroroso e vívido.

Me aproximei mais do rio para sussurrar. Havia algo pesado na minha mente que eu queria testar: *Tenho pensado na minha madrasta. E se... e se não for uma maldição? E se...* Toquei minha tigela, me sentindo boba pelas palavras que estava prestes a dizer, mas era tarde demais para voltar atrás. *E se, às vezes, o veneno for um remédio disfarçado?*

O rosto de Seryu reapareceu na água, e ele ficou me olhando como se eu tivesse desenvolvido chifres e bigodes.

– Você acha que ela tinha boas intenções ao transformar seus irmãos em grous?

Não sei o que pensar. Só estou tentando entender por quê. Por que ela fez isso?

Ele bufou.

– Vocês humanos estão sempre tentando descobrir as razões disso ou daquilo. Que diferença isso faria?

Eu não sabia responder. Como poderia, sem saber o que havia para compreender?

– A pérola no coração dela não é como outras pérolas de dragão. Ela foi corrompida, então ela também deve estar corrompida por possuí-la. Isto é tudo o que você precisa saber.

Seryu estava certo: os motivos dela jamais justificariam suas ações. O que ela fizera comigo e com meus irmãos era imperdoável. Somente um coração perverso poderia lançar tais maldições.

Então por que é que eu não acreditava?

– Não complique as coisas – Seryu disse sem rodeios. – Salve seus irmãos e depois traga a pérola para o meu avô. Prometa, de amigo para amigo.

Assenti, um pouco entorpecida.

– Bom. – Sua expressão era de alívio. – Agora preciso ir.

Não vou te ver antes?

– Queria poder dizer que sim, princesa, mas não. De qualquer forma, você não vai sentir minha falta, agora que sua atenção se voltou para aquele humano sem graça.

Antes que pudesse me conter, corei.

– Ah, então quer dizer que Kiki não estava só inventando histórias.

Takkan é meu amigo. E gostaria que você parasse de usar "humano" como uma ofensa. Eu sou humana, e meus irmãos também.

– Eu disse que ele era sem graça.

Antes que eu pudesse disparar minha réplica, Seryu mergulhou na água. Quando ele emergiu novamente, suas sobrancelhas verdes e emplumadas estavam franzidas. Fiquei me perguntando o que estava acontecendo em seu reino submarino, porque ele ficou repentinamente rígido, como se estivesse sendo observado.

– Vou mandar dizer aos seus irmãos que você terminou a rede. Dê o seu melhor para sobreviver até nosso próximo encontro.

A água ficou parada e ele desapareceu. Eu tinha que suportar o peso da maldição de Raikama sozinha.

Quando voltei para o castelo, estava exausta, quase congelada e ansiosa para desabar perto da lareira. Mas esqueci completamente do meu cansaço assim que vi Megari encolhida na minha porta, muito doente.

– Lina – ela falou com a voz rouca. – Você voltou. Eu não estava conseguindo dormir. Meu estômago...

Seu rosto estava pálido; seus olhos, vidrados e inchados, e seus membros estavam tão moles que ela mal conseguia se manter ereta.

– Meu estômago – ela gemeu, com um pouco de vômito nos lábios. – Me ajude.

Ela estremeceu e caiu sobre mim, apática. Sua pulsação estava diminuindo rapidamente.

Louca de preocupação, eu a peguei em meus braços. *Aguente firme, Megari*, pensei, carregando-a. *Você vai ficar bem.*

Você não vai levá-la para a sacerdotisa metida a besta, não é?, Kiki falou dentro da minha manga.

Pois era isso mesmo que eu estava fazendo. Por mais que eu detestasse admitir, precisava da ajuda de Zairena. Torci para que ela estivesse em seu quarto. Bati em sua porta e só parei quando ela a abriu.

– Está possuída? Como ousa... – Zairena falou, e então arregalou os olhos. – Megari!

No mesmo instante, ela gesticulou para o guarda no final do corredor.

– Leve lady Megari de volta para os seus aposentos.

Comecei a segui-la, mas Zairena abanou a mão para me dispensar.

– Vá dormir. Você já fez o suficiente, e não queremos que a fortaleza inteira saiba que Megari está doente.

Mas eu a ignorei e ajudei o guarda a colocar Megari de volta na cama.

Fiz carinho no cabelo da menina, querendo contar uma história para ela. Contentei-me em dedilhar suavemente seu alaúde lunar. Havia uma bandeja de tangerinas meio comidas e tâmaras-vermelhas secas em uma de suas mesas. Também havia um prato de bolo de caqui velho. Pelos fios de Emuri'en! Rezei para que ela não tivesse ficado doente por causa de uma sobremesa de Chiruan.

Depois do que pareceram horas, Zairena voltou com um chá. Quando me viu, seus lábios se abriram para formar uma expressão característica de desagrado. Mas, pela primeira vez, ela pensou melhor e me passou o chá. Juntas, ajudamos Megari a beber, levantando seu queixo para despejar gotas de chá em seus lábios apertados. Depois que esvaziamos o bule, a respiração de Megari se acalmou devagar e ela caiu no sono.

– Ela vai estar melhor de manhã – Zairena disse.

Obrigada, gesticulei, verdadeiramente grata. Talvez Zairena fosse mesmo uma sacerdotisa, apesar de tudo. O chá cheirava a gengibre e laranja e bagas de espinheiro, ingredientes que aliviavam dores estomacais.

– Espere. – O rosto de Zairena estava abatido e seus dedos estavam manchados do chá e das ervas. – Que bom que você a trouxe para mim. Obrigada, Lina.

Pisquei, surpresa com as palavras de paz, por mais hesitantes que soassem.

Quem diria?, Kiki murmurou quando ficamos sozinhas. *Megari teve que quase morrer para que aquela víbora recolhesse as presas. Você acredita nela?*

Me joguei na cama, completamente acabada. Não importava se eu acreditava ou não. No final da semana, eu iria embora.

E se os deuses quisessem, meu inverno em Iro seria uma lembrança que ficaria no passado.

CAPÍTULO TRINTA E DOIS

Para mim, apenas duas despedidas importavam, e eu não sabia como lidar com elas.

Comecei com Megari. Ela tinha retomado a animação de sempre, e, quando a visitei, estava tentando decidir o que vestir para o Festival de Inverno.

Montanhas de tecidos de seda e cetim a rodeavam – vestidos, faixas e sapatilhas estavam espalhados pelo chão.

– Lina! – ela gritou, desviando da bagunça e erguendo duas fitas. – Me ajude, estou tentando decidir as cores das minhas tranças.

Meu olhar pousou na fita vermelha, mas apontei para a azul. Era a cor do brasão dos Bushian, e combinava com a gola e os punhos do vestido que Megari estava usando.

– Eu também pensei nessa. Aqui, quer ficar com esta, então?

Megari prendeu a fita vermelha no meu cabelo.

– Você fica bem de vermelho. Deveria usar mais.

Vermelho já fora minha cor favorita. Agora, eu não conseguia não a associar a meus irmãos e às seis coroas escarlates que a maldição os obrigou a usar.

– Está empolgada pra hoje à noite? – ela perguntou, me arrastando para a janela. – Vai ser maravilhoso, o melhor festival de todos.

Eu nunca tinha pensado muito no Festival de Inverno. Em Gindara, esse era um evento tão pequeno que costumávamos celebrá-lo junto do Ano Novo. Mas eu entendia por que Megari o adorava tanto. Mesmo do castelo, dava para ver centenas de lanternas balançando dos telhados das casas de Iro.

– As esculturas de gelo são as minhas favoritas – Megari continuou. – Não dá pra ver daqui, mas elas são lindas. No ano passado, fizeram dragões e barcos e jardins de gelo! Elas duram até o Ano Novo, com sorte. Daí a primavera vai chegar, e vou poder te levar pra ver coelhos na montanha.

Engoli em seco, pegando o caderno na minha bolsa. Queria lhe mostrar a mensagem de despedida que tinha escrito.

Megari, estou partindo...

O rugir de tambores fez minhas mãos tremerem, e rasguei a página quando uma trombeta soou atrás da fortaleza.

O que está acontecendo?, gesticulei.

Megari soltou um suspiro de desaprovação.

– Todo mundo está caçando. – Logo ouvimos cavalos a galope e os portões se abrindo.

Caçando?

– É a tradição. – Ela se virou para seu alaúde lunar, e fez uma careta ao tocar uma corda completamente desafinada. – O número de flechas no alvo prediz quantos dias de neve teremos no próximo ano. É bobo, eu sei. Takkan odeia, mas, como papai não está aqui, ele tem que liderar. Afinal, ele é o melhor atirador. Ainda melhor do que Hasege.

Algo nas minhas entranhas começou a se contorcer. Me apoiei na escrivaninha de Megari e escrevi furiosamente.

– "O que eles estão caçando?" – Megari leu por cima do meu ombro. – Normalmente, cervos e veados, mas, no café da manhã, Hasege disse que viu grous selvagens rondando a floresta...

Não esperei que ela terminasse. Derramei tinta nas minhas vestes enquanto largava o pincel com tudo e saía correndo porta afora.

Queria ter asas. A neve chegava até o meu joelho, e descer a colina até a floresta era uma batalha. O vento uivava, mordendo minhas orelhas e me zombando: *Você não vai chegar a tempo de salvar seus irmãos.*

Flechas disparavam para as nuvens a cada poucos minutos, e uma pontada de terror percorreu minha espinha enquanto eu observava meus irmãos circulando as árvores, com suas coroas escarlates se destacando contra o céu cinzento.

Saiam daqui, irmãos!, gritei na minha cabeça. *Fujam!*

Mas eles não me ouviram.

Então vi marcas de cascos na neve e notei uma trilha toda pisoteada que seguia até a floresta. Eu a segui, com a pulsação trovejando em meus ouvidos conforme caminhava depressa. Lá estavam eles – Takkan e seus sentinelas. Pao estava apontando sua flecha para o céu – para os meus irmãos! Me joguei na frente de seu cavalo.

– Espere! – Takkan gritou enquanto os cavalos empinavam, tão próximos que a neve acertou meu rosto.

– O que... – Hasege começou, até me reconhecer. – Ficou louca, garota? Como ousa interromper a caçada?

Takkan já estava desmontando, mas eu não podia esperá-lo. Pulei, agarrando o arco de Pao e jogando-o na neve.

Antes que alguém me impedisse, fui de cavalo em cavalo, esvaziando freneticamente as aljavas dos sentinelas. Com os braços cheios de flechas, saí correndo.

Irmãos! Irmãos!

Então eles me viram. Hasho se aproximou enquanto os outros desciam com cuidado para pousar na floresta. Kiki os encontrou primeiro, em um bosque de abetos cobertos de neve.

Eu estava ofegante, meio zonza com o branco que nos cercava. Nem percebi que estava congelando até que Hasho roçou uma asa em minha bochecha e não senti nada. Gentilmente, meus irmãos me envolveram em suas penas, trazendo o calor de volta ao meu sangue.

Larguei as flechas e abracei cada um deles, até Reiji. Fazia mesmo dois meses desde a última vez que nos vimos? Tínhamos milhares de perguntas a nos fazer, mas eu estava mais preocupada com a segurança deles. Rapidamente, puxei todos para trás das árvores para que os caçadores não nos vissem.

Vocês se machucaram?, perguntei.

Só Hasho, Kiki respondeu por eles. Ela foi até meu irmão mais novo, que me mostrou a parte de baixo de sua asa.

Era apenas um arranhão, mas estremeci mesmo assim. Eu me agachei para pressionar um pouco de neve sobre o ferimento, mas Hasho me afastou, sacudindo-a de suas penas. Ele estava gritando furiosamente, e eu me virei para Kiki.

Ele está dizendo que você não precisa cuidar dele, ela traduziu. *Ele está mais preocupado com você... Seus irmãos ficaram sabendo que um sicário foi pego no Castelo Bushian.*

Estou bem. Eu não queria falar sobre a prisão de Chiruan. *Terminei a rede. Diga a eles que estou pronta.*

Enquanto Kiki falava, Benkai me observava. Ele murmurou algo baixinho.

Ele está falando que você não parece pronta, Kiki disse. *Seryu lhes contou que você foi levada para o Castelo Bushian por ninguém menos que seu noivo.* A ave de papel inclinou a cabeça. *Ele está querendo saber se é verdade.*

É verdade.

Benkai abriu o bico, como se quisesse dizer: "Ah, isso explica muita coisa".

Senti meu rosto esquentar, apesar de não saber por quê. Também não soube por que achei necessário que Kiki lhes explicasse: *Pensei que eles só chegariam amanhã.*

Eles estão adiantados. E trazem notícias. Andahai soltou um gritinho animado e Kiki bateu as asas para acalmá-lo. *Eles descobriram o verdadeiro nome de Raikama.*

Prendi a respiração. *Qual é?*

Eles estavam procurando nos lugares errados, Kiki continuou, enquanto Wandei, meu irmão mais calado, estufava o peito de orgulho. *A'landi, Samaran. Daí Wandei lembrou que seu pai foi para as Ilhas Tambu quinze anos atrás. Ele tinha lhe pedido pra trazer um pouco de madeira de teca, que não apodrece como a bétula e o salgueiro, e é mais forte para a construção...*

Reiji a interrompeu com um grito impaciente, e Kiki se exaltou. *Só estou fazendo meu trabalho! Não posso fazer nada se ele está desviando o assunto.*

Lançando um olhar para eles, Kiki se acomodou no ombro de Yotan e contou o resto da história: *O imperador Hanriyu tinha sido convidado para ir a Tambu, junto de todos os reis e imperadores e príncipes de Lor'yan. Seus irmãos encontraram os registros em um mosteiro no Sul. Eles invadiram o lugar tantas vezes que os monges já estavam preparando uma panela para o ensopado de pássaros.*

Kiki estremeceu. *Ensopado de pássaros? Que bom que sou uma ave de papel.* Ela franziu o bico antes de continuar: *Havia uma garota em Tambu, conhecida por ser a mais bonita do mundo, e seu pai deveria ser jurado no concurso pela sua mão. No final, ela não escolheu nenhum dos pretendentes e, em vez disso, decidiu vir com seu pai para Kiata. Seu nome era Vanna.*

Vanna, fiquei repassando na cabeça.

Em tambun, significa "dourada". Kiki bufou. *Um pouco literal demais, não? Por que não a batizaram de Olho de Cobra, se queriam ser tão óbvios?*

Fique quieta, Kiki. A história se encaixava. O nome também – embora talvez bem até demais, tipo Sua Esplendorosa.

Era a última peça do quebra-cabeça. Depois que enfrentássemos Raikama, estaríamos livres. Mesmo assim, meu estômago se contorceu de pavor. Era como se estivéssemos prestes a fazer algo terrivelmente errado.

Hasho mordiscou minhas saias, com seus olhos de grou notavelmente claros.

Ele quer saber o que há de errado, Kiki disse.

Eu não respondi.

Eles pensaram que você ficaria contente com a novidade. Eles sabem que você está com medo do que está por vir, mas quebrar a maldição é o único jeito de ajudar seu pai a retomar o controle de Kiata. Mesmo que isso signifique que um deles tenha que morrer. É o preço que todos estão dispostos a pagar.

É que não é só isso, confessei devagar. *Eu... eu estou começando a ter dúvidas sobre Raikama. Por que ela se deu ao trabalho de nos amaldiçoar se nos queria mortos? Com seu poder, ela poderia facilmente ter nos matado.*

Andahai bufou. *Este não é o momento para ficarmos filosofando*, sua expressão comunicava. *Já temos o nome dela, temos a rede. Logo estaremos livres dela, e papai vai saber o verdadeiro monstro que ela é.*

No começo, isso era o que todos nós queríamos. Então por que eu estava tão incerta?

Vocês se lembram de quando ela chegou?, perguntei. *Ela nos amava como se fôssemos seus próprios filhos. Lembram que ela convenceu papai a te dar o cavalo que você queria, Andahai? Lembra que ela nos ajudou a construir nossa melhor pipa, Wandei? A gente a amava.*

Meus irmãos se mexeram, desconfortáveis, e Reiji chutou a neve. Seu bico era o mais afiado de todos, e ele estava franzido de raiva. Eu mal precisei da ajuda de Kiki para entender o que ele estava dizendo:

Claro que a gente a amava, ela nos enfeitiçou. Depois de todo esse tempo, você quer acreditar que nossa madrasta é boa? Kiata está desmoronando, e eu apostaria minhas asas que Raikama tem algo a ver com isso.

Meus irmãos bateram as asas em concordância.

Mesmo assim... Abandonei as mãos em meu colo, derrotada. Nada que eu falasse poderia convencê-los. *Pensem um pouco. Por favor.*

A neve escorria pelas minhas vestes, o frio queimava meus joelhos. Quando comecei a me levantar, uma capa pesada envolveu meus ombros.

– Você é rápida, Lina – Takkan disse.

Almirante relinchou atrás de mim, amarrado a uma árvore. Takkan gesticulou para os grous, baixando a cabeça em um pedido de desculpas. Ele se aproximou dos pássaros com cuidado, e eu acenei para meus irmãos para indicar que ele era confiável. Ainda assim, Reiji quis avançar – então Andahai o puxou pela asa.

– Estou sozinho – Takkan falou baixinho. – Mandei os outros para casa. A caçada terminou.

Ele se ajoelhou e envolveu a asa de Hasho com o estandarte de sua família.

– Nunca vemos grous esta época do ano, senão não teríamos...

Coloquei a mão em seu braço.

Benkai ficou nos observando com olhos perspicazes. Eu sabia exatamente o que ele estava pensando: *Este é...*

Takkan, seu noivo?, Kiki interrompeu de dentro da minha manga.

Sempre de bom humor, Yotan jogou neve em mim, brincalhão. *Deixe-me adivinhar: está gostando dele?*

Minha ave de papel estava se divertindo demais com isso tudo. Ela traduziu a provocação de Hasho: *Acho que me lembro de você dizendo ao papai que só monstros viviam no Norte.*

Minha mão estava imóvel no braço de Takkan, até que a afastei depressa, como se tivesse tocado fogo. Meus irmãos riram e gritaram, e eu fiquei com vontade de arrancar as penas deles.

Ele é só um amigo, falei, mexendo o pulso.

Seu irmão Reiji está dizendo que ele deve ser um ótimo amigo pra sair correndo atrás de uma garota com uma tigela na cabeça. Kiki falou entre risadinhas dentro da minha manga, e o encarei.

Sim, ele é um bom amigo.

Andahai deu um passo à frente, sem achar graça. Não precisei da ajuda de Kiki para entender o que ele estava dizendo: *Então seja rápida e se despeça. Já que está aqui com a rede, você pode voltar com a gente.*

Um sorriso se esboçou nos lábios de Takkan.

– Seis grous – ele comentou. – Como aquelas dobraduras que você fez. – Ele observou meus irmãos me cercando protetoramente. – Eles conhecem você.

Fiquei aliviada por não poder falar. Engoli em seco com força, nem um pouco preparada para me despedir.

– O que foi, Lina? Você parece triste.

Eu *estava* triste. Muito mais triste do que pensei que estaria ao deixar este lugar. Deixar Takkan.

Sua capa pesou em meus ombros. Estava retirando-a quando Takkan se aproximou.

– Minha mãe já te contou as notícias?

Balancei a cabeça. Não sabia se poderia lidar com mais novidades. *O que aconteceu?*

Ele me olhou com atenção.

– Lorde Yuji matou o khagan de A'landi e sequestrou seu feiticeiro. O Lobo agora está sob seu domínio, e ele está reunindo um exército para tomar Gindara.

A surpresa fez meu peito apertar e, por um momento, não consegui respirar. Meus irmãos começaram a gritar, fazendo ruídos incompreensíveis e me rodeando.

Takkan nos observou com curiosidade. Ele franziu as sobrancelhas, mas não deu indícios do que estava pensando.

– Preciso partir esta noite – ele disse.

Apertei os lábios. *Esta noite?*

– Sim, durante o festival. Vou chamar menos atenção assim. Você parece inquieta, Lina. Não se preocupe, isto não é uma despedida.

Para mim, era. Eu também estava partindo com meus irmãos.

Dei um passo para trás, afundando os calcanhares na neve. Eu não sabia como me despedir. *Eu... eu tenho que...*

Andahai deu um grito e me empurrou na direção de Takkan. *Vá ao festival*, ele estava dizendo. *Vá, vá.*

Olhei para ele, surpresa. De todos os meus irmãos, ele era o que eu menos esperava que demonstrasse empatia.

Eles estão dizendo que Hasho precisa descansar, Kiki traduziu enquanto Benkai me dava sua bênção levantando a asa. *E que não lhe faria mal ficar na fortaleza algumas horas a mais. Além disso, se as novidades de Takkan sobre lorde Yuji são verdadeiras, eles precisam planejar o retorno com mais cuidado.*

Andahai se aproximou, e Kiki me comunicou suas instruções de dentro da minha manga: *Nos encontre aqui mais tarde, depois que Bushi'an Takkan for embora.*

Prometi que voltaria. Com o coração tremendo, abracei meus irmãos e me virei para Takkan. Ele estava nos observando com a cabeça inclinada em um ângulo inquisitivo. No entanto, não falou nada, honrando sua promessa de não fazer perguntas sobre o meu passado.

Eles são especiais para mim, expliquei, acenando para os grous. Coloquei as mãos no peito quando eles saíram voando. *São meus irmãos.*

Enquanto voltava com Takkan para o castelo, me perguntei o quanto ele tinha entendido.

CAPÍTULO TRINTA E TRÊS

Escolhi minha melhor veste, vermelha com estampas de peônias e martins-pescadores, e coloquei minhas luvas mais quentes. Exceto pela tigela na minha cabeça, eu quase parecia minha antiga eu.

Joguei a bolsa no ombro, comprometendo ainda mais meu visual. Toda rasgada e manchada de água, ela arruinava toda a elegância do meu traje. O que Zairena fez questão de comentar assim que me encontrou nas escadas do castelo.

Ela franziu o nariz.

– Você precisa carregar essa bolsa pra todo lugar?

Eu a teria deixado no quarto para evitar ser questionada desse jeito, mas partiria depois do festival. Não daria tempo de voltar para o castelo.

Dei de ombros, guardando meu lenço dentro da bolsa, como se isso explicasse suas perguntas.

Zairena estalou a língua. Em vez de suas vestes de luto, ela usava um vestido índigo claro; suas vestes internas eram cor-de-rosa e combinavam elegantemente com sua faixa e seus punhos. Pele de raposa envolvia seus ombros e suas luvas cor de marfim emergiram das mangas boca de sino quando ela ergueu o lampião, apontando a chama para a minha bolsa.

– Aqui, fique com isto. – Zairena me ofereceu sua bolsa de seda. Era da mesma cor da minha veste, e tinha bordados dourados em seu tecido brilhante.

– Não precisa agir feito um rato, Lina. Pelo menos experimente.

Antes que eu pudesse impedir, ela trocou minha bolsa pela dela.

– Está vendo a diferença que essas coisinhas fazem? Você está quase bonita, mesmo com essa tigela na cabeça.

Era verdade. A bolsa de seda reluzia contra minha faixa, como se ali fosse seu lugar.

Zairena se inclinou para perto do meu ouvido e disse:

– Eu não ficaria surpresa se Takkan te notasse.

Me virei para encará-la.

– O que foi? – ela abriu um sorriso malicioso. – Não ligo se ele estiver envolvido com você. Talvez este tenha sido o nosso mal-entendido desde o começo. Mas não vá sujar minha bolsa; quero-a de volta depois do festival. – Ela mostrou os dentes em um sorriso que não era bondoso, mas provavelmente era o melhor que ela podia fazer.

A bolsa *era* linda, só não era para mim. Eu não precisava nem queria a ajuda de Zairena para me sentir bonita – muito menos para chamar a atenção de Takkan. Devolvi-a, balançando a cabeça.

– Como quiser – Zairena falou, colocando minha bolsa de volta no meu ombro.

Quando ela foi embora, olhei para Kiki, observando das vigas acima. Nos últimos dias, ela andava esvoaçando de viga em viga, em vez de ficar dentro das minhas mangas. *Você não vem?*, perguntei.

Pra ver você se derretendo pela cantoria do seu senhor?

Cruzei os braços. *Pensei que você quisesse ver.*

Música me deixa sonolenta, Kiki disse, fingindo um bocejo. *Prefiro esperar aqui do que ter que me esconder na sua manga. Só não demore muito. Não esqueça que seus irmãos estão esperando.*

Soprei um beijo para ela e saí correndo, pulando em uma das carroças que iam para Iro. Enquanto seguíamos colina abaixo, fiquei olhando o céu. Tons de vermelho e rosa e violeta tingiam as nuvens, como se o amanhecer e o crepúsculo se misturassem.

Não haveria lua depois que o sol caísse. Esta noite, Imurinya voltaria ao céu para se tornar um espectro de seu passado: a deusa do destino. Só torci para que ela fosse gentil comigo.

As apresentações do festival tinham começado mais cedo, e os melhores lugares do teatro estavam todos tomados, então me acomodei entre os estranhos em um banco de madeira nos fundos. A neve entrava pelas janelas, fazendo cócegas no meu rosto. Sinos soavam e tambores rugiam do lado de fora.

Parecia que toda a cidade estava aqui. Devia haver milhares de pessoas no teatro, todas carregando lanternas apagadas entre seus joelhos. As crianças saltitavam, ansiosas pelo início da próxima apresentação.

O sol havia quase se posto por completo, mas um último clarão do oeste varreu o palco enquanto lady Bushian se levantava e dava as boas-vindas ao povo de Iro.

– Esta noite, vamos comemorar o fim de um longo inverno e a luz que vem depois da escuridão. Como uma homenagem de nossa família, meus filhos vão apresentar a história mais amada de Iro para agradecer a todos pelo trabalho duro, pela lealdade e pela harmonia.

Ela fez uma reverência, então recebeu Takkan e Megari no palco.

Megari sentou-se afetadamente no banquinho preparado para ela, ajeitando suas exuberantes saias azuis antes de pegar seu alaúde lunar. Seus ombros se ergueram e, com um movimento da mão, ela tocou um acorde.

Enquanto os olhos dela se acendiam, absorvendo a música, Takkan deu um passo à frente.

– Quando Emuri'en caiu dos céus para a terra – ele começou –, mil grous rezaram para que ela renascesse. Então ela renasceu como uma humana chamada Imurinya.

Sorrisos se espalharam pelo teatro conforme as crianças e os adultos reconheciam a história que Takkan e Megari escolheram.

Takkan cantou:

Imurinya não era como as outras crianças.
Sua pele brilhava, tão prateada quanto a lua,
e seu cabelo cintilava com a luz das estrelas,
tão ofuscante que ninguém podia ver sua tristeza.

Ela logo floresceu e virou uma dama
melancólica e solitária.
Mas os coelhos da montanha
não temiam seu esplendor.

Então reis e príncipes vieram
implorando por sua mão.
Para cada um, ela pediu um presente simples,
um presente que a faria feliz.

Eles trouxeram anéis de jade e coroas de pérolas,
sedas suntuosas e baús de ouro.
"O que vou fazer com tantas riquezas?", pensou Imurinya.
Sou apenas uma donzela da montanha.

Sua esperança começou a desaparecer,
até que o último pretendente reuniu sua coragem.
Era um humilde caçador com um humilde presente:
um pente de madeira entalhado com uma flor de ameixa.

Todos o ridicularizaram por sua peça tão simples.

Mas Imurinya os silenciou com um gesto gentil
e perguntou: "Por que um pente me faria feliz?".

O caçador respondeu: "Os coelhos me disseram
que, além da luz que você emana,
seus olhos estão escuros de tristeza.
Não tenho ouro nem reino,
mas lhe ofereço este pente para cuidar de seu cabelo,
para poder ver seus olhos, para iluminá-los de alegria".
Então Imurinya o amou e se casou com ele.
Mas, logo depois, histórias sobre sua luz alcançaram os céus,
e os grandes deuses reconheceram sua irmã Emuri'en, que tinha renascido.

Eles enviaram grous para buscá-la
com um pêssego da imortalidade para restaurar sua capa de deusa,
mas Imurinya não queria voltar sem seu marido mortal,
e ele não era bem-vindo entre os deuses.

Esperta como era, ela partiu a fruta,
servindo metade na sopa dele e metade na sua.
Juntos, eles voaram metade do caminho para o céu,
reivindicando a lua como sua.

Então uma vez por ano, em uma noite de inverno,
seus mil grous a devolvem ao céu
e ela se torna Emuri'en mais uma vez,
deusa do destino e do amor.

Takkan baixou a voz, e os últimos acordes da música eram tão suaves que ninguém ousou respirar. Ele ergueu o lampião, com seu painel azul decorado com coelhos e grous e uma lua dourada. Seus olhos percorreram a multidão, até que ele me viu. Ele sorriu e respirou fundo.

Para homenagear sua lua mais escura,
acendemos nossas lanternas
para que um pouco de nossa luz alcance o céu,
assim como a luz dela alcança a terra.

Por fim, Megari tocou o acorde final.

Enquanto o silêncio se prolongava, dei um suspiro, sentindo uma leve dor no peito. A história de Imurinya era de amor e perda, diferente da minha própria história, e mesmo assim eu não podia deixar de me identificar. De certo modo, ela também era amaldiçoada, sem poder voltar para casa.

Ela parece mais com Raikama do que comigo, pensei. A competição pela mão de Imurinya me lembrava da história de meu irmão sobre Vanna e seus pretendentes. Raikama nunca gostou de ouvir sobre a Senhora da Lua. Senti uma pontada de simpatia por ela. Seria porque Imurinya a lembrava de si mesma?

Deixei a ideia de lado. Esta noite era para celebrar novos começos, não para ficar pensando no passado.

Liderados por Takkan, todos acenderam seus lampiões e os ergueram, até que a luz da própria Imurinya pareceu iluminar o teatro. Os criados abriram as portas para que víssemos que as lanternas também tinham sido acesas do lado de fora, lançando um brilho dourado sobre o rio e a encosta da Montanha do Coelho.

E quando a neve suave atravessou as portas abertas, fresca e branca contra as colunas vermelhas do teatro, percebi que Takkan estivera certo esse tempo todo.

Iro era o lugar mais lindo do mundo.

Encontrei Takkan vestindo a armadura enquanto sua irmã guardava a comida do festival nos alforjes de Almirante. Megari puxou a manga dele ao me ver.

– Aí está ela – ela gritou, empurrando o irmão com um largo sorriso no rosto. – Não está contente por ter ficado aqui em vez de saído por aí procurando por ela?

Por alguma razão, o olhar mortificado que Takkan laçou para a irmã fez meu estômago se contorcer.

– Takkan ficou tão feliz que você veio – Megari continuou, ignorando a expressão do irmão. – Ele que escreveu a música, sabia? Quer dizer, só a letra, e eu compus a melodia.

Coloquei as mãos no coração. *Eu adorei. Todo mundo adorou.*

– Pensei que você fosse gostar. – Megari sorriu maliciosamente. – A caminhada das luzes acabou de começar, vocês deviam ir ver. Não esperem por mim, apresentações sempre me deixam faminta.

Em seguida, ela saiu correndo antes que pudéssemos impedi-la.

– Agora acho que estou entendendo como minha mãe se sente quando saio correndo para alguma batalha – Takkan brincou.

Você já está indo?, gesticulei para Almirante.

– Daqui a pouco – ele respondeu com uma voz pesarosa. Ele limpou a garganta e abaixou a lanterna, nivelando-a com a minha. – Eu não ia partir sem me despedir.

Fiquei mais contente do que gostaria de admitir.

Caminhamos juntos enquanto as risadas e os sons do festival zumbiam na minha cabeça e nossos passos sincronizavam. Passamos por uma fileira de esculturas de gelo e as achei tão magníficas quanto Megari descrevera.

Havia tigres e borboletas, barcos em forma de dragões e imperatrizes com coroas de fênix, e até uma réplica do palácio imperial. Eu não consegui escolher a minha favorita.

Pela primeira vez, a comida não me seduziu. Eu estava flutuando como as lanternas na água. Elas pareciam pequenas luas, cheias e redondas. Cada uma tinha um barbante vermelho amarrado no topo, algo que eu nunca tinha notado em todos aqueles anos de celebração do solstício de inverno em Gindara. Parei e apontei.

– É uma tradição local – Takkan disse, prestativo. – Se amarrar uma corda vermelha na sua lanterna e colocá-la no rio, os grous sagrados vão levar seu fio do destino para a pessoa amada.

Era uma tradição linda, mas pouco plausível. Se fosse assim, todos no reino viajariam até Iro para colocar suas lanternas no rio Baiyun.

Mas talvez o propósito de lendas como essa era simplesmente levar esperança para o povo.

– O Festival de Inverno é a celebração de Emuri'en – Takkan continuou. – Ele não serve só para reverenciar a lua, mas também para que as pessoas se encontrem e quem sabe se apaixonem.

Fixei os olhos na água, observando a superfície congelada brilhar sob a luz das lanternas e ignorando a repentina aceleração da minha pulsação.

– Já conseguiu ver a lua cheia na Montanha do Coelho? Costumamos dizer que é quando...

Imurinya está nos vendo, falei com a boca. Meus ombros caíram de pesar. Não, eu nunca tinha conseguido ver.

– Ela pode não estar nos vendo hoje – Takkan disse, erguendo a lanterna na direção da montanha –, mas devo dizer que é uma vista e tanto.

Olhei para onde ele estava apontando e prendi a respiração. Não havia lua, mas a luz do cintilante rio Baiyun iluminava os dois picos. O vento havia levado algumas das lanternas, que flutuavam no céu feito pequenos sóis contra a montanha.

Ele se ajoelhou ao lado do rio, e eu fiz o mesmo.

– Devo estar bêbado de luar para estar te falando isso... mas, depois que fui embora da Estalagem do Pardal, eu... eu não conseguia parar de pensar em você. Eu não sabia nada sobre você, mas nunca tinha conhecido alguém tão determinado nem tão descarado. Nem Megari é assim. – Ele deu risada, então sua expressão ficou séria novamente. – De alguma forma, eu sabia que te veria de novo. Foi como se eu pudesse sentir nossos fios se cruzando. Mas, quando você chegou em Iro, parecia diferente. Mais triste, mais retraída. Eu procurava você na cozinha enquanto Pao e eu caminhávamos pelo castelo. Queria fazer você sorrir.

Eu me lembrava. Toda vez que o via caminhando pelos arredores, eu desacelerava o trabalho, contente por vê-lo mais forte a cada dia.

– Logo aprendi que não podia competir com comida.

Meus ombros sacudiram com a minha risada. *Poucas pessoas podem.*

– Mas você gostava das minhas histórias. Também aprendi isso. – Ele tocou sua lanterna na minha de um jeito tão doce que senti um frio na barriga. – Talvez elas funcionassem como uma espécie de pente de madeira. Eu contaria histórias para você do amanhecer até o anoitecer, se isso fizesse seus olhos se encherem de alegria.

Não sei o que me ocorreu, pois prendi meu braço ao braço dele. Podia ser a história, a beleza das lanternas que nos cercavam ou o frio que entorpecia meus sentidos, mas a vergonha chegou em seguida. Tentei me afastar, porém Takkan não me soltou. Ele me puxou para mais perto e meu ombro se derreteu contra o dele.

Pensei que ele ia me beijar. Pelo deuses, eu *queria* que me beijasse.

Mas então os fogos de artifício começaram, subindo até o céu e explodindo entre as estrelas. Contra o crepúsculo e a neve, colocamos nossas lanternas no rio e ficamos observando-as deslizarem com centenas de outras. Algumas eram carregadas pelo vento até tocar o lago de nuvens acima. Era tudo tão lindo que não ousei nem piscar. Eu queria gravar esse momento na memória.

– Você vai estar aqui quando eu voltar, Lina?

A voz de Takkan estava tão baixa que quase não ouvi.

Um nó se formou na minha garganta, quente e visceral. Virei a cabeça, fingindo acompanhar nossas lanternas flutuando pela água.

Por que acha que vou embora?

Ele tinha ficado bom em ler meus lábios.

– Quando ofereci para te trazer aqui, você recusou. Sei que Iro não era nada além de um lugar para você passar o inverno, mas ainda assim não posso evitar torcer para que você fique.

Abaixei a cabeça.

Meu silêncio me denunciou, e Takkan se inclinou para que nossos olhos se nivelassem. Sua voz tremeu quando ele falou:

– Não vou te deixar sozinha, Lina, nem nas suas alegrias nem nas suas tristezas. Queria que seu fio se prendesse ao meu para sempre.

Olhei para ele, aliviada por ele não poder ver o espanto em meus olhos.

Será que acabei usando minha magia sem querer para enfeitiçá-lo e obrigá-lo a se declarar desse jeito? Ele nem sabia quem eu era. Quem eu era de *verdade*.

Em vez de responder, apoiei a cabeça em seu peito, enfiando-a com tigela e tudo embaixo de seu queixo. Percebi que ele prendeu a respiração, mas não falou nada. Ele envolveu um braço em minha cintura e me abraçou.

A razão exigiu que eu partisse naquele instante, antes que o ar da montanha subisse à minha cabeça – antes que eu me apegasse demais a Takkan. Mas era tarde demais.

Tudo o que eu queria era que essa noite durasse para sempre. Que nossos fios estivessem emaranhados e unidos. Não era irônico que eu – uma garota que sempre quis fazer as próprias escolhas – agora não quisesse nada além de me render ao destino? Dei risada de mim mesma em silêncio.

Para todos os efeitos, eu nunca teria escolhido alguém como Takkan. Ele era honesto demais, bom demais. Um homem que sempre seguia as regras, enquanto eu tinha prazer em quebrá-las. Que preferia ficar em casa, enquanto eu sonhava em voar o mais longe que pudesse.

Eu teria pregado várias pegadinhas nele sem dó, pensei, sorrindo ao imaginar nós dois crianças.

Nenhum dos meus irmãos teria protegido uma ladra que tivesse tentado lhes roubar. Nenhum deles veria beleza em uma simples montanha, e nenhum ficaria feliz de passar o resto da vida no Norte, longe da corte e do campo de batalha.

Me virei para encará-lo. Fiz carinho na sua bochecha. Quando nos conhecemos, achei que seu rosto era comum: nariz afilado, olhos castanhos, o cabelo em "V" na testa. Bonito o suficiente. No entanto, cada vez que o via, eu gostava mais dele.

O que eu enxerguei em seus olhos foi a riqueza do solo de verão. Seu nariz estava encantadoramente vermelho por conta do frio, e sua voz era como aquela música querida que nunca cansamos de ouvir. Era até engraçado pensar que ele tinha roubado meu coração, quando eu que era a ladra no dia em que nos conhecemos.

Tentei aquecer seu nariz com a mão, mas Takkan pegou meus dedos por sobre a luva e os levou aos seus lábios. Ele levantou meu queixo, seu hálito fez cócegas no meu nariz.

Ele ia me beijar.

Finalmente.

Fechei um pouco os olhos por antecipação e contraí os dedos dos pés dentro das botas. Depois de meses me dizendo que Takkan não significava nada para mim, agora eu só queria permanecer nos seus braços até o sol nascer. Queria ouvi-lo dizendo meu nome, meu nome verdadeiro, e que ele dissesse novamente que gostaria que eu ficasse em Iro.

Que os demônios me levassem, eu *queria* ficar.

Mas eu não podia. Megari sempre disse que eu parecia uma das garotas das histórias de Takkan. Com a tigela na cabeça, ela provavelmente me via envolta em mistério e encantamento. Ela não estava errada, mas minha magia só trouxe desgraça e tristeza para as pessoas que eu amava. Se eu fosse a personagem de uma história, não seria uma heroína. Eu era uma agitadora que só bagunçava tudo por onde passava. Eu precisava reparar meus erros um por um.

Ainda tinha que fazer muitas escolhas. E ficar aqui – por mais que eu quisesse – era a escolha errada.

Os lábios dele estavam quase sobre os meus, as pontas de nossos narizes se tocaram, quando me desvencilhei do seu abraço sem avisar. Se eu ficasse mais tempo, meu coração explodiria, e todos os muros que construí em torno dele desmoronariam.

– Lina!

Saí correndo sem olhar para trás.

Emuri'en, seja bondosa, rezei, olhando para o céu sem lua. *Permita que superemos as provações que nos aguardam. Não amarre nossos fios só para cortá-los depois.*

A última coisa que vi foram nossas lanternas desaparecendo ao longo da curva do rio.

Estava procurando um cavalo para me ajudar a atravessar a floresta quando Kiki bateu no meu peito.

Shiori!, ela gritou, mexendo as asas freneticamente no meu rosto. *Olhe. Olhe!*

Agora não, dispensei-a, ainda aflita pela forma como eu tinha largado Takkan.

Minha ave de papel estava frenética, agitando as asas no meu cabelo e nas minhas orelhas e me mordendo, me arrastando para a lanterna mais próxima. *Olhe!*

Enquanto ela dançava ao redor da chama, um vestígio de tinta preta brilhou na parte inferior de sua asa.

O que é isso?, perguntei, cansada. *Te ajudo a lavar amanhã.*

Ficou preto, Shiori. Estava dourado antes, da tinta na linha de Zairena. Você lavou com um pouco de neve uns dias atrás, não lembra?

Agora Kiki tinha minha total atenção. Observei-a sob a luz da lanterna. Sua asa definitivamente estava tão preta quanto nanquim.

Era Quatro Suspiros.

Eu pousei nos fios dela, Kiki disse depressa. *Nos fios da roda de fiar. E…*

Ela não precisava falar mais nada. Tentei absorver a informação, perplexa.

Zairena. Era Zairena esse tempo todo.

CAPÍTULO TRINTA E QUATRO

Voltei para o festival com a cabeça retumbando enquanto abria caminho entre a multidão.

Esse tempo todo, Zairena era a assassina. Eu tinha que encontrar Takkan antes que ele fosse embora. Enquanto ela estivesse aqui, ele estaria em perigo.

Ali está ele!, Kiki gritou, apontando uma asa para um homem caminhando pela trilha estreita que levava de volta ao castelo. À luz fraca das lanternas e vendo a figura de costas, achei que era Takkan. Ele tinha a mesma altura, a mesma passada, a mesma armadura. Mas, quando cheguei mais perto, percebi que seus ombros eram mais quadrados, e seus movimentos, mais pesados.

Hasege! Corri até ele. Os sentinelas também precisavam saber.

Zairena é a assassina, tentei falar, agitando as mãos.

Ele não entendeu. Seu rosto estava mais vermelho que de costume. Ele parecia bêbado, e seus olhos pretos feito carvão estavam vazios.

Desisti de tentar explicar. *Onde está Takkan?*

– Takkan? – ele grunhiu. Ele se aproximou de um dos cavalos. – Ele estava te procurando. Suba, vou te levar ao castelo.

Sua disposição em me ajudar me surpreendeu. Não me movi, desconfiada. *Ele está no castelo?*

– O quê? – Hasege estalou a língua. – Não acredita em mim, Lina? Olhe, minha tia está voltando para se despedir de Takkan agora mesmo. – Ele apontou a cabeça para a carroça que conduzia lady Bushian colina acima.

Shiori... Kiki interveio. *Não confio nele.*

Eu também não, mas precisava falar com alguém – se não Takkan, ao menos com lady Bushian –, e eu demoraria demais se fosse a pé. Pulei no cavalo de Hasege.

As luzes da fortaleza queimavam como pinceladas de fogo contra o céu noturno. Enquanto o cavalo de Hasege galopava, a apreensão se acumulou em minhas entranhas.

Minhas janelas estavam acesas. Só que eu tinha apagado as velas.

O cavalo parou de repente em uma árvore. Quando a neve caiu de um dos galhos sobre minha capa, dei um pulo de susto, mais abalada pela luz no meu quarto do que pelo frio.

– Vá em frente – Hasege falou, espanando a neve. – Ele está te esperando lá em cima.

Sombras assomavam nos corredores do castelo e eles pareciam mais compridos do que eu me lembrava. Não acreditei no que Hasege dissera sobre Takkan nem por um segundo, mas havia algo errado. Meus passos ressoaram pelas escadas enquanto eu subia dois, três degraus de cada vez. Corri até o meu quarto.

A porta estava entreaberta.

Com uma mão na adaga, irrompi porta adentro, sem saber o que esperar. O cômodo estava vazio. Parecia intacto, a não ser pelas velas na mesa.

Agarrei minha bolsa, agradecendo aos deuses por tê-la levado comigo.

Porém, quando me virei para sair, seu exterior de palha começou a brilhar, como se eu estivesse piscando rápido demais. Pensei que era um truque da luz. A palha estava escorregadia de neve derretida e eu a limpei com as mãos, certa de que era isso que estava cintilando.

Então minha bolsa desapareceu completamente. Em seu lugar, havia uma bolsa de seda.

A bolsa de Zairena.

Pelos demônios de Tambu, Kiki praguejou.

Era uma ilusão, que se desfez com a neve derretida. O que significava que minha bolsa verdadeira... que a rede de choque-celeste...

Comecei a revistar o quarto, virando minha cama de ponta-cabeça e jogando os cobertores no chão. Em meu desespero, não ouvi as vozes ecoando pelo corredor – não até que fosse tarde demais.

– Isso não pode esperar até que Takkan volte? – lady Bushian falou alto. – Não entendo o que poderia ser tão importante para você me arrancar do festival durante o ritual das lanternas.

– Eu estava tentando te avisar, tia. – A silhueta de Hasege contrastava com o papel de parede, e as partes escuras de sua armadura se pronunciavam à luz das velas. – Mas só Zairena me ouviu.

Zairena entrou em meus aposentos, permanecendo em pé junto ao batente da porta enquanto Hasege e lady Bushian a seguiam.

– Está procurando isso, Lina? – ela perguntou, segurando minha bolsa.

Sem pensar, disparei para ela – uma decisão estúpida. Hasege me agarrou, prendendo meus pulsos com suas mãos de ferro.

Zairena sorriu. Meu desespero só alimentava sua razão.

– Fique longe – disse ela, afastando lady Bushian de mim e erguendo a bolsa. – Esta bolsa contém uma magia perigosa.

Ela soltou as fivelas e a abriu. Prendi a respiração, certa de que ninguém veria a rede choque-celeste brilhando lá dentro. O que eu não esperava era que a sombra de um lobo saísse da bolsa.

Ele saltou pelas paredes e mostrou as presas para lady Bushian, que ficou tão pálida que pensei que fosse desmaiar. Hasege me soltou e brandiu sua espada, golpeando o lobo que rondava minha janela. A criatura se agitou e se contorceu, até que finalmente Zairena fechou a bolsa.

Com um silvo, o lobo desapareceu.

Meus ouvidos latejavam. Como... como Zairena fizera aquilo? Ela não podia ter...

– Magia – Hasege falou. – Agora você acredita em mim, tia?

Lady Bushian levou a mão ao coração, ofegante.

– O que... Pelos deuses... Como...?

– Como? – Zairena cruzou os braços, dramática. – Lina é uma sacerdotisa dos demônios, infiltrada no Castelo Bushian pelo próprio lorde Yuji para cumprir suas ordens.

Ela está mentindo, tentei comunicar, balançando a cabeça desesperadamente.

Mas dava para ver nos olhos de lady Bushian que Zairena tinha vencido. Não importava o que eu dissesse, seu truque com o lobo de sombras os convenceu da minha culpa.

– Não tenha medo – Zairena disse, tranquilizando a mãe de Takkan com um toque em seu ombro. – Hasege e eu sempre sentimos que havia alguma força obscura em Lina. Eu estava preparada para quando este momento chegasse.

Tarde demais, disparei para a porta aberta, mas Hasege me bloqueou com facilidade. Ele me prendeu pela cintura e imobilizou meus braços com tanta força que me encolhi.

Kiki, pensei, apontando o cotovelo para Hasege para dar ao meu pássaro a chance de escapar pela minha manga. *Encontre meus irmãos. Encontre Takkan.*

Então pulei, acertando a tigela no nariz de Hasege. Foi o suficiente para Kiki sair sem ser vista.

Hasege soltou um gemido.

– Por que fez isso, sua...

– Segure-a – Zairena interrompeu, falando por cima de Hasege, que estava prestes a me xingar. Ela enfiou a mão no cabelo e pegou um alfinete dourado, com a ponta alarmantemente curvada feito uma foice. Seus olhos brilharam. – Isto me foi dado pelas sacerdotisas de Nawaiyi, é uma agulha antiga usada para exorcizar demônios. Nossa Lina finge ser muda, mas eu me pergunto se ela só está querendo esconder sua verdadeira identidade. Vamos fazer um teste, que tal?

Sem avisar, Zarena enfiou a agulha no meu tornozelo. De repente, meus sentidos colapsaram. A dor penetrou em meu osso.

Aguentei firme e mordi o lábio com força. Isso não era nada, eu disse a mim mesma. Depois de meses trabalhando com o choque-celeste, isso não era nada.

Mas Zairena era implacável e continuou me torturando. Às vezes, ela esperava cruelmente entre as punhaladas, como se quisesse me dar uma chance de respirar. Mas o próximo golpe vinha ainda mais forte, e o intervalo entre as agulhadas mal era suficiente para eu me recompor e conter o grito.

Minha visão entrava e saía de foco. Enfiei as unhas na armadura de Hasege, prestes a desmaiar.

– Chega, Zairena! – lady Bushian gritou. – Chega.

Lágrimas corriam pelas minhas bochechas. Eu não conseguia ficar de pé. Mal conseguia sentir minhas pernas.

– Ela não tem jeito – Zairena declarou, balançando a cabeça. – O demônio não quer sair.

– O que significa isso? – lady Bushian soltou.

Os olhos escuros de Hasege cintilaram.

– Que ela precisa morrer. Ela deve ser queimada.

– Queimada? – lady Bushian repetiu, horrorizada.

– Sim – Hasege falou. – Precisamos fazer isso assim que o festival acabar, ou estaremos arriscando a segurança do Castelo Bushian.

– É o único jeito, lady Bushian – Zairena concordou, solene.

Lady Bushian fixou o olhar em mim. *Não sou eu*, falei em silêncio. *É Zairena.*

Mas o truque do lobo envenenou lady Bushian contra mim. Por um longo momento, ela não disse nada. Até que falou:

– E Takkan? Acho que devíamos esperar que ele...

– Não temos tempo. O exército de lorde Yuji está se aproximando de Gindara. Logo ele vai convocar o demônio de Lina para ajudá-lo em seu plano.

Os ombros de lady Bushian se ergueram. Ela não olhou para mim quando assentiu com a cabeça.

– Não conte a Megari – ela disse, enquanto Hasege me conduzia para fora. – Ela vai ficar de coração partido se souber que Lina traiu todos nós.

A neve entrou pela janela da minha cela, derretendo e formando pequenas poças no chão de pedras. Era o menor dos meus problemas, mas, pelos grandes deuses! Se esta fosse realmente minha última noite na terra, eu queria ao menos enfrentá-la em um lugar quente e seco.

Pela milésima vez, tentei chutar a porta. Mas, maldita Zairena, aquela agulha não era uma relíquia especial para exorcizar demônios. Ela tinha sido envenenada, e a dormência em minhas pernas persistiu muito depois de seu ataque. Eu não conseguiria fugir nem se quisesse.

Os minutos se transformaram em horas. Até que, cansada de socar as paredes, acariciei minhas bochechas com os meus dedos ensanguentados.

Já devia ser mais de meia-noite quando ouvi passos leves e rápidos. Passos de criança.

Megari. Ela trazia uma pequena cesta cheia de papel que costumavam usar no templo para fazer pedidos. Sem tinta.

– Os guardas pegaram a tinta e o pincel – ela disse, brincando com o amuleto que tinha amarrado na cesta para me dar força e proteção. – Papel não é bem um consolo, mas pensei... pensei que você talvez quisesse fazer suas dobraduras de pássaros. Eu posso te ajudar, e quem sabe juntas a gente consiga o suficiente pra pedir aos deuses pra te libertarem.

Queria abraçá-la, mas só pude segurar suas mãos. Seus olhos estavam vermelhos e inchados; ela tinha chorado por mim.

– Tentei falar com mamãe, mas ela não quer me escutar. Ela acha que você é uma feiticeira. – Sua voz estava trêmula. – Mas assim que Takkan voltar de Gindara, sei que ela vai escutá-lo.

Mordi o lábio. Megari não sabia que eu tinha pouco tempo. Eu seria queimada na fogueira no dia seguinte.

Zairena não é quem diz ser, tentei lhe contar. *Ela é a assassina. Não eu, muito menos Chiruan. Ela é a verdadeira sacerdotisa das Montanhas Sagradas.*

– Mais devagar, Lina. Não consigo te entender.

Peguei um papel, mas a porta da minha cela se abriu e Zairena entrou, equilibrando serenamente uma bandeja com quatro tigelas cobertas.

– É melhor você sair, Megari. Lina precisa dormir antes de sua provação de amanhã.

Megari se virou para encará-la.

– Que provação?

– Sem mais perguntas. Vá, ou vou contar a Hasege que Pao te deixou entrar.

Zairena se ajoelhou diante das barras da minha cela.

– Que criança irritante – ela falou quando a menina saiu. – Pensei que ela seria meu grande estorvo, mas qual não foi minha surpresa quando descobri que era você, *Shiori*.

Ao ouvir meu nome, os pelos da minha nuca se arrepiaram. Ela sabia.

Seus olhos brilharam diabolicamente, e ela se voltou para a bandeja, arrumando as tigelas.

– Sim, eu sei. Nós, sacerdotisas das Montanhas Sagradas, somos ensinadas a sentir a magia, embora você... não tenha talento. Pensei que você era só uma pedra no meu sapato, uma esquisita com essa tigela na cabeça e uma bolsa suja, que não valia minha atenção. – Ela fez uma pausa deliberada. – Até que você usou minha roda para fiar choque-celeste.

Ela abriu a tampa da primeira tigela, revelando um fio cintilante de choque-celeste.

– Você foi muito insolente fiando uma montanha inteira na minha roda. Até então, achei que você estava invadindo meu quarto para roubar meus fios. – Ela deu risada de si mesma. – Eu ia te matar por isso, da mesma forma que matei o enxerido do Oriyu. Mas daí encontrei esse vestígio de magia no seu quarto, enquanto você estava cuidando da querida Megari. Ouvi dizer que isso é muito útil contra dragões.

Me lancei para pegar a bolsa, mas Zairena desviou rapidamente.

– Não se preocupe, Shiori'anma. Não vou dar a rede a lorde Yuji, aquele idiota indeciso. Nem ao Lobo. – Ela deu batidinhas na bolsa. – Assim que ele descobrir que arquitetei sua morte, não seremos mais aliados.

Cerrei os punhos nas barras da cela, tentando me levantar, mas minhas pernas não queriam cooperar.

– Não está se perguntando como é que eu sabia que a princesa estava tecendo choque-celeste? – Zairena perguntou.

Não, eu não estava. Mas Zairena estava toda orgulhosa, e eu não tinha escolha a não ser escutar.

– O Lobo disse que encontrou seus irmãos em A'landi. Eles o conheceram sob o disfarce de seu antigo mestre, um famoso vidente.

Algo dentro de mim se quebrou, e fiquei enjoada de repente. Pelos grandes deuses! Foi o Lobo que dissera aos meus irmãos que eles deviam providenciar uma rede de choque-celeste. Foi ele quem nos deu essa bolsa, para que eu levasse para ele as urtigas do Monte Rayuna. Para que eu tecesse uma rede... para roubar um tesouro muito maior...

A pérola de Raikama.

Congelei.

– Eu sei – Zairena disse, fingindo sentir empatia. – Feiticeiros são tão gananciosos, não são? Eu falei para ele esquecer a pérola da Rainha Sem Nome e só se concentrar no seu sangue, mas ele queria os dois.

O meu sangue?

– Você não sabia que tem o sangue puro de Kiata, não é? Ninguém pode culpar você. Acho que, a essa altura, até os deuses e os dragões esqueceram o que é isso, e nós, mortais, tratamos a questão como se fosse apenas uma lenda. Mas sua madrasta é esperta, e aquela pérola deve ter dado a ela o poder de ver quem você é. Foi uma jogada inteligente da parte dela esconder os próprios talentos de você. Ela deve ter pensado que você ficaria mais segura se não soubesse. E quase acertou. *Quase*.

Meus pensamentos eram um turbilhão; eu estava me esforçando para entender.

Zairena sorriu.

– Veja, a magia no seu sangue é nativa de Kiata. É uma raridade hoje em dia, e é a única capaz de libertar os demônios presos nas Montanhas Sagradas. O Lobo te procurou exatamente por esse motivo, e eu colaborei para que ele compartilhasse comigo o que sabia. Você parece confusa. Com razão; todos vocês, tolos, distorceram nossas histórias e esqueceram o que realmente representamos.

Sua voz se encheu de orgulho.

– Nós, sacerdotisas, não somos aliadas dos demônios. Pertencemos às Montanhas Sagradas. Nossa função é manter a maldade deles presa nas montanhas. E estávamos esperando por você, Shiori'anma. Você é o sangue puro, portanto, não podemos permitir que viva.

As palavras reverberaram em meus ouvidos. Cambaleei para trás, o mais longe das barras que consegui, procurando alguma pedra ou tijolo soltos, mas não achei nada a não ser os papéis de Megari e as poças de neve derretida.

– Agora, se você tivesse me contado antes que era a princesa – Zairena continuou –, eu teria lhe dado uma morte honrosa, menos humilhante do que a que Hasege planejou. Mas eu não podia usar Quatro Suspiros em você, não quando Chiruan já tinha sido pego... – Ela fez uma pausa. – Ainda assim, devo dizer que é lindo como tudo se ajeitou. O plano sempre foi coletar suas cinzas.

Estremeci, e me odiei por isso. Meus dedos se enfiaram na terra úmida e joguei um punhado inofensível em Zairena. Meu ataque mal a tocou, e a terra pousou em sua bandeja.

Escondendo um sorriso, a sacerdotisa se ajoelhou de novo, limpando a sujeira com um pano e abrindo a tampa da segunda tigela. Um caqui seco.

– Você deve ter adivinhado que tenho talento para produzir venenos. Pegue a fruta favorita de Megari, por exemplo. Não me olhe assim, Lina... foi só um pouco de água escura, nada tão terrível quanto Quatro Suspiros. Além disso, ela estava fazendo perguntas *demais*, eu não tive escolha. Sempre lhe dei o antídoto a tempo, o que me fez conquistar a confiança de lady Bushian. E a sua também.

A raiva me tomou – quente, branca e ofuscante. Se não fosse pelas barras de ferro que nos separavam, eu poderia estrangular Zairena ali mesmo.

– Ah, você realmente vai querer me matar quando eu terminar. – Zairena riu enquanto mordiscava o caqui. – Caquis envenenados, vou ter que anotar isso no meu livro. Se ao menos tivesse funcionado com o Quatro Suspiros... – Ela respirou fundo. – *Isto* que é cansativo com esse veneno, o cheiro. Até Oriyu percebeu o incenso quando entrou no meu quarto. Parece que foi uma boa ideia esconder o odor nas tinturas. Afinal, raramente cheiramos nossas faixas antes de usá-las, não é, princesa?

Ela abriu a terceira tigela. Havia um cordão de ouro, parecido com o que era usado para amarrar as faixas.

Balancei a cabeça, sem entender.

– Esta é a faixa que você estava usando quando caiu naquele lago em Gindara – Zairena explicou. – Sorte a sua; tinha Quatro Suspiros suficiente pra te fazer dormir por dias. Mas ninguém previu que a Rainha Sem Nome reconheceria o veneno a tempo. Ela quase me matou.

O mundo virou de ponta-cabeça. Eu mal conseguia ouvir o que ela estava dizendo.

Esse tempo todo, Raikama estava tentando me proteger! Minha cabeça era um turbilhão, mas eu nunca vi tão claramente. A resposta sempre esteve na minha frente.

Raikama tinha bloqueado minha magia para me proteger, para me esconder de todos que eu conhecia, e assim o Lobo não teria como me encontrar!

– Depois que você desapareceu – Zairena seguiu tagarelando –, o Lobo me enviou a Iro como punição, para esperar em vão, caso Takkan te encontrasse. Quem poderia adivinhar que ele te encontraria mesmo? Você foi esperta, usando essa tigela na cabeça e fingindo que não consegue falar. Esse tempo todo, você estava bem debaixo do meu nariz.

Eu já não estava escutando direito. Estava fervendo de raiva e me joguei em cima dela.

Foi um golpe lamentável. Não consegui ir muito longe com os músculos dormentes e caí contra as barras. Agarrei-me nelas, agitando os braços, e a água da minha roupa, encharcada das poças da cela, espirrou em seu rosto.

Zairena recuou. Água gotejou de sua testa, fazendo com que o pó escorresse, deixando um rastro branco e se aglomerando ao redor de seu queixo. Pontos dourados brilharam em sua pele – traços de Quatro Suspiros.

Enquanto ela se limpava com a manga, seu rosto começou a brilhar da mesma forma que minha bolsa.

Primeiro, sua pinta desapareceu. Depois, seus traços começaram a mudar. Sua boca se alargou, suas pálpebras se tornaram profundas e caídas, e seu rosto envelheceu décadas.

Soltei um suspiro silencioso, reconhecendo minha empregada do palácio. Guiya.

– Se lembra de mim, Alteza? – ela disse, curvando os ombros e fingindo tremer. Em seguida, desatou a rir. – A verdadeira Tesuwa Zairena morreu com os pais. Agora você deve estar se perguntando se sou uma feiticeira. Não, não. Minha magia é insignificante, comparada ao poder que você e sua madrasta detêm.

Água, entendi. Era por isso que ela sempre carregava um guarda-chuva consigo, sempre se protegendo da chuva e da neve. A água desfazia a ilusão e revelava quem ela realmente era.

Com um gesto dramático, Guiya abriu a última tigela, que continha cinzas.

Não entendi.

– São os restos do sangue puro que veio antes de você – ela anunciou. – Suas cinzas foram consagradas nas Montanhas Sagradas como a última magia das trevas que restara em Kiata. Nós, sacerdotisas, as guardamos por décadas, até ficarmos sabendo de você.

Meu estômago embrulhou quando Guiya jogou as cinzas em seu rosto, e suas feições foram substituídas mais uma vez pelas de Zairena.

Ela tampou as tigelas e começou a se levantar.

– Você realmente teve a sorte dos dragões, princesa. Mas essa sorte finalmente chegou ao fim. Amanhã as Montanhas Sagradas estarão em paz mais uma vez, e nós, sacerdotisas, cantaremos para você. Amanhã vamos colocar o seu nome junto àqueles que vieram antes de você. Nós nos lembraremos de você por séculos vindouros, como nos lembramos de todos aqueles que desonraram os deuses. Amanhã você vai morrer.

CAPÍTULO TRINTA E CINCO

Ainda era noite quando vieram me buscar. A luz da aurora brilhava diminuta através das barras de ferro; a lua era apenas um pequeno fragmento desesperado.

Enquanto os outros dois sentinelas me colocavam na carroça, Pao não me olhou nos olhos. Dava para perceber que a ordem de Hasege de me queimarem na fogueira não lhe caiu bem. Talvez fosse esse o motivo de ele me deixar trazer a cesta de Megari.

Enquanto a carroça descia a colina e atravessava Iro, tentei soltar minhas mãos. Os sentinelas sentados ao meu lado dispararam, apontando suas adagas para mim de forma ameaçadora, então desisti.

De qualquer maneira, não adiantava. As cordas estavam bem amarradas.

Passei o resto da viagem tentando – e falhando – fazer dobraduras de pássaros. Meus dedos estavam duros de frio e as cordas machucavam meus pulsos. Mas era melhor do que ficar ali sentada na carroça sem fazer nada. Melhor do que ficar pensando no destino que me aguardava.

Abaixo, Hasege e seus homens estavam retirando a neve e juntando madeira. Durante todo esse tempo, me mantive firme, mas vacilei ao ver a fogueira. Ela tinha sido montada no limite da floresta, cercada por árvores cortadas. Eu jamais poderia imaginar um lugar tão desolado como esse para morrer, sobre uma pilha de palha e gravetos em um campo de neve sem fim.

– Lady Zairena sugeriu que realizássemos o ritual a pelo menos um quilômetro de Iro – Pao disse solenemente quando me pegou olhando para os lados. – Para que seu espírito não atormente a cidade.

Quando estávamos quase lá, ele enfiou a mão na bolsa que trazia ao lado e tirou um pequeno cordão de pássaros de dobradura.

– Megari te mandou – ele disse, rígido. – Ela fez mais, mas lady Bushian não deixou... – Ele acenou com a mão. – As duas se despediram de você.

Um nó de tristeza se formou na minha garganta conforme eu assentia. Pao deixou o cordão de pássaros no meu colo e eu fiquei contando-os enquanto o vento brincava com suas asas. Sete. O número da força.

Vasculhei o céu procurando sinais de meus irmãos ou de Kiki. A cada minuto que passava sem ela, meu peito apertava mais. O medo estava tomando conta de mim e meu corpo todo tremia, por mais que eu tentasse me controlar. Eu não queria que minha vida terminasse assim – sozinha e cercada por inimigos.

Meus irmãos viriam me salvar. Eu sabia.

O último papel que Megari me deu foi levado pelo vento. Apoiei as mãos cansadas no meu colo, segurando minha cesta. Aos poucos, voltei a sentir minhas pernas – só para logo em seguida elas serem anestesiadas pelo frio. Talvez eu morresse congelada antes de ser queimada na fogueira. Quanta ironia.

Guiya estava como Zairena novamente, sentada em uma égua branca ao lado de Hasege, com seus olhos escuros e indecifráveis e minha bolsa deliberadamente cruzada sobre seu torso.

Desejei poder enfiar a cara dela na neve para desmascarar a ilusão. Eu faria qualquer coisa para arrancar aquele sorrisinho de seu rosto.

O próprio Hasege me amarrou na fogueira. As cordas se cravaram na minha cintura e nos meus tornozelos. Ele as puxou com tanta força que doía para respirar, então cuspi nele.

Ele me encarou.

– O que é isso? Mais feitiçaria? – Antes que eu pudesse impedir, ele jogou os pássaros de Megari na neve e tentou pegar minha cesta, mas eu não a soltei. Seus olhos se estreitaram, perversos. – Tragam a tocha.

Quando o sentinela se aproximou com a tocha, troquei o peso das pernas. Meus pés formigavam de tanto se esforçarem contra a madeira irregular. Tentei não demonstrar medo, mas não funcionou.

– Esperem! – Pao gritou. Todo esse tempo, ele manteve a mandíbula cerrada, tentando conter as palavras de protesto que claramente pesavam em sua cabeça. – Acho que o senhor deveria reconsiderar.

– De novo com objeções, Pao? – Hasege grunhiu. – Se não tem colhões de acabar com um demônio, pode ir embora.

Hasege se virou para os sentinelas que tinham vindo para assistir à minha sentença.

– Esta garota matou Oriyu – ele disse. – Ela permitiu que Chiruan levasse a culpa. Lady Bushian é testemunha de suas maldades. Se até *ela* tem medo, então todos nós deveríamos temê-la.

– Não sabemos se *ela* matou Oriyu – Pao argumentou. – Ela pode ter levado a culpa por outra pessoa. Devíamos esperar lorde Takkan voltar.

– Esperar? – Hasege rosnou. – Takkan é fraco e muito influenciável pela magia das trevas dela. Esperá-lo voltar vai trazer a ruína de Iro.

Hasege segurou a tocha diante do meu rosto.

– Nunca se perguntou por que não conseguimos ver os olhos dela? É porque ela é um demônio. – Ele se virou para os homens. – Sei que todos vocês são leais a Takkan, mas nosso dever como sentinelas é expulsar demônios de Kiata. Ao proteger este monstro, ele está traindo os próprios deuses.

Os homens se entreolharam. Eles eram leais a Takkan, mas a lealdade aos deuses estava acima de tudo.

– Ela não é um monstro – Pao falou. – É só uma garota.

– Ela é um demônio – Zairena interveio. – Isto é dela, não é?

Quando ela abriu minha bolsa, um bando de bestas sombrias pulou para fora. Raposas e lobos, ursos e tigres – algumas eram tão grotescas que não se pareciam com nenhuma criatura que caminhava sobre a terra.

Os homens suspiraram, horrorizados.

– Agora acreditam em mim? – Hasege falou enquanto Zairena fechava a bolsa, mantendo os falsos demônios lá dentro. – Ela deve morrer.

Enquanto Hasege falava com os homens, parei de ouvir. O sol estava nascendo, ofuscando meus olhos conforme eu vasculhava o céu vazio. A essa altura, Kiki já devia ter encontrado meus irmãos.

Mas toda vez que eu percebia algum movimento, era apenas uma nuvem se movendo. Não um grou.

Nem meus irmãos.

Engoli a decepção. E se meus irmãos não viessem? Eu ia só ficar parada ali, feito um espetinho de carne esperando para ser assado, segurando uma cesta inútil de pássaros de dobradura?

Soltei a cesta e comecei a torcer e a esticar as cordas. Hasege tinha me amarrado com força, e quase não havia folga. Rangi os pulsos, serrando as cordas com meus dentes. As fibras eram duras e, mesmo se eu tivesse o dia todo, não teria conseguido soltar as mãos.

Mas era melhor tentar do que ficar ouvindo Zairena rezando em voz alta, implorando aos deuses que meu espírito encontrasse paz com o Senhor Sharima'em e que eu não retornasse para assombrar Iro. Desejei mais uma vez poder jogar um punhado de neve na cara dela para apagar aquela ilusão deplorável. Mas a sacerdotisa era esperta e se manteve cautelosamente distante.

Shiori!, Kiki gritou ao longe. *Shiori!*

Prendi a respiração e olhei para cima. Kiki estava longe demais para que eu pudesse enxergá-la, mas vi seis grous atravessando as nuvens. Suas grandes asas estavam banhadas de tons de vermelho à medida que eles deslizavam pela luz da aurora na minha direção.

Meus irmãos!

Os galhos debaixo dos meus pés fizeram barulho e Zairena interrompeu a oração para me olhar. Então ergueu a cabeça para o céu e abriu uma carranca sombria.

– Atirem nesses pássaros – ela ordenou. – Ela está usando magia das trevas para pedir ajuda a eles. Atirem já!

Kiki!, gritei em pensamento enquanto os sentinelas sacavam seus arcos. *Diga a eles para irem embora!*

Reiji e Hasho me ignoraram e mergulharam com tudo, derrubando a tocha das mãos de Hasege antes de dispararem de novo para o céu. As chamas chiaram na neve, e Kiki voou apressada até os papéis espalhados para pegar um pouco de brasa.

Em que confusão você se enfiou, Shiori, ela disse, colocando a brasa nas cordas dos meus pulsos.

As cordas queimaram lentamente e enfim libertaram meus pulsos. Movi as mãos, maravilhada. *Você é uma gênia, obrigada!*

Foi ideia de Wandei. Espertinho, seu irmão.

Eu estava desamarrando as cordas da minha cintura quando uma sombra assomou sobre a pira. Zairena.

A ilusão de Guiya era tão perfeita quanto antes: rosto cheio de pó, olhos joviais – afiados e brilhantes – e uma pinta em sua bochecha direita. O punho da sacerdotisa estava cerrado e ela o ergueu bem alto para jogar um punhado de suas cinzas amaldiçoadas na pira abaixo de mim.

O fogo reluziu, surgindo das cinzas com tanta força que eu sairia voando se não estivesse amarrada à estaca. Ele tinha um tom doentio de vermelho florescente, mas seu centro era negro como a fumaça subindo para o céu. *Fogo demoníaco.*

Ele se espalhou depressa – depressa demais –, se contorcendo em torno dos gravetos sob meus pés, escalando o monte de madeira e me fechando em paredes de chamas. O pânico se infiltrou em meu peito. Desfiz o último nó da corda na minha cintura e avancei para soltar meus tornozelos.

O calor estava ficando intenso e a fumaça era tão densa que meus pulmões doíam, lutando por cada nova respiração.

Mas o fogo não me tocou. Quando me agachei para soltar as pernas, as chamas se afastaram do meu rosto, como se houvesse algum escudo invisível me protegendo.

Um pingo de luz brilhou em meu peito – uma luz fraca, mas que pulsava. Levei a mão ao coração. Será que a pérola de Seryu estava repelindo o fogo demoníaco?

Fiz um teste, inclinando-me em direção às chamas. O fogo demoníaco deu um salto para trás e a pérola brilhou mais forte que antes. No meio do caos que se formou com meus irmãos lutando contra os homens de Hasege, ninguém me observava. Ninguém, exceto Guiya.

Arranquei depressa a corda dos meus tornozelos, soltando-me da estaca. As chamas abriram espaço para mim enquanto eu avançava aos tropeços para longe da pira.

Rápido, Shiori!, Kiki gritou. *Guiya está...*

Kiki não teve tempo de terminar a frase. Era impossível não notar a forma sombria de Guiya. Seus olhos estavam fixos na luz cintilando do meu peito. Ela abriu minha bolsa e enfiou a mão lá dentro.

Não! Eu estava a dois passos, três, no máximo, da neve. Pulei...

A rede voou de Guiya e me engoliu de repente, enquanto sua magia se agarrava ao prêmio. Do meu peito, caiu o fragmento da pérola de Seryu, que pousou diretamente nas mãos de Guiya.

Mais uma vez, o fogo demoníaco rugiu alto, e a força de seu calor me empurrou de volta para a pira. A fumaça virou garras, que me prenderam no lugar quando tentei avançar através das chamas.

Um sorriso diabólico se espalhou pelos lábios de Guiya, e seus olhos brilharam em triunfo.

– Até logo, Alteza – ela disse, tentando arrancar a rede de mim, mas eu não a soltei.

Ela deu risada e cobriu a cabeça com o capuz.

– Eu pego quando voltar para buscar suas cinzas então. Não tenha medo. Você não é a primeira que queimamos em nome das montanhas. Não vai doer. Este é um presente das sacerdotisas para você.

Antes que os homens percebessem que ela estava fazendo feitiçaria, Guiya montou no cavalo mais próximo e saiu cavalgando para os limites da floresta. Lá, atrás das árvores cujos galhos Hasege e seus soldados tinham cortado para abastecer a pira, ela ficou me observando queimar.

Lágrimas escaldaram minhas bochechas e senti o cheiro acre horrível do meu cabelo começando a chamuscar. O único motivo de eu não virar cinzas imediatamente era a rede de choque-celeste, meu escudo, mas logo o fogo demoníaco abriria caminho através dos buracos da rede e queimaria minha pele.

Meus irmãos, que estavam distraindo os sentinelas, vieram me ajudar. Flechas voaram pelo céu, acertando suas asas enquanto eles voavam ao meu redor. Penas caíram na minha pira, mas eles não recuaram e mergulharam para me arrancar do fogo. Andahai e Benkai me levantaram enquanto Hasho apagava as chamas em minhas vestes com suas asas.

Do fogo, garras de fumaça emergiram, envolvendo o pescoço de Andahai e Benkai. Eles se assustaram e me largaram, e caí de costas contra a estaca. Enquanto eles lutavam para me agarrar novamente, meus outros irmãos atiravam neve no fogo, tentando apagá-lo. Só que as chamas só aumentaram.

Fale pra eles saírem daqui!, gritei para Kiki. *Vá! É fogo demoníaco. Eles não podem me ajudar.*

Nesse meio-tempo, os sentinelas avançaram, sacando as espadas e brandindo-as para os meus irmãos. Então Benkai e Andahai desistiram, soltando urros ensurdecedores. Hasho ficou, com penas arrancadas e asas furadas por flechas. Ele estava tão perto que pude ver as lágrimas em seus olhos.

Vá embora, implorei, virando a cabeça para esconder as minhas próprias lágrimas.

Aos meus pés, os pássaros de dobradura estavam queimando, e a cesta já tinha virado cinzas. O amuleto que Megari amarrara também já tinha virado pó, junto de suas palavras de força e proteção. Quando tentei salvá-los, os últimos pássaros murcharam nas chamas vermelhas brilhantes, e com eles minhas últimas esperanças.

Você também tem que ir embora, falei para Kiki. *Vá enquanto ainda pode.*

Quando você morrer, eu vou morrer, ela respondeu. *Se você não tiver medo, eu também não terei. Vou ficar com você até o fim, Shiori.*

Eu a abracei, enfiando-a debaixo da minha tigela. Eu não precisava de mil pássaros. Não quando tinha Kiki.

A madeira estalou e fui perdendo o equilíbrio conforme o fogo crescia em força e tamanho. A fumaça preencheu meus pulmões, o calor me oprimiu. Fechei os olhos, me obrigando a permanecer calma.

Pensei em mim roubando batatas-doces com mel no Festival de Verão, preparando sopa de peixe com rabanetes para Takkan, fazendo bolos com mamãe. Quem sabe ela não estaria me esperando lá no céu e eu poderia finalmente acertar a receita e ouvi-la cantar de novo.

Kiki se agitou. *Shiori*, ela soltou. *Olhe! Olhe!*

Abri os olhos com dificuldade, mas a fumaça era densa demais... Vi um lampejo azul e um brilho de aço. E só.

Então o ouvi:

– Lina! – Takkan gritou. Sua lâmina cintilou no alto e distingui seu contorno borrado através das chamas, vindo na minha direção. A cem passos de mim, Hasege o interpelou. Eles apontaram as espadas um para o outro, travando um duelo mortal.

Ao meu lado, Pao estava jogando neve no fogo. Um por um, os outros sentinelas começaram a ajudar, mas as chamas não deram nenhum sinal de enfraquecimento.

Ergui a cabeça para o céu, tentando não tossir com a fumaça. O fogo demoníaco golpeou minhas costas, infiltrando-se em minha pele. Mas Guiya não tinha mentido; não era doloroso. Minha pele não queimou. Em vez disso, o fogo foi direto para o meu sangue. Senti meu coração se incendiar...

Nós sete construímos pipas todo verão, murmurei para mim mesma. Queria construir mais uma pipa com meus irmãos, com Takkan. Queria poder ler as cartas que ele me enviara.

– Lina! – Takkan gritou mais uma vez. O medo de que eu morresse lhe deu uma força repentina, e ele dominou o primo, golpeando-o na nuca. Enquanto Hasege caía, Takkan disparou para mim.

Morra, Shiori, as chamas sussurraram na voz de Guiya. *Ou ele também vai acabar morrendo.*

A sacerdotisa contornou a orla da floresta, olhando para o fogo. Ela tinha um arco erguido, e a flecha apontada diretamente para o coração de Takkan.

O fogo rugiu ao meu redor, me fazendo perder a cabeça.

– Takkan! – gritei. – Cuidado!

Sua expressão de surpresa foi a última coisa que vi antes que a tigela na minha cabeça se espatifasse. E o fogo me engolisse inteira.

CAPÍTULO TRINTA E SEIS

Acordei coberta de cinzas, com as roupas chamuscadas e enegrecidas. A rede de choque-celeste brilhou no meu colo, iluminando as nuvens de fumaça. O ar estava tão denso, e o mundo, tão escuro, que me perguntei se ainda estava em terra – até que comecei a distinguir formas nas cinzas. Lá estava o cordão de pássaros de dobradura que Megari tinha feito para mim e o que restava de seu amuleto de proteção. Rolei de lado, tentando alcançar o amuleto. Tossi, sem conseguir impedir que meus pulmões ofegassem.

Louvados sejam os deuses, Kiki gritou de alívio, atravessando a fumaça e pousando na minha barriga. *Ficou tão escuro que pensei que tínhamos morrido!*

Me sentei. Meu corpo todo tremia enquanto eu chutava a rede de choque-celeste. As duas metades da minha tigela de nogueira estavam ao meu lado, e levei os dedos para o topo da cabeça depressa. Pela primeira vez em meses, toquei meu cabelo – mechas grossas e ásperas de cabelo – em vez da tigela.

Em seguida, levei as mãos trêmulas até o pescoço. Que os demônios me levassem, eu tinha falado! Levantei de um salto, com o pavor ribombando dentro do peito.

Seus irmãos estão vivos, Kiki disse, lendo meus pensamentos. *Mas ainda são grous. Você deve ter quebrado só a sua maldição.*

Ela estava certa. Peguei um pedaço da tigela de madeira. Eu tinha me acostumado tanto ao seu peso na minha cabeça que me sentia estranhamente leve sem ela.

Não era para ser uma maldição, sussurrei em silêncio enquanto a tigela virava pó em minhas mãos. *Era um escudo para esconder minha magia do mundo e... para me proteger dela ao mesmo tempo.*

Kiki pousou no meu braço. *Te proteger da sua própria magia?*

Assenti. *Da minha magia e da magia dos outros. A tigela se quebrou para me salvar do fogo demoníaco de Guiya. Se não fosse ela, eu seria só um monte de cinzas agora.*

Se não era uma maldição, você podia falar? Seus irmãos não teriam morrido?

Eu não tinha certeza. *Ela queria me assustar, para que eu não fosse para casa para contar a papai ou a qualquer outra pessoa quem eu era. Ela queria que eu a odiasse, para poder me esconder do Lobo.*

Engoli em seco com força, finalmente encontrando minha voz:

– Onde está Takkan?

Assim que perguntei, eu o vi deitado contra as pilhas cinzentas de gravetos. Não havia flecha nenhuma em sua armadura.

Ele não estava ferido.

Tirei suas manoplas e envolvi meus dedos nos dele. Suas mãos estavam frias e, enquanto as aquecia, afastei seu cabelo dos olhos e dei um beijo suave em sua testa.

– Takkan.

Ele abriu os olhos, e seu rosto se inundou de um alívio que imitava o meu. Ele me puxou para perto, envolvendo a capa sobre minhas vestes esfarrapadas. Senti seu coração contra o meu rosto, batendo selvagem e ansioso.

– Pensei que era tarde demais – ele disse com a voz rouca. – Pensei que tinha te perdido.

– Eu poderia dizer o mesmo – falei, hesitante, quase desajeitada.

Minha voz também estava rouca por causa da fumaça e dos meses sem usá-la, e minhas palavras soavam melhor na minha cabeça do que em voz alta. Era engraçado pensar como eu costumava tagarelar com tanta naturalidade, movendo a língua mais rápido que meus pensamentos. Agora eu estava pensando muito e ainda parecia uma idiota.

Engoli em seco.

– Você quase se matou, se jogando no fogo daquele jeito.

– Eu faria de novo sem nem pensar – Takkan respondeu. – Só para poder ouvir a sua voz. Para ver seus olhos.

Ele correu o dedo pela minha bochecha do mesmo jeito que eu tinha feito durante o Festival de Inverno, e enfim parei de me preocupar com a minha voz. Eu estava viva, e parte da maldição tinha chegado ao fim.

Enquanto eu segurava sua mão, pressionando seus dedos em minha bochecha, Kiki colocou a cabeça para fora do meu cabelo, toda intrometida.

– É um passado de papel? – Takkan perguntou, piscando.

Assenti.

– O nome dela é Kiki. Eu a fiz... com magia.

Takkan não pareceu surpreso.

– E esses são... – Ele pegou o cordão de grous caído no meio das cinzas. Suas asas estavam chamuscadas, e alguns estavam tão queimados que tinham perdido os bicos. – Eles também podem voar?

– Não. Kiki é especial.

– Como você?

Não tive chance de responder. Os sentinelas estavam se aproximando, arrependidos e com a cabeça baixa. Não soube dizer se era por minha causa ou por Takkan, a quem eles tinham todos traído – exceto Pao.

Peguei o amuleto que Megari tinha me dado. A tinta derretera e o tecido estava tostado, mas o entreguei a Pao.

– Diga a Megari que sinto muito por não poder me despedir. Vou sentir saudade.

Ele assentiu solenemente.

– Feiticeira! – uma voz gritou por trás.

Hasege. Ele acordou e empurrou os sentinelas, disparando contra mim. Takkan saltou para atacá-lo, mas a adaga de Hasege voou e a lâmina zuniu rumo ao meu coração.

– Lina, cuidado! – Takkan gritou.

A capa que eu estava usando ganhou vida e me cobriu feito um escudo. Ela repeliu a adaga de Hasege e a arma caiu na neve com um baque.

– Está vendo, é magia! – Hasege gritou. – O que está fazendo, está me amarrando? Perdeu o juízo, Takkan? Ela é uma feiticeira...

– E essa é a única razão para eu não te executar agora mesmo, Hasege – Takkan disse com frieza. – Graças à magia dela, Lina sobreviveu à sua traição. Você está banido de Iro. De hoje em diante, você não é mais um sentinela, nem membro do clã Bushian.

Ele enfiou a cabeça de Hasege na neve, abafando seus protestos. Ele e os outros sentinelas amarraram seus braços e pernas e começaram a carregá-lo.

Que bruto ignorante, Kiki murmurou da minha manga. *Eu pagaria uma boa grana pra ver a cara dele quando você contar quem é de verdade.*

Shiori'anma, a amada filha do imperador, princesa de Kiata. Fazia tanto tempo que eu não me identificava assim que esqueci meus outros títulos.

Não vou contar a ninguém quem eu sou de verdade, falei para ela em pensamento, limpando as cinzas dos braços. Vi minha bolsa enterrada na neve e me ajoelhei para pegá-la.

Como não?

Não vou ficar.

Takkan estava com os sentinelas, colocando Hasege na carroça para levá-lo para a masmorra do castelo. Dava para ouvi-lo berrando ordens e lançando olhares para mim. Ele provavelmente pensava que eu também seria levada para lá.

Mas ele estava redondamente enganado. Eu precisava de um cavalo para alcançar Guiya. Almirante era o mais próximo, então comecei a montá-lo, mas Takkan surgiu ao meu lado.

Eu sabia que ele queria me fazer mil perguntas, mas ele só segurou as rédeas do cavalo, mantendo-o no lugar.

Ignorei sua ajuda, puxando as correias da sela para me acomodar. Almirante resmungou, mas não resistiu. Ele não me temia mais.

– Não esqueça isso – Takkan falou, entregando-me os grous que sua irmã tinha feito para mim.

Agradeci sem dizer nada, enfiando os pássaros dentro da bolsa.

Assim que fiquei pronta, abri a boca para me despedir de Takkan, mas ele pulou em Almirante e se sentou atrás de mim.

– O que está fazendo? – perguntei.

– O que parece? Estou indo com você.

– Eu não...

– Você não pode achar que vai roubar meu cavalo e partir sem mim. – Ele deu um chutinho em Almirante para que ele começasse a se mover e falou no meu ouvido: – Além disso, tenho uma história pra te contar que acho que você vai gostar.

Uma história?

Kiki pousou no meu ombro. Eu meio que esperava que ela desdenhasse e reclamasse que Takkan só nos atrasaria. Mas ela não falou nada.

– Certo – cedi, sem dar atenção ao frio na barriga que senti quando Takkan puxou as rédeas. – Me conte no caminho.

Seguimos Kiki para dentro da Floresta Zhensa. A neve caía dos pinheiros. Era difícil falar com o vento soprando forte, e eu sentia as perguntas pesando na mente de Takkan.

À tarde, Almirante precisava descansar, então nos acomodamos na curva sul do Baiyun, onde o rio se alargava.

Não demore muito, Kiki disse, voando sobre nossas cabeças. *Vou procurar seus irmãos. Eles já devem ter alcançado Guiya.* Antes de ir, ela fez uma última brincadeira: *Esta é só uma parada para descanso, não uma oportunidade para flertar com Takkan, agora que você pode falar.*

Takkan levou Almirante até o rio, deixando-o beber água à vontade. Eu também precisava descansar, apesar de não admitir em voz alta. Para alguém que quase tinha sido queimada na fogueira, até que eu estava surpreendentemente bem. Mas quando senti o cheiro da fumaça em minhas roupas e em meu cabelo, meus ombros estremeceram.

– Você vai ficar bem – Takkan falou baixinho, me observando. – Vai levar um tempo, mas o descanso vai te ajudar. Água também. Você deve estar com sede.

Eu estava *sedenta*. Não tinha percebido até ele mencionar.

Bebi avidamente, pegando a água com as mãos em concha. Nada do que já tinha provado em toda a minha vida parecia tão delicioso, e logo a água escorria pelas minhas vestes.

– Vá com calma – Takkan disse, dando risada e balançando a cabeça. – O rio corre até Gindara. Tem água o suficiente, mesmo para uma ladra sedenta feito você.

Limpei a boca na manga.

– Você não vai me perguntar nada? Tipo por que eu tinha uma tigela na cabeça e por que não podia falar?

– O que há para saber? – ele respondeu. – Tudo o que importa é que você está viva. Pensei que tinha te perdido, Lina.

Derreti ao ouvir sua voz dolorosamente suave. Eu nunca tinha pensado que era capaz de derreter. Até agora.

Culpei a falta de ar por beber muito rápido, mas isso não explicava por que meus joelhos estavam moles ou por que Almirante bufava atrás de nós, sorvendo alegremente a água do rio. A neve estava derretendo das árvores e pingando em nossos ombros. O mundo ao nosso redor pareceu desaparecer; tudo o que eu via era Takkan.

Me entreguei em seus braços enquanto ele me segurava perto. Não dava mais para negar que eu gostava dele. Quando eu estava na estaca, a poucos suspiros da morte, desejei ter um momento como esse – com ele me abraçando, meu coração batendo forte, e o dele pulsando em meu ouvido.

Me desvencilhei do abraço e o empurrei gentilmente para longe. Agora eu podia falar, o que deveria tornar mais fácil mentir, mas descobri que não conseguia mais. Não para Takkan.

– Você devia seguir para Gindara – falei, sem conseguir olhá-lo nos olhos. – Preciso encontrar os grous. E… Zairena.

– Zairena?

– Ela não é quem diz ser. Ela é uma sacerdotisa das Montanhas Sagradas, que usou magia para tomar a forma da filha de lady Tesuwa.

– Então ela é perigosa. Mais um motivo para eu ir com você.

– Não preciso da sua ajuda.

– Eu não vou te deixar. – Ele cerrou a mandíbula, decidido. – Não se lembra do que eu te disse? Não vou te deixar sozinha.

Foi o que ele disse durante o Festival de Inverno. "Eu não vou te deixar sozinha, Lina, nem nas suas alegrias nem nas suas tristezas. Queria que seu fio se prendesse ao meu para sempre."

– Mas e a guerra do imperador? – Um grande nó se formou na minha garganta, e bebi mais um pouco de água. – Você foi… convocado para a batalha.

– Estou ligado a você primeiro. Sempre estive.

– Ligado a mim? – repeti. – Eu só dei uns pontos na sua ferida, Takkan. Não precisa agir como se estivesse em dívida comigo para o resto da vida.

– Não sou o tipo de homem que quebra as promessas.

– Então eu o liberto dessa.

– Não acho que você tem autoridade para isso. – Os lábios de Takkan se curvaram e seus olhos perfuraram os meus. – Não quando a promessa está em vigor há onze anos.

As palavras trovejaram em meus ouvidos.

– Você... você sabe?

– Não quer ouvir minha história agora? – ele perguntou. Um leve tremor em sua voz denunciou seu nervosismo. – É sobre uma princesa que tinha seis irmãos e que nunca leu as cartas de um garoto humilde e sem valor que só queria conhecê-la melhor.

– Pelos deuses – sussurrei, derrotada. A emoção se acumulou na minha garganta, em uma complexa mistura de arrebatamento e constrangimento. Eu queria ao mesmo tempo abraçá-lo e me esconder. E tudo o que fiz foi enterrar o rosto nas mãos. – Eu... nunca te chamei assim, não é?

– Você deixou seu desgosto pelo Norte bem claro, Shiori – Takkan disse, amavelmente. Ele fez uma pausa significativa após dizer o meu nome. – Não fiquei surpreso ao descobrir que seu desdém se estendia a mim.

Shiori. Gostei de como ele pronunciou meu nome. Como se as sílabas fossem as primeiras notas de uma música que ele adorava cantar. Um pequeno sorriso escapou do meu rosto.

– Há quanto tempo você sabe?

– Eu não tinha certeza até hoje, quando te vi – Takkan admitiu. – Mas já estava pensando nisso. Tinha me *perguntado* muitas vezes se era possível. Primeiro, quando te conheci no vilarejo Tianyi, pela maneira como você movia os ombros e batia os pés ao cozinhar, como se estivesse ouvindo uma canção secreta. Eu me lembrava de ter visto a princesa Shiori fazendo isso no Festival de Verão, comendo algo que adorava.

Ele continuou:

– Também havia as pequenas coisas, como você esconder comida na sua manga ou uma covinha surgir na sua bochecha esquerda quando você sorria.

Pisquei.

– Você percebeu tudo isso?

– Eu queria perceber mais. Mas você nunca respondeu minhas cartas, Shiori – ele disse, fingindo me repreender. – Senão eu teria descoberto que era você naquele dia na Estalagem do Pardal.

Minhas bochechas pegaram fogo.

– Eu guardei suas cartas. Guardei todas. Elas estão enterradas sob o estoque de talismãs que eu colecionei, desejando não ter que me casar com você.

Era verdade, e fiquei mortificada com a confissão.

– Se você tivesse me falado que eram contos... eu sairia correndo pra te conhecer. Eu pensava que você era chato.

Takkan deu risada.

– Espero que você não caia no sono quando for lê-las. Afinal, ainda dá tempo de fugir.

Não ri. Cobri suas mãos com as minhas e finalmente falei as palavras que estava guardando havia meses:

– Me desculpe por ter perdido nosso noivado.

– Me desculpe por ter ficado bravo com você. Me arrependi assim que fui embora com meu pai, mas fui orgulhoso demais para voltar. – Takkan entrelaçou os dedos nos meus e apertou minhas mãos com gentileza. – Não quero ser dispensado da minha promessa, Shiori. Mas, se você quiser, eu nunca a obrigaria a fazer algo contra a sua vontade. Eu iria com você pedir aos nossos pais para nos libertarem desse acordo.

Eu acreditei nele – eu acreditaria em qualquer coisa que Takkan me dissesse.

– Estou feliz por ele ter te escolhido – falei, engolindo em seco. – Seria mentira dizer que não gosto de você.

– Mas?

– Mas não podemos fingir que não aconteceu nada. Mesmo se derrotarmos o Lobo, não podemos seguir de onde paramos cinco meses atrás.

Sou uma feiticeira. Meu pai não pode me perdoar simplesmente porque sou filha dele.

– Por que não? Talvez seja hora de a magia voltar à Kiata.

– Você não diria isso se soubesse... – Minha voz se preencheu de angústia. – Minha magia é perigosa.

– Mas você não é – Takkan falou.

Tirei as mãos de cima das mãos dele e as pressionei na árvore mais próxima. Os galhos do olmo estavam cinzentos do inverno. Enterrei a apreensão que crescia dentro de mim, substituindo-a por lembranças do calor e da primavera.

– Floresça – sussurrei. Os ramos cintilaram prateados e dourados até que folhas brotaram de seus galhos finos, brilhantes como contas de jade.

Takkan suspirou, impressionado.

– Isso não parece nada perigoso. É incrível.

– Não, não é incrível – falei, me afastando da árvore. Seus galhos ficaram pelados e cinzentos de novo, e cerrei os dentes. Como eu poderia explicar?

Peguei minha bolsa, querendo mostrar a rede de choque-celeste, mas então senti os sete pássaros de dobradura que Megari tinha feito.

Sussurrei baixinho:

– Acordem.

Asas de papel bateram contra a bolsa. Eles saíram voando e desapareceram antes que eu pudesse chamá-los de volta.

– Posso projetar pedacinhos da minha alma – falei. – Kiki é a única que durou. É por isso que minha madrasta nos amaldiçoou, eu e meus irmãos. É por isso que o Lobo está atrás de mim...

– Devagar, Shiori. Devagar. Não estou entendendo nada.

Claro que não. Eu estava fora de controle. Fazia tanto tempo que eu não falava, que eu não usava minha magia, que a adrenalina voltou de repente, de uma vez.

Dei um suspiro vacilante. Minha língua nunca pesou tanto, e as palavras saíram devagar:

– Você já ouviu as histórias, Takkan. Sobre os demônios presos nas Montanhas Sagradas. Os deuses os prenderam lá dentro, amarrando-os com correntes divinas para que nunca mais espalhassem suas maldades sobre Kiata de novo. – Mordi o lábio. – Bem, ao que parece, minha magia pode quebrar essas correntes. É por isso que o Lobo está atrás de mim. Ele deve ter orquestrado tudo, até a traição de lorde Yuji. Até o Quatro Suspiros da carta que você encontrou... que era pra mim. Esse tempo todo, todo o sofrimento que você enfrentou, que meu pai enfrentou, que todo mundo enfrentou... foi por minha causa.

Takkan estava imóvel, com a mesma expressão de antes. Suas sobrancelhas estavam neutras, seus lábios formavam uma linha inescrutável, e seu olhar estava firme como sempre. Então ele falou:

– Nos últimos cinco meses, pensei que você estava morta. Não houve um dia sequer que não rezei para você, que não me culpei por ter deixado Gindara sem ver seu rosto. Se acha que existe alguma coisa capaz de me fazer desistir de ir com você, está completamente enganada.

– Mas os demônios...

– Teriam que me arrancar do seu lado – Takkan disse, decidido. – Acho que você está presa a mim, Shiori, mesmo se não quiser se casar comigo. Prometo te proteger.

Fiquei encarando-o, sem saber se queria beijá-lo ou colocar algum juízo na sua cabeça. Ele parecia ser capaz de ler meus pensamentos. Ficou muito bom nisso nesses últimos meses.

– E agora, para onde vamos?

– Procurar meus irmãos – sussurrei.

– Os grous. Os seis grous.

Assenti.

– Então vamos.

– Espere – eu disse. Mesmo agora, vendo-o com o chapéu ligeiramente torto e prestes a ser levado pelo vento, senti uma onda involuntária de calor. – Vai me beijar ou não?

A surpresa no rosto de Takkan valia um milhão de histórias.

– Você ficou mais descarada ainda agora que pode falar, princesa Shiori.

– Tenho muitos meses pela frente pra compensar.

Takkan deu risada. Em seguida, encostou o nariz no meu, aproximando-se de forma sedutora. Estávamos tão perto que nossa respiração se misturou no ar frio.

Fechei os olhos.

Mas ainda não era nossa hora.

Ouvimos um cavalo relinchando atrás das árvores. Então o garanhão de Hasege disparou; seus pelos cinzentos estavam manchados de vermelho. Guiya estava sobre o pescoço do animal, com as vestes brancas como a neve derramando-se sobre a sela. Sua trança estava desfeita; seu cabelo, emaranhado com as cinzas das Montanhas Sagradas. Ela tinha sido atacada.

Ao me ver, seus olhos ficaram brancos e ferozes.

– Ainda está viva – ela falou com uma voz rouca. – Você é mesmo uma peste, Shiori'anma.

Eu mal estava ouvindo. Guiya estava segurando Kiki pelas asas!

Corra, Shiori!, minha ave de papel gritou, se agitando e se contorcendo. *Seus irmãos...*

Guiya fechou a mão, amassando Kiki. Ela a jogou na neve e se voltou para mim. Faíscas de magia dançavam nas pontas dos seus dedos. As cinzas em seu cabelo viraram uma poderosa corrente, que assumiu a forma de uma espada – apontada para o meu coração.

– Pelas montanhas! – ela gritou.

Takkan sacou o arco, e eu peguei a adaga no alforje de Almirante.

Mas, antes que qualquer um de nós tivesse a chance de atacar, flechas foram disparadas por inimigos invisíveis. Takkan e eu nos escondemos atrás das árvores, e então percebemos que não éramos os alvos.

As flechas atingiram Guiya nas costas, e uma delas empalou impiedosamente seu pescoço. Um sangue escuro escorreu de seus lábios. Com um grito estrangulado, ela escorregou do cavalo e afundou na neve. Morta.

Corri para Kiki, acudindo-a e alisando as dobras de seu corpo amarrotado. Depois, ela saiu voando e batendo as asas amassadas. *Corra!*, ela gritou. *Eles estão aqui!*

Saltando das árvores, os soldados de lorde Yuji avançaram sobre nós vociferando ameaçadoramente. Eles tinham seis gaiolas – meus irmãos!

CAPÍTULO TRINTA E SETE

Os bicos dos meus irmãos estavam amarrados, e eles batiam as asas contra as barras de bambu. Seus olhos estavam tristes, parecendo mais humanos do que nunca. Era doloroso vê-los assim.

Uma dúzia de espadas foram apontadas para nós. Devia haver mais de cem soldados. Cada um usava uma máscara de lobo e uma armadura pintada toda de branco, camuflando-se com a neve que cobria as árvores cheias de musgo.

– Que difícil encontrar você, princesa Shiori – lorde Yuji disse, fazendo uma reverência. – Iro provavelmente era o último lugar em que esperava te encontrar. O destino sempre dá um jeito de tornar as coisas interessantes, não é?

– Solte-os – falei baixinho. O sol estava se pondo, e sombras se projetavam sobre as asas dos meus irmãos.

– Sua Majestade ficou desconsoladamente preocupado quando seus filhos desapareceram – lorde Yuji continuou, como se não tivesse me ouvido. Ele tinha um sorriso fácil no rosto, que eu passei a odiar. – Quando voltar a Gindara, preciso lhe informar que os encontrei.

A raiva fervia em meu peito, e a magia esquentava meu sangue. As pedras e os seixos aos meus pés se ergueram do chão e ficaram rodopiando ao redor da barra das minhas saias.

Yuji fingiu não perceber.

– Se quer saber, não tenho o menor interesse em ferir seu pai, princesa. Enquanto estamos aqui, meu exército está cercando Gindara. Tenho confiança de que ele vai me entregar o palácio em troca da vida dos seus irmãos. – Ele cumprimentou Takkan erguendo o queixo. – O jovem Bushian certamente é um bônus inesperado. Seu pai vai me pagar uma quantia generosa pela vida de seu filho único.

Eu já tinha esperado demais. Kiki mergulhou com tudo para golpear os olhos de Yuji. Eu lancei uma saraivada de pedras em seu exército enquanto Takkan disparava flechas no lorde traidor. No entanto, eu poderia muito bem ter jogado flores nos soldados, pois um escudo invisível protegia Yuji e seus homens. Cada flecha e cada pedra ricocheteou de volta para nós. Kiki se recolheu em meu cabelo, assustada.

– Ouvi dizer que você é uma feiticeira – Yuji disse, rindo baixinho. – Isto é o melhor que pode fazer?

Takkan baixou o arco e se aproximou, encostando o ombro no meu.

– Olhe, Shiori – ele falou entredentes. – No pescoço dele.

Estreitei os olhos e vi um amuleto pendurado no peito de Yuji. Era cor de bronze, bem mais simples e sem graça que o adorno que este rico senhor da guerra costumava usar, mas havia uma cabeça de lobo entalhada em sua superfície. O amuleto parecia tremer contra suas vestes finas, como se sua magia fosse poderosa demais para ser contida.

– Revele-se, Lobo – gritei.

Fumaça saiu do amuleto; a princípio, era apenas uma gavinha, que depois se transformou em várias fitas escuras. Elas emanavam um odor amargo, como chá fresco, e sua névoa espessa e aveludada turvou minha visão.

– Shiori! – Takkan gritou, adentrando a fumaça.

Nos agarramos um ao outro, com Kiki aninhada no meu cabelo. Eu podia sentir o feitiço em ação, um poder muito mais forte que o meu. Não consegui impedir que minha bolsa se erguesse dos meus ombros. Tentei segurar a alça, mas ela se afastou, voando para o lorde Yuji.

Ali, a fumaça se acumulou e começou a se condensar, finalmente tomando a forma do Lobo.

Meus irmãos gritaram, batendo as asas selvagemente. Eles já o conheciam.

– Acredito que isto é meu – o Lobo rosnou, segurando a bolsa com firmeza. Com a ponta dos dedos cintilando, ele a abriu e a luz vazou. – Ah, a rede de choque-celeste. Um objeto lendário. É tão impressionante quanto imaginei.

Para um feiticeiro, *ele* não parecia tão impressionante assim. Uma cortina de cabelo liso e grisalho emoldurava seu rosto estreito, e seu queixo exibia uma longa barba. Seus olhos brilharam, amarelados, mas não chegavam perto do amarelo luminoso dos olhos de minha madrasta usando seu poder. Os dele eram turvos e aquosos, como os do lobo que eu tinha visto naquela tarde em Iro.

– Era você na montanha – sussurrei.

– Que honra você ter me reconhecido, princesa. – O Lobo fechou a bolsa. – Sua madrasta fez um ótimo trabalho escondendo você de mim. Eu nem percebi que era você em Iro. Espero que tenha aproveitado esses meses extras que ela te proporcionou. Eles vão custar muito caro para ela.

– Como assim? Você não tem magia em Kiata.

– Eu não tinha – ele falou. – Mas acho que, com o passar dos anos, vocês, kiatanos, parecem ter esquecido que feiticeiros sem magia assumem suas formas mais vulneráveis. A ideia era lembrá-los de que grandes poderes têm um custo. Quer adivinhar qual é a minha forma?

– Um lobo – disse, seca. Sua presença já estava me cansando.

Ele bateu palmas.

– Muito bem. Eu era um lobo sem poderes, quase tão simplório quanto seus queridos irmãos quando estão sob a forma de grous. Até que encontrei isso.

Suas manzorras continham o fragmento da pérola de Seryu.

– Se eu soubesse antes que você carregava um pedaço da pérola de um dragão, princesa... eu teria te poupado do trabalho de ir até o Monte Rayuna por mim, desperdiçando todos esses meses com a rede.

Eu estava fervendo de raiva. Já era terrível o suficiente que ele tivesse se passado pelo Mestre Tsring e dado a bolsa para os meus irmãos, que todos aqueles meses odiando Raikama e tecendo a rede fossem parte de um truque pavoroso para roubar a pérola dela!

Mas ouvir de seus próprios lábios complacentes, como se ele estivesse me pedindo *desculpas*...

A adaga em meu quadril estremeceu. Canalizei minha fúria e meu ódio para ela, até que a arma saiu voando direto para o coração do Lobo.

O feiticeiro levantou a mão e a lâmina parou no meio do caminho.

– Cuidado, Shiori'anma. – Lobo deu risada. – A raiva pode ser perigosa para alguém como você.

A adaga se virou devagar até estar apontada para Takkan.

Em um movimento tão rápido que virou apenas um borrão, Takkan desviou do golpe e atacou o Lobo. O feiticeiro não esperava o ataque repentino, mas, antes de ser atingido, uma força invisível ergueu Takkan no ar. Uma sombra caiu sobre ele, que ficou imóvel feito pedra.

– Humano inútil – Lobo zombou. – Mas é corajoso, admito. Não vai implorar para que eu o liberte?

Cerrei os punhos – a única indicação de que estava furiosa. Não, eu não ia implorar nada. Lobo não mataria Takkan. Não ainda.

Ele era um feiticeiro sob juramento a Yuji. E Yuji disse expressamente que queria Takkan vivo. Mesmo agora, eu podia ver a tensão de estar nessa posição subalterna. Havia uma pulseira de ouro em seu pulso, igual àquela que o lobo usava na floresta.

– Chega desse teatrinho – lorde Yuji interrompeu. – Mate logo a garota. Você disse que precisa do sangue dela; bem, eu a trouxe até você.

– Você trouxe – Lobo disse, fazendo uma reverência a Yuji. Ele soltou

Takkan e sacou a espada. Sua lâmina já estava vermelha do sangue de Guiya, presumi. Ele a sacudiu para limpá-la e se virou para mim. – Pena que até as coisas boas tenham que terminar. Mas vamos começar com o mais importante.

– Vamos começar com o mais importante – lorde Yuji repetiu alegremente. – Quer dizer suas últimas palavras, Shiori'anma? Não é do seu feitio ficar tão calada.

Ele estava errado. Aqueles meses todos sob a maldição da minha madrasta tinham me ensinado a valorizar o silêncio, a ouvir e observar. A raiva fervilhou em mim quando vi Takkan balançando no ar, e o ódio se infiltrou em meu sangue quando vi meus irmãos se contorcendo em suas gaiolas.

– Acabe com ela de uma vez e nos leve para Gindara. O trono de Kiata está esperando.

Lobo fez uma reverência.

– Como quiser.

Então o feiticeiro ergueu a espada e a enfiou com força na barriga de lorde Yuji.

– Obrigado, *Mestre* – ele disse. – Você cumpriu seu propósito.

Os olhos de lorde Yuji se encheram de perplexidade enquanto suas ricas vestes se encharcavam de um sangue espesso e escuro.

– Você... está sob as minhas ordens! – ele falou com dificuldade. – Seu juramento...

Lobo abriu um sorriso sombrio diante do pavor de seu senhor.

– Estou cansado deste jogo de ser lançado de um mestre para outro. – Ele arrancou o amuleto pendurado no pescoço de Yuji. – É hora de ser meu próprio mestre.

Então ele puxou a espada, e lorde Yuji caiu no chão.

Com um empurrão, Lobo jogou seu antigo mestre no rio. Fiquei observando, atordoada, as águas carregarem Yuji para longe.

Lobo tinha acabado de quebrar seu juramento. Ele havia dado seu último suspiro como feiticeiro e logo se transformaria em... um demônio.

Por que ele se condenaria a tal destino, não tive tempo para entender.

A lua estava nascendo e as sombras se espalhavam pela floresta. Meus irmãos já estavam começando a se transformar. Seus membros ficaram musculosos e longos, e suas penas viraram peles.

Mas, desta vez, eles não eram os únicos que estavam se transformando.

Espirais de fumaça preta saíram do amuleto do Lobo, envolvendo a pulseira dourada em seu pulso. A algema se quebrou, como se atingida por um trovão. Então a verdadeira transformação começou.

A carne do Lobo começou a se despedaçar. Enquanto ele gritava, sua voz humana virou bestial – seu grito virou um rosnado estridente. Seu corpo humano convulsionou, seus ombros esticaram e suas unhas se alongaram, perfurando a fumaça em intervalos estranhos. Sua pele se cobriu de pelos, e seus ossos e músculos se reconfiguraram na forma de uma besta.

– Algo não está certo – Takkan murmurou. – Se ele está se transformando em um demônio, as Montanhas Sagradas deveriam reivindicá-lo. Ele não deveria estar aqui ainda.

Concordei em silêncio, mas não foi a transformação do Lobo que me deixou atônita. Foi a pérola de Seryu.

As sombras eclipsaram o fragmento, abafando sua luz. E ela também estava se transformando: se fundindo com o amuleto do Lobo, possuído por seu grande e terrível poder. Devia ser esse o motivo pelo qual o Lobo conseguia resistir à convocação das Montanhas Sagradas.

Eu precisava tomá-la dele.

À nossa volta, os soldados aterrorizados do lorde Yuji correram para as árvores. Takkan pegou seu arco e disparou contra a tempestade. Sua flecha perfurou a carne do Lobo, apenas para se dissolver em pó.

– Não vai funcionar – gritei para ele, segurando-o pelos braços enquanto ele chamava Almirante. O cavalo veio em nossa direção, e saí correndo para os meus irmãos, pegando minha adaga no chão para abrir as gaiolas.

Rápido, rápido!, Kiki gritou. *Precisamos dar o fora daqui.*

Meus irmãos ainda estavam se transformando. Gritos agudos de agonia rasgavam suas gargantas; suas asas se derreteram e viraram braços, e suas penas viraram pelos e roupas. Conforme seus olhos se aguçavam, ganhando consciência, Takkan e eu colocamos armas em suas mãos. A escuridão ao redor do Lobo estava aumentando, se estendendo para a floresta, matando tudo que tocava. Os soldados colapsaram, e seus corpos viraram pó quando a fumaça se derramou sobre eles.

– Corram! – gritei. Meus irmãos, agora quase humanos, dispararam ao som da minha voz. – Saiam daqui!

Empurrei Takkan, querendo que ele os seguisse, mas ele não se moveu. Não iria a lugar algum sem mim.

– Como posso ajudar?

Só Takkan seria capaz de me perguntar isso tão calmamente estando a poucos passos de um demônio.

– Siga meus irmãos! Você vai morrer se ficar.

– Mas e você?

– Preciso pegar aquela pérola. Ela está se fundindo com o amuleto...

Não tive chance de terminar a frase. Takkan disparou para o Lobo, atacando-o cegamente.

Pelos demônios de Tambu!, Kiki praguejou. *Este cara é ainda mais impulsivo que você.*

Eu já estava correndo atrás dele, mais apavorada a cada passo.

– Takkan!

Ele mirou a última flecha no Lobo – na luz branca piscando em seu aperto tênue –, então a soltou.

A flecha desapareceu na fumaça. A floresta inteira pareceu silenciar, e um manto escuro cobriu as árvores enquanto o Lobo completava sua transformação. O momento se estendeu por uma eternidade antes que um fragmento de luz emergisse das sombras – a pérola de Seryu.

Takkan se inclinou para pegá-la, mas o Lobo se lançou em sua direção.

– Acordem! – gritei, convocando as árvores. Seus ramos se esticaram e se entrelaçaram, formando um muro que bloqueou as garras do Lobo.

Mas o muro não duraria para sempre.

Peguei a mão de Takkan depressa e o puxei. Juntos, saltamos nas costas de Almirante e disparamos para os meus irmãos.

– O que estava pensando? Você poderia ter morrido.

– As chances de eu morrer eram altas – ele respondeu, ofegante. – Mas não definitivas.

Eu queria abraçá-lo.

– Seu tolo corajoso.

– Se é assim que quer me chamar agora, em vez de "lorde bárbaro de terceira classe" – ele me entregou a pérola de Seryu sorrindo –, então valeu a pena.

Ao longo da orla da floresta, meus irmãos tinham conseguido cavalos e gritavam para que nos apressássemos. Atrás de nós, o muro de galhos estava começando a desmoronar. A fumaça negra se espalhou sobre o Lobo, subindo para o céu em direção às montanhas.

Soltei um suspiro de alívio. Sem a pérola de Seryu, o Lobo não conseguiria resistir à convocação das Montanhas Sagradas por muito tempo. Estávamos seguros.

Foi então que garras invisíveis envolveram meu pescoço.

– Shiori! – Takkan gritou. Ele agarrou minha mão quando nosso cavalo empinou e o Lobo começou a me arrastar para longe.

Solte-o, o Lobo ronronou no meu ouvido. *Solte-o, a não ser que queira que ele morra. A não ser que queira que todos eles morram.*

Meus olhos doíam de pavor. Vi meus irmãos correndo na direção do Lobo.

– Não ataquem! – gritei, enquanto a escuridão que cercava o demônio crescia. – Ele vai matar vocês.

– Não vou te deixar ir – Takkan falou entredentes. – Vamos, Shiori.

– Você precisa me deixar. – Me aproximei de Takkan o máximo que consegui. Nossos lábios estavam tão próximos que senti sua respiração.

Nossas testas se tocaram e coloquei a pérola de Seryu em suas mãos. Ela os protegeria, ele e meus irmãos. Kiata também, se eu não conseguisse derrotar o Lobo.

Então me afastei.

Voei para longe de Takkan enquanto a risada de Lobo retumbava em meus ouvidos, tão profunda que até as árvores estremeceram.

Antes que eu piscasse, disparamos para o céu, deixando a floresta para trás.

Não havia como voltar atrás agora: estávamos nos reunindo aos demônios dentro das Montanhas Sagradas.

CAPÍTULO TRINTA E OITO

A noite caiu. O céu ficou preto, cobrindo o sol. A escuridão também envolveu o mundo abaixo. Eu não sabia se estávamos atravessando o mar, a floresta ou a montanha.

Não importava. Eu sabia para onde estávamos indo.

Os deuses tinham decidido que todos os demônios seriam prisioneiros das Montanhas Sagradas, e agora que o Lobo tinha se transformado, ele não conseguiria resistir ao chamado deles.

Nem eu conseguia resistir ao dele.

Voávamos tão rápido que eu mal conseguia piscar ou respirar, mas sempre que tinha chance, investia contra o Lobo, lutando para me libertar de seu domínio. Kiki cravou o bico em seus olhos enquanto eu o ataquei com minha adaga, mas era uma batalha perdida. Ele era feito de fumaça – não tinha carne para ser perfurada, nem ossos para serem partidos.

Havia apenas seu amuleto. Ele não era mais cor de bronze, mas preto como obsidiana, e o lobo ainda estava visível em sua superfície. Toda vez que eu tentava pegá-lo, a fumaça o escondia, até que eu praticamente me afoguei em meu próprio desespero.

Por fim, Gindara reluziu abaixo de mim. Eu tinha esquecido que meu lar era tão perto assim das Montanhas Sagradas. Contra o manto da noite, a cidade se iluminava com lampiões e tochas. Vi o Lago Sagrado e suas águas refletindo o fraco luar. Passamos rápido demais pelo palácio e voamos para o sopé, nos aproximando cada vez mais das montanhas.

Uma luz brilhou do vale e das árvores abaixo. Assim como nós, ela estava se movendo, serpenteando pela floresta feito uma cobra.

– Sua madrasta – Lobo falou com uma voz rouca. Suas garras se cravaram na bolsa de choque-celeste, e ele a apertou alegremente. – A pérola dela é excepcional. Estou ansioso para libertá-la, assim que acabar com você.

– Você devia ter pensado nisso antes – gritei. – Você matou seu mestre, não se lembra? Você é um demônio agora.

– Você acha que eu iria quebrar meu juramento assim tão imprudentemente? – ele zombou, revelando que sabia mais do que eu. – Somente alguém de sangue puro pode romper o lacre das Montanhas Sagradas, o que significa que só você pode libertar os milhares presos lá dentro. – Ele fez uma pausa para me permitir absorver suas palavras. Enquanto isso, o pavor tomou meu rosto. – Sim, é isso mesmo. Esperei muito tempo pelo nascimento de um novo sangue puro. Você, Shiori. Assim que seu sangue se derramar sobre as Montanhas Sagradas, os demônios vão finalmente liberar sua fúria sobre Kiata. Com a pérola de sua madrasta em minhas mãos, eu serei o rei deles.

– Não – sussurrei. Reuni toda a minha força e me joguei contra o Lobo, mirando a adaga em seu amuleto. A lâmina se cravou profundamente.

Por um momento, seus olhos vermelhos se arregalaram. Suas garras envolveram o amuleto, e seu domínio sobre mim vacilou.

Então minha adaga chiou, derretendo completamente, e o emblema azul de Takkan balançou contra o vento. Tentei agarrar suas cordas, mas meus dedos só encontraram fumaça.

Lobo riu e riu.

O medo congelou meu coração. Eu tinha perdido tudo. Não tinha mais minha arma, nem a pérola do dragão, nem a rede de choque-celeste.

Não tinha nada, a não ser minhas roupas.

– Floresçam! – gritei. Minhas mangas ganharam vida e se moveram como se fossem meus braços. Uma cobriu os olhos do Lobo, e a outra arrancou a bolsa de suas mãos.

Enquanto a rede mergulhava na escuridão, deixei escapar um pequeno suspiro triunfante. Mesmo que não pudesse me salvar, pelo menos manteria a pérola de Raikama a salvo do Lobo.

Contive um grito quando ele disparou em direção às montanhas, mirando na maior delas, bem no centro. Estávamos voando tão rápido pelo pico coberto de neve que mal avistei os sete pássaros de papel voando até Kiki e eu. Eram os mesmos que Megari dobrou e eu trouxera à vida.

Eles carregavam um fio vermelho, que amarraram em meu pulso.

Raikama os convocou para nos ajudar, Kiki traduziu. Ela gritou: *Pelos milagres de Ashmiyu'en! Ela vai nos salvar. Ela é...*

Kiki estava errada. Ninguém poderia me salvar.

A fumaça fez minhas narinas arderem, e fui lançada para o lado. O Lobo empurrou os pássaros; seus olhos estavam brilhantes e vermelhos. Eles se fixaram em mim enquanto a escuridão consumia meu mundo.

Um suspiro depois, eu estava dentro das Montanhas Sagradas.

Caí com um baque no que parecia ser uma cama de flores. Não, não podia ser.

Mas então descobri que eram mesmo flores. Vi lótus e orquídeas da lua, peônias e até brotos de crisântemos.

Levantei com dificuldade. Pisquei, certa de que era uma ilusão. Cotovias cantavam e cigarras entoavam sua sinfonia de verão. Caminhei como se estivesse debaixo d'água; meus movimentos estavam tão pesados que tive que arrastar um pé na frente do outro.

Não precisei avançar muito para perceber onde eu estava.

O jardim da sua madrasta, Kiki falou, saindo da minha manga.

Levei-a ao meu ombro.

– Você também veio? Você devia ter ficado lá fora.

Eu já te disse que eu vou onde você vai. Se você morrer, eu morro. É do meu interesse te ajudar a se manter viva. Agora pense, Shiori.

Pense, Shiori, repeti, estudando os arredores. Sim, este era o jardim de Raikama, só que as árvores pareciam mais altas. E eu... olhei para os meus pezinhos calçando as sandálias que tinha jogado fora fazia muito tempo.

Eu era uma garotinha de sete anos de novo, com orquídeas de seda enfeitando as tranças e colares de jade e coral balançando no pescoço.

Não, isto não era uma ilusão. Era uma memória.

Então vi as cobras. Centenas, vindo de todos os lados. Esgueirando-se das árvores de glicínias, pendurando-se nos galhos grossos e nadando no lago.

Algumas tinham chifres e outras tinham garras. Todas tinham olhos vermelho-sangue.

Não eram cobras. Eram demônios.

– Estávamos esperando você há muito tempo – elas sussurraram. – Só precisamos de uma gota. Só uma gotinha.

Congelei, como se petrificada pelas vozes. O Lobo era o primeiro demônio que eu via de verdade, mas meus irmãos adoravam me aterrorizar com histórias de demônios. Os mais poderosos podiam roubar sua alma com um toque, e mesmo o mais fraco podia fazer você esquecer seu nome com apenas um olhar.

Sem falar que eram monstros. Monstros sedentos por sangue e por poder.

E eu era a primeira humana que eles viam em séculos.

O fio vermelho amarrado em meu pulso me arrancou para longe da lagoa, um lembrete afiado para que eu voltasse a mim. Levantei em um pulo, convocando minha magia para me defender. O tecido das minhas mangas se transformou em asas, elevando-me bem acima dos demônios. Saí voando sobre a grama até pousar perto do portão. Fiz menção de correr, pois ele estava aberto.

Só que não era um portão. Bati contra um muro de pedra.

A ilusão que sustentava o jardim de Raikama vacilou, revelando paredes de granito e uma caverna vazia.

Não havia saída.

O medo se apoderou de mim. Os demônios agarraram meus tornozelos, sibilando e mostrando as presas.

– Você não tem saída – eles rosnaram conforme a ilusão do jardim de Raikama tremeluzia, voltando a ficar nítida.

Por um instante, tive um vislumbre de suas formas reais. Vi peles vermelhas feito cinábrio ou cinzentas feito a morte. Vi olhos e cabeças extras, chifres e caudas e conjuntos irregulares de garras. Eram pesadelos ganhando vida, e minha pele se arrepiou.

Mas havia as correntes.

Eu não entendia por que os demônios vinham atrás de mim disfarçados – fingindo serem as cobras da minha madrasta ou até guardas imperiais no portão. Até que vi que eles estavam presos, amarrados às paredes das montanhas, acorrentados pelos deuses.

É por isso que eles estão tentando te atrair. Eles não podem sair do lugar!, Kiki percebeu ao mesmo tempo que eu.

Esse era o problema *deles*, pensei. O meu problema era que eu não tinha saída.

Nesse cenário, eles venceriam facilmente.

Bati os punhos contra a parede.

– Madrasta! – gritei. – Me ajude, por favor!

Siga o fio, Shiori. Ele vai te levar até a base da montanha. Acima de mim, estavam os sete pássaros de papel que Raikama tinha me mandado.

Em seus bicos, havia um longo fio vermelho, o mesmo que eles amarraram no meu pulso.

Depressa, a voz disse. *Os demônios vão tentar te prender nas suas memórias, e você não deve se perder. Siga o fio. Estou te esperando no final.*

Toquei o fio no meu pulso, tirando força das palavras de Raikama. Ele me levou até o lago, onde carpas com olhos de demônio sorriam avidamente.

– Aí vamos nós, Kiki.

Pulei.

Em vez de cair na água, caí em um teto. Escorreguei e bati com força em um assoalho de madeira. As tábuas estavam frias feito gelo. Mais uma ilusão.

Eu estava dentro do palácio, só que este não era o palácio onde cresci. Os cômodos estavam nos lugares errados, e eu vaguei por um labirinto de corredores que faziam voltas intermináveis. Se não fosse pelo meu fio, eu estaria perdida para sempre.

Os demônios se escondiam, me assombrando com velhas memórias: o aroma da sopa de peixe da minha mãe ou dos meus pratos favoritos, esquecidos havia muito tempo; dedilhadas desleixadas de canções de cítara que fui obrigada a aprender; professores e empregadas que iam e vinham.

Algumas lembranças tomavam a forma de guardas, ministros, e até dos meus irmãos.

– Princesa! – eles gritavam. – É hora do almoço. Você não vem?

– Shiori, venha jogar uma partida de xadrez. Venha, irmã!

Eles devem pensar que você é uma estúpida se acham que você vai cair nesses truques, Kiki murmurou enquanto eu corria. Concordei com ela e ignorei todos, me concentrando apenas no fio vermelho. Fui seguindo-o, saltando pelas janelas, mergulhando em espelhos e até irrompendo em biombos de madeira. Cada cômodo parecia um novo patamar em uma torre sem fim, sendo que eu tinha que alcançar o que ficava na base.

Até que enfim cheguei ao pé da montanha. Eu soube porque a corda ficou repentinamente tensa.

– Pare de bocejar!

Me virei ao ouvir a voz de Hasho.

Meu irmão mais novo estava usando suas vestes cerimoniais. Seu chapéu era grande demais, provavelmente para esconder seus olhos demoníacos.

– Você está atrasada, Shiori – ele me repreendeu. – O que é isso na sua manga?

Toquei minha manga. Eu também estava usando minhas vestes cerimoniais, a mesma roupa pesada do meu noivado: sapatilhas de cetim rosa e pesados robes de seda bordados com grous e crisântemos cintilantes, e uma faixa dourada em volta da minha cintura.

Essa lembrança era recente, então os detalhes estavam mais frescos. Ouvi o gemido baixo da madeira sussurrando sob as minhas sapatilhas, o assobio das ameixeiras e cerejeiras farfalhando ao vento do verão, e senti o desejo repentino de pular no lago para escapar do calor. Era tão real que não consegui impedir meu coração de doer.

Procurei meu fio, me recusando a cair nas armadilhas dos demônios.

Então Hasho falou de novo, mais gentilmente desta vez:

– Venha, irmã. Você já está atrasada.

Seu rosto estava redondo, não magro e abatido como agora, depois de meses como grou. Seus olhos escuros dançaram, cheios de vida, e uma covinha surgiu em sua bochecha esquerda quando ele deu risada.

– Está preocupada com seu noivo? – ele disse. – Eu o vi. Ele não tem verrugas nem furúnculos e é bonitão como Benkai. Ele sorri bastante, mas não tanto quanto Yotan. Você vai gostar dele.

Meu irmão começou a me empurrar para as duas grandes portas à frente, mas eu corri para longe antes que ele chegasse perto. Não importava o quanto ele se parecesse com Hasho, eu sabia que não era.

– Não me toque.

Seus olhos se acenderam feito fogo demoníaco, e Kiki berrou quando o monstro-Hasho tentou me pegar. Desviei dele habilmente e me virei, seguindo o fio em direção à sala de audiências.

Parei na entrada. As portas estavam fechadas, ao contrário das outras que tinha encontrado na montanha.

Pela fresta, vi o fio seguindo para dentro, fluindo para uma luz além das paredes da montanha. E imediatamente soube que esse brilho vinha da pérola de Raikama.

Ela está aí!, Kiki exclamou. *Estamos perto.*

Abri as portas, meio que esperando mais mil demônios emergirem das sombras.

Mas só havia um.

O Lobo.

Ele estava sentado no que parecia ser o trono mais grandioso de meu pai, polido com laca vermelha. Acima dele, havia uma tela de madeira com grous dourados. Ao contrário dos outros demônios, o Lobo não escondia sua verdadeira forma. Estava mais alto, mais musculoso e magro. Tinha cabeça de lobo, orelhas pontudas e presas que se projetavam para fora de sua mandíbula, e uma pelugem cinzenta cobrindo seu pescoço e seus membros, mas ele se portava como um homem.

Estava envolto em um elaborado conjunto de vestes de seda; seu manto exibia uma horrível tapeçaria de deuses moribundos, dragões sangrando e feiticeiros destruídos pelo sangue das estrelas. Um adereço de ouro enfeitava o topo da sua cabeça, mais magnífico do que qualquer um que eu já vira em meu pai. Eu o julgaria ridículo, com seus fios de pérolas e nuvens de diamantes – se não fosse pelos três grous cor de marfim pendurados de cada lado de sua coroa.

Seis no total. Ensanguentados.

Cerrei os dentes, observando o fio vermelho que se estendia sobre seu colo, seguindo para uma fissura irregular na montanha – Raikama devia estar do lado de fora.

Um sorriso se espalhou no rosto do Lobo quando ele me viu empalidecer. Ele mostrou as garras, e o fio deslizou pela palma de sua mão feito um fino fluxo de sangue.

– Sabia que um demônio como eu pode roubar sua alma com apenas um toque? Eu poderia marcá-la como minha e talvez até condená-la a viver como um demônio pelo resto da sua vida. Mas você tem sorte, Shiori'anma. Seu sangue é valioso demais para um destino como esse.

Ele correu o fio pela ponta de sua unha afiada.

– Em vez disso, vamos jogar um jogo, sangue puro – ele murmurou. – Você pega o fio antes que eu te mate.

Eu já estava correndo.

Sua garra veio direto para a minha garganta, mas tudo aconteceu tão rápido que eu nem tive tempo de recuar.

Caí de barriga, e meus dedos agarraram o fio. Pedaços de papel flutuaram, com asas e bicos. Os pássaros de Megari! Eles tinham se soltado com o impacto do golpe do Lobo.

Não esperei. Saltei para a fissura na encosta da montanha. Senti o ar gelado queimando meu rosto. E vi a luz cegante e efervescente.

– Kiki! – gritei, procurando-a.

Estou aqui, estou aqui. Ela estava agarrada à minha faixa.

Graças aos grandes deuses. Pensei que o Lobo a tinha pego.

Mãos geladas agarraram as minhas e me puxaram. Pelas fendas da montanha, vi minha madrasta. Ela estava cercada de cobras, que sibilavam enquanto ela me arrancava dali. A luz jorrava da pérola em seu coração. Aos poucos, fui conseguindo sair; meus cotovelos se enfiaram na terra fofa, depois meus joelhos.

Eu estava quase fora quando o Lobo agarrou meu tornozelo. Seu toque provocou um calafrio entorpecedor pelo meu corpo, e sua voz de repente estava na minha cabeça. *O toque de um demônio tem grande poder*, ele ronronou. *Eu poderia levar sua alma, Shiori'anma, mas, para sua sorte, seu sangue é mais precioso.*

Sua unha se cravou no meu calcanhar profundamente, e um grito saiu dos meus pulmões.

Fui arrastada para a montanha contra minha vontade. O sabor metálico de meu sangue impregnou o ar úmido.

– Shiori! – Raikama gritou, me pegando pelos braços. O fino fio que conectava nossos pulsos tremeluziu sob o luar.

Atrás de mim, os demônios clamavam por sangue. Logo trocaríamos de posição: eu ficaria presa na montanha para sempre, e eles se libertariam.

Com a boca cheia de sujeira e detritos, me arrastei em direção a Raikama, lutando contra o Lobo. Implorei por sua ajuda, porque não queria voltar para aquela montanha de jeito nenhum.

Durante todos esses meses, nunca desisti dos meus irmãos. Não podia desistir de mim mesma justo agora.

Reuni cada centelha de força que ainda me restava. Eu não tive sempre força de vontade e um coração forte? Pensei na dor que senti enquanto trabalhava com as urtigas – e com seus espinhos de fogo e suas folhas afiadas –, pensei no desespero daqueles longos meses sozinha na estalagem da sra. Dainan, pensei na agonia de saber que um simples som de meus lábios seria o suficiente para matar meus irmãos.

Eu tinha vencido tudo isso.

– Eu também vou vencer essa montanha – sussurrei para ela.

As paredes tremeram e escombros tombaram de alturas invisíveis. No início, as pedras eram pequenas, simples seixos caindo no vazio.

Mas então as pedras ficaram maiores. Pequenos chuviscos transformaram-se em baques e sombras gigantescas eclipsaram à luz que emanava do coração de Raikama do lado de fora da montanha. Rochas desmoronaram, implacáveis, caindo na velocidade do meu pulso acelerado. Logo os demônios não estavam mais gemendo, mas gritando.

Em meio ao caos, olhei para o Lobo. Seus olhos cintilaram, tão brilhantes quanto o sangue escorrendo em meu tornozelo.

– Vamos jogar um jogo – gritei, repetindo suas próprias palavras. – Você me solta antes que eu te mate.

Enquanto eu falava, uma chuva de pedras caiu, fazendo um estrondo que ecoou pelas paredes. Elas atingiram brutalmente o Lobo. Vi que ele estava sentindo dor, então ordenei que mais caíssem. A poeira congelou seu pelo, e o olhar que ele me lançou foi tão mordaz, tão retorcido de fúria, que pensei que a batalha estava ganha. Em seguida, os cantos de sua boca se ergueram e um sorriso largo se espalhou pelo seu rosto.

– Que assim seja – ele disse, soltando as garras. Suas unhas estavam encharcadas com o meu sangue, que tinha o mesmo tom de seus olhos.

Com um grito feroz, ele virou fumaça e desapareceu montanha adentro.

Não tive nem chance de respirar. Pela fresta, Raikama me arrancou para fora da montanha. Caí no chão, onde fiquei ofegando no ar frio.

A pérola brilhou dentro de seu peito, um farol luminoso de pura magia. Ela parecia mais frágil do que eu jamais a vira; seus olhos dourados estavam cansados; seus ombros, encolhidos, e a cicatriz em seu rosto refletia a luz de sua pérola.

– Precisamos selar a montanha. Me empreste seu poder, Shiori. Acho que não tenho o suficiente.

Peguei a mão dela, segurando-a com força. A pérola brilhou, nos cegando. Meus olhos lacrimejaram e os fechei, concentrando-me na montanha. A fumaça subiu pela fissura que Raikama havia criado, e minha madrasta pressionou as costas contra a rocha para manter os demônios lá dentro.

Em um clarão final, uma explosão de luz ondulou pela montanha.

E então fez-se silêncio. Eu não ouvia mais os lamentos dos demônios. Nenhuma fumaça surgiu.

Quando tudo terminou, Raikama caiu no chão.

Eu caí com ela, e suas cobras abriram espaço para mim. Elas estavam deslizando sobre uma bolsa coberta de neve. A mesma que eu havia deixado cair – a rede de choque-celeste.

– Madrasta? – sussurrei.

Eu ainda estava segurando sua mão. Da última vez que fiz isso, eu ainda era uma garotinha, e meus dedinhos mal conseguiam envolver dois dedos seus. Agora, minhas mãos eram maiores que as dela, e meus dedos cheios de cicatrizes eram mais longos. Sua pele estava fria, como sempre. Quando eu era pequena, gostava de tentar aquecer seus dedos com os meus. Eu ficava maravilhada por não conseguir.

– Obrigada – sussurrei, rastejando para mais perto. – Você... veio me salvar.

Ela tocou meu tornozelo no ponto onde o Lobo havia me arranhado, e a ferida fechou lentamente, deixando apenas uma cicatriz torta e rosada.

– Você se lembra do que disse quando nos conhecemos? – ela perguntou.

– Não.

– Eu tinha acabado de pisar em Kiata. Tinha passado muitas semanas no barco e estava exausta. Nervosa também. Mas queria causar uma boa impressão. Especialmente para você, Shiori. Seu pai tinha me falado muito sobre você. Ele me contou que sua mãe tinha morrido um ano antes e que você estava inconsolável.

A lembrança, tão distante quanto um sonho, voltou depressa. Eu não consegui tirar os olhos dela – não por conta de sua beleza, mas porque seu sorriso me pareceu hesitante; ela estava nervosa de nos conhecer, eu e meus irmãos –, e, quando chegou a minha vez de cumprimentá-la, fiz algo que deixou os ministros de papai horrorizados. Eu a abracei.

E, por um momento, ela brilhou – exatamente como Imurinya.

"Você veio da lua?", falei baixinho, me lembrando. Foi isso o que lhe perguntei então.

"Não. Não venho de lugar algum", respondeu Raikama, em um kiatano empolado.

– Naquela época, eu não conhecia suas lendas – Raikama explicou –, então não soube o que responder.

Durante anos, tive certeza de que ela tinha vindo da lua. Depois, esqueci.

Agora, eu sabia que era sua pérola de dragão que a fazia brilhar. Agora, eu sabia por que ela nunca gostou da lenda de Imurinya – ela a lembrava de si mesma.

– Você tem um lar agora?

– Sim – ela disse. – Meu lar é onde não preciso da minha luz para me aquecer. É com você, seus irmãos e seu pai.

Ela respirou fundo, tentando se apoiar nos cotovelos. Mas ela estava ferida, e não quis me dizer onde.

– Nos leve para casa, Shiori – ela sussurrou. – Nos leve para casa.

CAPÍTULO TRINTA E NOVE

Mesmo com o fio de Raikama nos conduzindo, a viagem levou a noite toda. Eu não era forte o suficiente para carregá-la, e Kiki, feita de papel, também não conseguiu ajudar. Usar minha magia só me deixava cansada, então coloquei o braço de minha madrasta em volta dos meus ombros e segui sua linha pela floresta, um passo pesado de cada vez.

– Volte para me buscar de manhã – Raikama falou com uma voz rouca quando parei para recuperar o fôlego. – Não vou a lugar algum.

Era uma brincadeirinha alegre, tipo as que ela costumava fazer quando eu era pequena, mas não consegui achar graça. Não, eu não ia deixá-la sozinha.

Kiki foi na frente, sobrevoando o fio e nos esperando impacientemente. Ela se manteve longe de Raikama, mas estava sempre de olho nela. Minha madrasta percebeu.

– Sua ave é uma figura – ela disse. – Fiquei mais tranquila por saber que você tinha a companhia dela quando te mandei embora.

– Ela é minha melhor amiga – respondi. – Vivemos muitas coisas juntas.

Fez-se um longo silêncio.

– Me desculpe por tê-la matado. Me desculpe por tudo, Shiori.

– Eu sei.

Ela ficou quieta durante o resto do caminho, de olhos fechados. Seu peito estava tão imóvel que eu não sabia se ela ainda estava respirando. Seu lindo rosto pálido parecia de porcelana. Ela não estava sangrando, mas no fundo eu sabia que sua vida estava se esvaindo. A pérola em seu coração brilhava ferozmente, como se tentando fazê-la se recuperar.

Talvez ela esteja hibernando, Kiki disse, notando minhas sobrancelhas franzidas de preocupação. *Cobras fazem isso no inverno, sabe.*

– Espero que sim, Kiki. – Foi tudo o que consegui dizer. – Espero que sim.

Quando enfim chegamos ao jardim de minha madrasta, era quase manhã. Minha testa estava ensopada; meus ombros, doloridos por terem carregado Raikama por horas. Eu a coloquei suavemente debaixo de uma árvore e chamei os guardas.

Ninguém respondeu.

– Guardas!

Raikama segurou meu braço.

– Eles estão dormindo, Shiori – ela disse fracamente. – Seu pai também.

Não entendi.

– Vou acordá-los.

– Não – ela disse, sem me soltar. – Eles vão acordar na primavera. O exército de lorde Yuji nos atacou, então coloquei a cidade inteira para dormir. – Ela fez uma pausa. – Existem homens bons no exército dele. Homens leais, que não tiveram escolha a não ser seguir seu senhor na batalha. Eu não permitiria que seu país fosse dilacerado por um derramamento de sangue desnecessário se eu pudesse impedir isso.

Ela apertou meu braço. As sombras debaixo de seus olhos denunciaram o custo de tal feitiço.

– A cidade vai permanecer congelada até a primavera. Você e seus irmãos estão seguros aqui.

– Me deixe te ajudar.

– Você já me ajudou – ela disse. – Você teceu a rede.

Balancei a cabeça. Eu não estava entendendo.

– O Lobo me enganou. Fiz a rede para quebrar a maldição...

– E você vai quebrar a minha – Raikama falou. – Pegue a minha pérola.

– Mas você vai morrer sem ela.

– Por favor. Ela está me machucando.

Ainda assim, hesitei. A bolsa ficou pesada de repente. Quando a abri, a luz da rede de choque-celeste imediatamente se espalhou. Peguei-a, mas não consegui colocá-la sobre a minha madrasta.

Cobras rastejavam nos pés de Raikama, esfregando-se contra ela com carinho.

– Cobras sempre foram sensíveis à magia – ela falou. – Sabia que elas são primas dos dragões?

Assenti sem falar nada.

– Lembra quando você veio no meu jardim para roubar uma delas?

Assenti novamente. Como eu poderia esquecer?

– Elas sentiram sua magia antes mesmo de mim. Era poderosa... e perigosa. Muitos a cobiçariam. Você tinha tanta curiosidade sobre elas, Shiori, e sobre mim. No início, eu não ligava, mas, conforme passei a te amar, você passou a me fazer tão feliz que minha luz começou a brilhar demais. Eu sabia que não podia esconder meus segredos de você para sempre.

Fechei os olhos, me lembrando das raras ocasiões em que minha madrasta reluziu aquela luz tão radiante e linda que me fez questionar se ela não seria a própria Dama da Lua. Mais cedo ou mais tarde, eu acabaria lhe perguntando se era magia.

– Foi por isso que fechei meu coração para você. Enterrei suas memórias e fiz tudo o que pude para te manter longe da magia, mesmo que isso significasse te manter longe de mim. – Sua respiração ficou mais irregular.

– Mas, mesmo assim, seus poderes emergiram, e você conheceu o dragão. Eu sabia que seria só uma questão de tempo até que alguém descobrisse sobre sua magia.

– Você podia ter me contado. Podia ter contado ao papai.

– Eu queria contar – ela admitiu. – Cheguei perto várias vezes, mas tinha medo de revelar meus próprios segredos. Tinha medo de perder você e seu pai... minha família. Mas acabei perdendo tudo.

Sua voz ficou baixinha, e cada palavra que saía de seus lábios parecia doer. Só de ver seus olhos cintilantes com as lágrimas que ela se esforçava para conter, eu já estava pronta para perdoá-la por tudo.

Mas ainda era cedo.

– Por que você amaldiçoou meus irmãos? – Eu precisava saber.

Ela engoliu em seco visivelmente, apoiando a cabeça em uma árvore.

– Isso não foi só culpa minha – ela confessou por fim. – Em Tambu, minha afinidade com as serpentes me deu certo poder, mas era mais como uma maldição. Seria melhor ser esquecida. – Ela baixou os olhos, e fiquei me perguntando que passado sombrio ela havia deixado para trás. – Aqui, minha magia vem de minha pérola. Ela é diferente de qualquer outra, como você deve ter notado. É escura e falha, como meu coração já foi. – Ela respirou fundo. – A pérola aumenta o meu poder e obedece aos meus comandos, mas nem sempre da forma que eu quero.

Então ela me encarou.

– Eu queria te proteger do Lobo, Shiori. Queria te manter escondida e te mandar para longe, pelo menos até encontrar uma forma de lidar com ele. Mas, quando você contou aos seus irmãos que eu era um demônio, eu entrei em pânico. Tentei fazê-los se esquecerem, mas não consegui. Só sabia que eu tinha que protegê-los tanto quanto você. Transformá-los em grous foi como a pérola escolheu obedecer às minhas ordens.

Falei baixinho:

– Eles realmente morreriam se eu falasse?

– Sim. A pérola não mente.

Sua certeza fez minha garganta se fechar.

– Mas por quê?

Raikama torceu as mãos.

– Posso parecer uma monstra, mas sou tão humana quanto você, e cometi minha cota de erros. Um deles foi ter recorrido à pérola, especialmente quando eu estava tão apavorada... – Ela suspirou, e finalmente disse: – A pérola pega o destino e o distorce de acordo com seu próprio propósito. Transformar seus irmãos em grous, te mandar para o longínquo Norte, te obrigar a tecer uma rede de choque-celeste, cruzar seus fios com o Rei Dragão... tudo isso foi porque ela queria voltar ao seu dono. – Ela cerrou a mandíbula. – Eu nunca fui sua verdadeira dona.

– O poder dela é um fardo pra você. – Por fim, compreendi.

Raikama assentiu de leve.

– Me liberte, Shiori. Por favor.

Hesitei, sem saber se devia honrar ou não o pedido de minha madrasta. Mas, no fundo, sabia que não podia desobedecê-la. Não agora.

Devagar, abaixei a rede, esticando-a sobre seu corpo como se fosse um cobertor. Seus braços se arrepiaram; suas mangas estavam rasgadas e puídas. Era curioso – eu tinha tecido a rede desse tamanho com a intenção de imobilizá-la, não para mantê-la aquecida. Mas eu estava feliz por fazer isso agora.

O choque-celeste cintilou, e sua trança formada por três magias brilhou intensamente ao redor da pérola quebrada no peito de minha madrasta. As mãos de Raikama cerraram-se ao lado de seu corpo, suas unhas se cravaram na terra. Percebi que ela estava contendo um grito, e ela soltou um forte suspiro quando a rede ficou mais brilhante, sobrepujando a luz de sua pérola.

Ela saiu rolando de seu coração como uma gota de noite e flutuou sobre minhas mãos abertas.

A magia das trevas se agitando dentro da pérola me hipnotizou, assim como quando a vi pela primeira vez. Ela pousou na palma da minha mão, então sua luz esmaeceu até ficar quase escura.

Sem a pérola, minha madrasta afundou contra a árvore, com um sorriso se espalhando pelo rosto. Seu cabelo ficou completamente branco e escamas cobriram sua pele até ela ficar com cara de serpente – com um nariz empinado e erguido, e pupilas finas como fendas. No entanto, ela parecia mais confortável com este corpo do que jamais estivera com sua máscara de beleza e esplendor.

Deixei a pérola em cima da bolsa, sem querer sair do lado dela.

– Me conta sobre a garotinha que você foi? Vanna?

– Vanna? – Raikama repetiu.

– Não é seu nome, madrasta? Seu verdadeiro nome.

– Não. – Ela fez uma pausa, com uma expressão subitamente distante. – Era o nome da minha irmã.

– Sua irmã?

– Sim, eu tive uma irmã, há muito tempo. Eu a odiava mais que qualquer outra pessoa, e a amava mais que qualquer outra pessoa. Todo mundo me chamava de monstro, menos Vanna. Ela era tão bondosa quanto linda. Todos a chamavam de Dourada, por causa da luz de seu coração.

– A pérola. – Entendi.

Raikama assentiu.

– Ela nasceu com uma pérola de dragão no coração. Era mais uma maldição que uma bênção, porque atraía demônios, princesas e reis. Tentei protegê-la deles, mas...

Sua voz falhou, mas ela não precisava terminar a história.

– Sinto muito – sussurrei.

– Devia ter sido eu – Raikama falou baixinho. – Eu era um monstro, Shiori, por dentro e por fora. Fiz coisas horríveis, tentando encontrar um jeito de quebrar a maldição que desfigurava meu rosto, tentando parecer normal. No fim, a pessoa que eu mais amava pagou o preço. Quando Vanna morreu, sua pérola se enterrou no meu coração para impedi-lo de se quebrar, e realizou meu maior desejo, só que da forma mais cruel. Ela me deu um novo rosto: o rosto da minha *irmã*.

Raikama tocou as escamas ásperas de sua pele.

– Eu queria morrer – ela falou com uma voz rouca. – Ver o rosto de Vanna toda vez que eu me olhava no espelho... era mais doloroso que ver meu rosto verdadeiro. – Seus dedos se demoraram em sua cicatriz. – Achei que não seria capaz de aguentar, até conhecer seu pai. Ele tinha perdido a esposa, a quem ele amava mais que a si mesmo, e foi gentil comigo. Nós entendemos o sofrimento um do outro, então vim com ele para cá para ser parte de sua família.

– Madrasta...

Ela pegou minha mão. Nossos pulsos ainda estavam conectados pelo fio, mas seu brilho estava se apagando depressa – um sinal que de repente tornou o ato de respirar doloroso.

– Meu maior arrependimento era que eu tinha falhado em proteger Vanna – ela continuou. – Eu daria qualquer coisa para mudar isso, mas nem a magia mais poderosa do mundo pode mudar o passado. Você era a minha segunda chance, Shiori. Quando soube que você estava em perigo, jurei que faria qualquer coisa para te proteger. Porque não tinha protegido Vanna.

– Mas você me protegeu. Você nos salvou.

Ela não respondeu, mas endireitou a postura, ainda apoiada na árvore, reunindo o que restava de suas forças. Suas escamas capturaram o brilho do sol nascente, reluzindo como opalas.

– É quase dia – ela falou. – Hora de encerrar a maldição de seus irmãos.

– Mas eu... – Não terminei de falar. *Eu não sei seu nome.*

– Você sempre soube – minha madrasta disse, como se pudesse ler meus pensamentos. – Como era aquela música que você vivia cantando na cozinha?

Abri a boca e fiquei encarando-a.

– Mas... essas eram lembranças com a minha mãe.

– Não. – Sua voz era suave. – Eram lembranças comigo.

Ela começou a cantar em uma voz baixa e áspera que eu não ouvia havia anos:

Channari era uma garota que vivia à beira-mar,
sempre no fogo com uma colher e uma panela.
Mexendo e mexendo a sopa para ficar com a pele bela.
Cozinhando e cozinhando um ensopado para cabelos pretos e grossos.
Mas o que ela fazia para ter um sorriso feliz?
Bolos, bolos com feijão doce e de açúcar um triz.

Recuei, sem conseguir acreditar. As manhãs secretas que passei na cozinha dando risada com a minha mãe enquanto ela me ensinava a fazer sopa de peixe... na verdade foram com Raikama?

– Você sentia tanta saudade dela que não queria comer – minha madrasta disse com gentileza. – Você chorava baixinho e se recusava a falar. – Ela fez uma pausa. – Isso aconteceu durante meses, seu pai não sabia o que fazer. Eu era nova no palácio e tinha acabado de perder alguém que eu amava muito. Fazer você feliz me deixava feliz.

– Você usou sua magia em mim.

– Por pouco tempo – ela admitiu. – Eu queria te dar lembranças da sua mãe. Lembranças que te fariam sorrir mesmo quando você passasse a me odiar.

Mesmo quando você passasse a me odiar. A tristeza em sua voz tornava impossível sentir raiva dela. Apertei sua mão. Ela era a única mãe que conheci.

– O que Channari significa? – perguntei, quando finalmente recuperei a voz.

– Significa "cara de lua" – disse Raikama, tocando sua pele enrugada. – Poético, não é? E adequado. Vanna *era* o sol da minha lua. – Ela olhou para as estrelas desaparecendo no céu. – Eu a verei em breve.

– Não – implorei. – Não vá.

O amanhecer floresceu no céu, e minha madrasta desviou os olhos do sol. Ela soltou minha mão.

– Seus irmãos logo vão se transformar em grous. Vamos poupá-los de mais uma transformação e acabar com o que eu comecei.

Assenti, entorpecida. Peguei a pérola e sussurrei:

– Channari.

A pérola começou a girar na minha palma, e sua luz envolveu todo o meu corpo. Em sua superfície escura e brilhante, vi meus irmãos. Eles estavam correndo pela floresta, procurando por mim, gritando: "Shiori, Shiori!".

Foi Hasho quem avistou o sol primeiro. Os raios do amanhecer se estendiam por entre as árvores para os membros dos meus irmãos, e eles se prepararam para a transformação.

Mas os raios assumiram a forma de cobras. Elas brilharam, envolvendo os braços deles e sussurrando na voz de Raikama:

– Sua irmã libertou vocês. Fiquem bem, filhos do meu marido.

A visão dos meus irmãos desbotou e a pérola parou de girar, pousando pesada e silenciosa na minha mão.

– Chegou minha hora – Raikama disse, soltando minha mão.

– Não, madrasta. Você...

– A magia que coloquei nas montanhas não vai durar para sempre – ela me interrompeu. – Você precisa ir para onde os demônios não possam te seguir, pelo menos por enquanto. Lá, você vai fazer uma coisa por mim.

Pela última vez, sua voz ficou imponente, como um lembrete de que era minha madrasta. E não mais a Rainha Sem Nome.

– Qualquer coisa.

– Devolva a pérola a seu dono. Você tem que fazer isso antes que ela se quebre por completo. O Rei Dragão saberá a quem me refiro.

– Mas ele a quer para si.

– Sim, e a rede vai te proteger de sua fúria, só não por muito tempo. Não o deixe te enganar, Shiori. A pérola será perigosa nas mãos de qualquer outro que não seu dono. Como você viu acontecer comigo. – Raikama engoliu em seco. – Me prometa que você só vai dá-la ao dragão que tiver o poder para torná-la inteira de novo.

– Prometo.

– Que bom. – Sua voz ficou distante e se encheu de arrependimento. – Eu devia ter feito isso há muito, muito tempo.

Então ela colocou as mãos nas minhas bochechas carinhosamente.

– Diga aos seus irmãos que sinto muito. Por todos os meus erros e pelo que eu os fiz passar.

Ela encostou a cabeça na árvore.

– Diga ao seu pai que eu gosto muito dele. Na minha vida antes dele, eu não conhecia muito o amor, e minha maior alegria foi que ele me deu uma família para que eu pudesse cuidar como se fosse a minha. Diga que eu sinto muito.

Ela enxugou uma lágrima que escorreu pela minha bochecha enquanto eu balançava a cabeça, implorando para que ela parasse.

– Me desculpe, Shiori. Por toda a dor que te causei, mas acima de tudo, por ter dito que você nunca seria minha filha. Você é minha filha, se não de sangue, de coração.

Não consegui mais segurar as lágrimas.

– Madrasta, por favor...

Suas mãos, agora apoiadas em seu peito, se ergueram um pouco. Ela não tinha terminado ainda.

– Aprenda com os meus erros – ela falou tão baixinho que tive que me inclinar para perto para ouvir –, e aprenda com as minhas alegrias.

Cerque-se de quem sempre vai te amar, mesmo com seus defeitos e suas falhas. Forme uma família que vai te achar mais bonita a cada dia, mesmo quando seu cabelo estiver grisalho. Seja a luz que faz a lanterna de alguém brilhar. – Ela respirou fundo e seu peito afundou. – Vai fazer isso, minha filha?

Mal consegui assentir, e falei com dificuldade:

– Vou.

– Que bom. – Ela se encostou na árvore, com o cabelo completamente branco contra a árvore coberta de neve. – Cante comigo.

Tentei, mas as lágrimas não deixaram. Minha boca tinha gosto de sal e minha voz estava tão rouca que doía. Mas, enquanto ela cantava, eu a acompanhei como podia:

> *Channari era uma garota que vivia à beira-mar,*
> *sempre no fogo com uma colher e uma panela...*

Então seus dedos ficaram moles. O brilho de seus olhos se apagou, e nossa música se misturou ao vento, inacabada.

Eu a abracei e chorei.

CAPÍTULO QUARENTA

Meus irmãos e eu oferecemos a Raikama uma pequena cerimônia particular em seu jardim. Não houve procissão nem ritual para que ela fosse homenageada entre nossos ancestrais e recebesse oferendas de dinheiro e comida. Mesmo se o palácio estivesse acordado, acho que ela não ia querer um grande funeral. A única coisa que ela iria querer era que papai estivesse ali.

Quando acabamos, Takkan devolveu a pérola de Seryu para mim. Fiz uma redinha para ela, amarrei-a em uma corda e a coloquei no pescoço. Fui para o meu quarto sem dizer uma palavra.

Só que o quarto não parecia mais meu. Nada tinha mudado: a ordem dos meus livros na estante, a coleção de grampos de cabelo e brincos em cima das minhas caixas de joias laqueadas, a disposição dos meus travesseiros de seda permanecia a mesma.

Mas *eu* tinha mudado. Inquestionavelmente.

A primeira coisa que fiz foi procurar um tesouro havia muito esquecido: uma caixa coberta com brocado vermelho, escondida no fundo de uma gaveta, sob pilhas de talismãs e amuletos reunidos ao longo de uma década inteira fazendo desejos.

As cartas de Takkan.

Eu as li e reli, dei risada e chorei com suas histórias, que ao mesmo tempo preenchiam meu coração e o faziam doer. Muitas delas eram sobre ele quando menino, tentando disciplinar sua espirituosa irmã, mas frequentemente acabando cúmplice de suas aventuras. Elas me fizeram sentir falta de Megari, de Iro e, acima de tudo, de Takkan.

Li até que meus olhos ficaram tão cansados que as palavras se tornaram borrões de tinta. Mas eu não conseguia dormir, não até colocar a pérola de Raikama no meu travesseiro e a rede de choque-celeste na mesinha de cabeceira. De alguma forma, isso me garantia que os últimos seis meses não tinham sido um sonho, do qual eu poderia simplesmente despertar. Que minhas cicatrizes – internas e externas – eram reais. Que eu tinha feito promessas que precisava cumprir.

Então finalmente adormeci, sucumbindo a um vazio sem sonhos que depois meus irmãos relataram ter durado três dias inteiros. Cobras cercaram minha cama, e eu as acolhi. Não tinha mais medo delas. Afinal, só estavam de luto por sua mãe, assim como eu.

Não sei o que meus irmãos fizeram enquanto eu dormia, mas, quando acordei, havia um monte de espadas fora das paredes do palácio, apreendidas de todos os soldados do exército do lorde Yuji. Takkan e meus irmãos as tinham reunido, e agora as armas estavam no pátio do lado de fora dos aposentos que meus irmãos e eu dividíamos, agrupados em um círculo, como se fossem amigos de longa data.

Eu não via Takkan desde que o Lobo havia me levado para as Montanhas Sagradas. Ainda assim, quando eu estava meio acordada, pensava ouvir sua voz me contando histórias. Lendo suas cartas em voz alta.

Ele percebeu que eu estava acordada antes dos meus irmãos, e ficou de pé de um salto.

Vê-lo ali fez uma centelha de calor florescer dentro de mim, mas não consegui sorrir. Ele provavelmente pensava que este era o começo do nosso futuro... só que eu não podia ficar.

Apontei para a pérola de Raikama e para a de Seryu, no meu pescoço.

– Estou indo para o Mar de Taijin. Para Ai'long, o reino dos dragões.

~

As ondas quebravam na praia, e a água cintilava feito neve recente. Repetidamente, em um ritmo constante, as ondas subiam e desciam, varrendo a costa e então se recolhendo. Elas faziam isso desde muito antes de eu nascer, e continuariam muito depois que eu partisse.

Vindos por trás, Takkan e meus irmãos estreitaram o espaço entre nós, mas eu não estava pronta para começar nossas despedidas. Não estava pronta para ir embora, não quando tinha acabado de chegar em casa.

– Ainda tenho uns minutos – murmurei para eles, observando o sol, que havia subido apenas pela metade no horizonte, reluzindo sobre o Mar de Taijin. Sob sua luz, a água parecia mais ouro do que neve, com traços violeta da noite que morria e traços vermelhos do amanhecer amadurecendo. A visão, estranhamente bela, fez minha mochila parecer mais pesada. A pérola de Raikama estava ali dentro, em seu ninho de choque-celeste.

– Tem certeza de que não quer esperar papai? – Hasho perguntou.

– É melhor assim.

Levaria semanas para meu pai e o resto de Gindara acordar. Além disso, eu não sabia como contar a verdade para ele: que eu era o sangue puro de Kiata. Que eu era um buraco nas costuras que os deuses haviam feito para manter a magia fora de nosso país para sempre.

– Papai já vai sofrer demais – acrescentei. Engoli em seco com força, imaginando sua reação ao saber da morte de Raikama. – Volto logo.

Assim que as palavras saíram de meus lábios, quis não ter falado nada. Eu nem tinha contado a Seryu ainda que não ia dar a pérola para seu avô. O Rei Dragão certamente não ficaria feliz. Bem, com ou sem a ajuda de Seryu, eu manteria a promessa que fiz a Raikama e encontraria o verdadeiro dono da pérola.

Kiki pairou sobre mim enquanto eu tirava os sapatos, largando-os na praia. *Você acha que vou nadar tão bem quanto eu voo?*, ela perguntou. *Talvez Seryu possa me dar umas nadadeiras.*

Não respondi. A areia debaixo dos meus pés estava úmida e gelada, e estremeci quando o mar bateu em meus tornozelos.

Havia mais uma coisa a fazer antes de mergulhar. Hasho me deu uma caixa de teca, uma madeira nativa de Tambu, embrulhada em um dos vestidos de brocado de Raikama. Cada um de nós colocou um pertence na caixa – Andahai, uma joia de uma de suas coroas; Benkai, uma flecha; Reiji, uma peça de xadrez; Wandei, seu livro favorito; Yotan, um pincel; Hasho, uma pena, e eu, sete pássaros de papel.

Assim, Raikama não estaria sozinha quando voltasse para as Ilhas Tambu.

Com cuidado, envolvi a caixa com o fio vermelho que minha madrasta sempre usava para encontrar o caminho de casa.

– Reúna-a com a irmã dela – sussurrei para a caixa antes de soltá-la em uma corrente suave. Em silêncio, eu a observei flutuar até ela desaparecer de vista.

Um por um, meus irmãos me abraçaram. Hasho se demorou mais, e sussurrou:

– Não fique longe por muito tempo, irmã. Vamos sentir saudade.

Por último, Takkan.

Havia areia por toda a sua roupa, e seu cabelo ficava batendo em suas bochechas, mas ele nunca esteve tão solene do que neste momento. Ele se curvou, mantendo uma distância respeitosa.

– Meus irmãos não vão te colocar na masmorra por conta de um abraço – provoquei.

– Eu sei – ele falou baixinho. – Só estou preocupado porque acho que não vou querer te soltar.

Então me joguei em seus braços, enterrando a cabeça debaixo de seu queixo.

Ele fez carinho no meu cabelo.

– Quero ir com você.

– Não dá. – Olhei para ele, notando por seus lábios apertados que ele esperava uma resposta diferente. – Também queria. Não se preocupe, estarei em boas mãos.

– Se as lendas que ouvi sobre dragões são verdadeiras, tenho motivos para duvidar disso. –Takkan fixou os olhos nos meus, inabaláveis. – Mas sei que você pode cuidar de si mesma, Shiori. Melhor que qualquer um. Vou esperar por você.

Peguei suas mãos. Eu não sabia quando nos veríamos de novo. Diziam que o tempo passava de outra forma no reino submarino. Poderia levar anos até que eu o visse novamente. Será que as coisas seriam as mesmas entre nós quando eu voltasse?

Se eu voltasse.

Afastei o pensamento e forcei um sorriso.

– Mantenha meus irmãos longe de problemas.

– Parece que você é a encrenqueira, Shiori. Não eles.

Meu sorriso forçado se tornou real, e comecei a me virar para o mar. Mas Takkan não tinha terminado.

– Leve isto com você. – Ele me passou seu caderno, o mesmo que eu tinha visto na Estalagem do Pardal, com as páginas manchadas de carvão e cheiro de sopa.

– Mais cartas?

– Melhor que isso – ele prometeu. – Pra você não me esquecer.

Encostei a testa na dele e pressionei os lábios em sua bochecha, sem me importar com a presença dos meus irmãos.

– Nossos destinos estão conectados – falei com carinho. – Como eu poderia te esquecer?

As ondas aumentaram. Uma cauda verde brilhou na espuma do mar, e Seryu emergiu em sua forma humana.

Sussurrei um adeus para Takkan e me afastei. Quando entrei na água, afundando os pés na areia, Kiki saiu correndo atrás de mim. Ela tremulou na frente do meu nariz. *Não me diga que você também não vai me deixar ir com você!*, ela gritou, se sentindo traída.

– Claro que vou – respondi. – Onde eu for, você vai, lembra?

Ela amoleceu e pulou no meu ombro. *Bem, da próxima vez diga.*

Meus irmãos cumprimentaram o dragão acenando a cabeça, assim como Takkan.

Eu meio que esperava que Seryu se apresentasse da forma como tinha se apresentado a mim, recitando a lista de títulos e deixando claro que ele era o neto do Rei Dragão. Mas ele só lançou um olhar para Takkan, franzindo suas sobrancelhas emplumadas em um nó insondável.

– Existe mesmo um reino debaixo da água? – Yotan perguntou, contorcendo os dedos dos pés na areia enquanto as ondas quebravam.

– O reino mais bonito do mundo – disse Seryu. – Que faz Gindara parecer um vilarejo decrépito.

– Cuidado, dragão – Benkai avisou. – Não esqueça que você está em Gindara agora. E falando com os príncipes de Kiata.

– Ah, sei muito bem disso – Seryu falou, seco. E não disse mais nada. – Está pronta, Shiori?

Levantei as saias e entrei na água.

– Estou.

Kiki envolveu as asas sob o meu colarinho. *Prometa, Shiori, que se eu ficar encharcada demais, você não vai me trazer de volta como um peixe.*

Dei risada, beliscando seu bico.

– Prometo.

Seryu estendeu a mão, abrindo as garras.

– Prenda a respiração. Água salgada queima o nariz, ou pelo menos foi o que me disseram.

Lancei um último olhar para Takkan e meus irmãos. Meu coração estava com eles, não importava para onde eu fosse. Não importava quão diferentes as coisas fossem quando eu voltasse.

Prendi a respiração. Seria o último suspiro que eu daria por um longo tempo.

Então, de mãos dadas com um dragão, mergulhei no Mar de Taijin.

Nas profundezas das Montanhas Sagradas, o Lobo rondava em busca de uma saída. Os outros já haviam tentado, mas estavam acorrentados.

Ele não estava mais.

Os demônios estavam dizendo que tudo tinha sido em vão, mas o Lobo não os ouvia. Pois em sua garra havia uma gota preciosa do sangue da garota.

Ele arranhou a montanha, pintando suas veias brancas de vermelho.

Então a montanha começou a cantar, abrindo a menor das rachaduras, enquanto as sombras se dissipavam por dentro. Os demônios se reuniram, sedentos por vingança, famintos pela ruína.

Ele os alimentaria. Em breve.

Como feiticeiro, ele tinha centenas de nomes, talvez até mil. Mas não era mais um feiticeiro. Agora era um demônio e precisava de um nome apenas.

Bandur.

AGRADECIMENTOS

Minha gratidão a Gina, minha agente, que me guiou no lançamento de cinco obras e cujo conhecimento sobre livros, textos e sobre a vida nunca deixa de me surpreender. A Katherine, minha editora, por acreditar que havia algo especial em *Os seis grous*, e cuja genialidade fez a história de Shiori brilhar mais do que eu jamais poderia ter imaginado. A Alex e Lili, meus assessores de imprensa, pela dedicação e empolgação, e por sempre se esforçarem para divulgar meu trabalho.

A Gianna, Melanie, Alison e à equipe maravilhosa da Knopf Books for Young Readers, pelo apoio a este livro desde o primeiro dia. Obrigada por me ajudar a criar esta obra linda, por dentro e por fora. A Tran, por mais uma capa suntuosa e deslumbrante, e por fazer Shiori e Kiki ganharem vida. Foi uma honra trabalhar com você em três livros e espero que estejamos apenas no início de nossa colaboração.

A Alix, pela caligrafia épica e maravilhosa, que traz tanta força à história.

A Virginia, pelo mapa de Kiata, de tirar o fôlego. Estou apaixonada pelo dragão, pelos grous, pelo coelho na lua. Obrigada por visualizar o mundo de Lor'yan em contínua expansão de uma forma que certamente despertará a imaginação dos leitores.

A Leslie e Doug, os parceiros de crítica mais perspicazes que uma garota poderia pedir, que leram incontáveis rascunhos e manuscritos, e por sempre me oferecerem os conselhos que eu precisava ouvir.

A Amaris, Diana e Eva, por serem minhas amizades mais antigas e queridas e por lerem meu livro, apesar da vida ocupada. Sei que sempre posso contar com vocês para me dar suas opiniões honestas e construtivas – elas valem mais do que ouro.

A Lauren e Bess, por lerem o primeiro rascunho dos primeiros capítulos e por me encorajarem a seguir em frente.

A Anissa, por ser uma fã da história de Shiori desde o início e pelas inúmeras conversas sobre arte e anime – sou muito grata por termos nos conhecido na BookCon tantos anos atrás!

Aos meus sogros, por atravessarem o mundo para me ver e me ajudar a tomar conta das crianças enquanto eu escrevia e escrevia, e por prepararem o porco assado mais delicioso que existe. Ainda não esqueci aquele macarrão de vidro com camarão ao alho.

Aos meus pais, que me deixaram ler à vontade quando eu era pequena. Obrigada por encherem minha cabeça e meu coração com histórias, e por me encorajarem a deixar que elas ganhassem vida do meu jeito. E, mãe, obrigada por me ensinar a fazer sopa e bolos.

A Victoria, por sempre me dar sua opinião sobre o romance (e pedir mais!), e por inspirar as jovens fortes sobre as quais escrevo e que tanto admiro.

A Adrian, que lê e edita incansavelmente cada um dos meus livros, que cozinha para as crianças e não reclama quando eu me levanto no meio da noite para rabiscar uma nova ideia, e que ri comigo quando eu mando mensagens pedindo opinião, mesmo que estejamos separados só por um cômodo. Te amo para sempre.

Às minhas filhas – vocês são duas agora! Vocês trazem alegria aos meus dias mais difíceis e me lembram por que vale a pena compartilhar histórias. Este livro é para vocês.

Por último, como sempre, aos meus leitores. Obrigada por estarem nesta jornada comigo e por lerem até aqui. Espero que a história de Shiori tenha trazido alguma luz para a vida de vocês e encontrado um lugar em seus corações.

SUA OPINIÃO É MUITO IMPORTANTE

Mande um e-mail para **opiniao@vreditoras.com.br**
com o título deste livro no campo **“Assunto”**.

1ª edição, fev. 2022

FONTE Sabon Regular 10,75/16,3pt
PAPEL Ivory Cold 65 g/m²
IMPRESSÃO Geográfica
LOTE GEO231221